JEANNETTE WALLS | Schloss aus Glas

D1650549

Das Buch

»Ich hatte schreckliche Angst davor, dass die Leute etwas über meine Eltern herausfinden würden, darüber, dass ich als Kind in Pappkartons geschlafen und tagelang gehungert hatte. Deshalb erzählte ich niemandem von meiner Vergangenheit – bis jetzt.«

Als Jeannette Walls beschließt, das Versteckspiel aufzugeben, ist sie bereits eine erfolgreiche Journalistin und lebt in einer Luxuswohnung in New York. Mitreißend erzählt sie in »Schloss aus Glas« von ihrer Kindheit: von ihrem Vater, den sie vergöttert und der leider nicht nur ein begnadeter Geschichtenerzähler ist, sondern auch ein unverbesserlicher Träumer und Säufer. Und von ihrer Mutter, für die das eigene Künstlerdasein stets Vorrang vor dem Wohl der Kinder hat.
Das Leben der Familie Walls findet außerhalb gesellschaftlicher Normen und Konventionen statt. Aber das, was für die Kinder anfangs noch abenteuerlich und vergnüglich ist, wird mit der Zeit immer trauriger und bedrohlicher.

Pressestimmen

»Geschichten erzählen kann Walls. Bald will man das Buch gar nicht mehr zuklappen.« *Frankfurter Neue Presse*
»Beim Lesen dieser Kindheitsgeschichte schwankt man zwischen Neid und Grauen, leidet und lacht: Was für eine wunderbare Mischung!« *Für Sie*

Die Autorin
Jeannette Walls lebt und arbeitet als Journalistin in New York und auf Long Island.

JEANNETTE WALLS

Schloss aus Glas

Aus dem Amerikanischen von
Ulrike Wasel und Klaus Timmermann

Diana Verlag

FSC
Mix
Produktgruppe aus vorbildlich
bewirtschafteten Wäldern und
anderen kontrollierten Herkünften
Zert.-Nr. SGS-COC-1940
www.fsc.org
© 1996 Forest Stewardship Council

Verlagsgruppe Random House FSC-DEU-0100
Das für dieses Buch verwendete FSC-zertifizierte
Papier *München Super* liefert Mochenwangen Papier.

Die Originalausgabe erschien unter dem Titel »The Glass Castle«
im Verlag Scribner, New York

13. Auflage
Taschenbucherstausgabe 07/2006
Copyright © 2005 by Jeannette Walls
Copyright © der deutschsprachigen Ausgabe 2005 by
Hoffmann und Campe Verlag, Hamburg
Copyright © dieser Ausgabe 2006 by Diana Verlag, München,
in der Verlagsgruppe Random House GmbH
Printed in Germany 2008
Umschlaggestaltung | Hauptmann & Kompanie Werbeagentur,
München – Zürich, Teresa Mutzenbach
unter Verwendung des Originalumschlags von Steigenberger
Grafikdesign, München, Foto Corbis/Bettmann
Herstellung | Helga Schörnig
Satz | Dörlemann Satz, Lemförde
Druck und Bindung | GGP Media GmbH, Pößneck
ISBN: 978-3-453-35135-6
http://www.diana-verlag.de

Für John, der mich davon überzeugt hat,
dass jeder, der interessant ist, eine Vergangenheit hat.

Dunkel ist ein Weg und Licht ist ein Ort,
Himmel, der niemals war
Noch jemals sein wird, ist immer wahr.

Dylan Thomas

I

EINE FRAU AUF DER STRASSE

Ich nestelte an meiner Perlenkette und fragte mich, ob ich nicht doch zu elegant für die Party angezogen war, als ich aus dem Taxifenster schaute und Mom sah, die gerade einen Mülleimer durchwühlte. Es war ein stürmischer Märzabend, und es dämmerte schon. Der Wind peitschte den Dampf, der aus den Kanaldeckeln aufstieg, und die Menschen hasteten mit hochgeklappten Mantelkrägen über die Bürgersteige. Ich steckte im Stau, zwei Häuserblocks von dem Restaurant entfernt, wo die Party stattfand, zu der ich eingeladen war.

Mom stand höchstens vier Meter weg von mir. Zum Schutz gegen die Frühjahrskälte hatte sie sich Lumpen um die Schultern gewickelt, und sie inspizierte den Abfall, während ihr Hund, ein schwarzweißer Terriermischling, zu ihren Füßen spielte. Moms Bewegungen waren mir so vertraut – die Art, wie sie den Kopf schief legte und die Unterlippe vorschob, wenn sie irgendetwas aus dem Mülleimer gefischt hatte und auf seinen Wert hin untersuchte, die Art, wie ihre Augen vor kindlicher Freude ganz groß wurden, wenn sie etwas gefunden hatte, das ihr gefiel. Ihr langes Haar hatte graue Strähnen und war ungekämmt und verfilzt, ihre Augen lagen tief in den Höhlen, aber sie erinnerte mich noch immer an die Mom, die sie für mich als Kind gewesen war, die Kopfsprünge von Klippen machte, in der Wüste malte und laut Shakespeare las. Ihre Wangenknochen waren hoch und kräftig, doch die Haut war von all den Wintern und Sommern, die sie ungeschützt den Elementen ausgesetzt gewesen war, ausgedörrt und gerötet. Für die Menschen, die an ihr vorbeigingen, sah sie wahrscheinlich genauso aus wie die unzähligen Obdachlosen, die durch die Straßen von New York streiften.

Es war Monate her, dass ich Mom gesehen hatte, und als sie aufblickte, überkam mich Panik, die Furcht, dass sie mich entdecken und meinen Namen rufen würde und dass jemand, der zu derselben Party unterwegs war, uns zusammen sehen könnte, dass Mom sich vorstellen würde und mein Geheimnis kein Geheimnis mehr wäre. Ich rutschte auf dem Sitz nach unten und sagte dem Fahrer, er solle wenden und mich zurück zur Park Avenue bringen.

Das Taxi hielt vor dem Haus, in dem ich wohnte, der Portier öffnete mir die Tür, der Fahrstuhlführer brachte mich hinauf zu meiner Etage. Mein Mann arbeitete noch, wie fast jeden Abend, und die leere Wohnung war still, bis auf das Klackern meiner Absätze auf dem glänzenden Parkettboden. Ich war noch immer aufgewühlt von der unerwarteten Begegnung mit meiner Mutter, von dem Anblick, wie sie munter den Mülleimer durchstöberte, und ich legte eine Vivaldi-CD auf, hoffte, dass mich die Musik beruhigen würde.

Ich ließ den Blick durch die Wohnung wandern. Über die bronze- und silberfarbenen Vasen aus der Jahrhundertwende und die alten Bücher mit abgegriffenem Ledereinband, die ich auf Flohmärkten erstanden hatte. Über die alten Landkarten von Georgia, die ich gerahmt hatte, die persischen Teppiche und den wuchtigen Ledersessel, in den ich mich abends so gern fallen ließ. Ich hatte versucht, mir hier ein Zuhause zu schaffen, hatte versucht, die Wohnung so zu gestalten, wie der Mensch, der ich sein wollte, sie gern hätte. Aber es gelang mir nicht, mich hier wohl zu fühlen, ohne mir Gedanken um Mom und Dad zu machen, die auf irgendeinem U-Bahn-Schachtgitter kauerten. Ich sorgte mich um sie, aber sie waren mir auch peinlich, und außerdem schämte ich mich dafür, dass ich Perlen trug und auf der Park Avenue wohnte, während meine Eltern damit beschäftigt waren, irgendwo ein warmes Plätzchen und etwas zu essen zu finden.

Aber was sollte ich machen? Ich hatte schon zahllose Male versucht, ihnen unter die Arme zu greifen, aber Dad beharrte stets darauf, dass sie nichts brauchten, und Mom bat immer nur um irgendwelche albernen Kleinigkeiten wie einen Parfümzerstäuber oder ein Fitnessstudio-Abo. Beide beteuerten, dass sie genauso lebten, wie sie leben wollten.

Doch nachdem ich im Taxi den Kopf eingezogen hatte, damit Mom mich nicht sah, empfand ich so einen Abscheu vor mir selbst – meinen Antiquitäten, meinen Kleidern und meiner Wohnung –, dass ich irgendwas tun musste. Ich rief eine Freundin von Mom an und hinterließ eine Nachricht für sie. Das war unser System, wie wir in Kontakt blieben. Es dauerte immer ein paar Tage, bis Mom zurückrief, und die Woche war fast um, als sie sich meldete. Sie klang wie immer gut gelaunt und locker, als hätten wir uns erst tags zuvor zum Lunch getroffen. Ich sagte, dass ich mich mit ihr treffen wolle, und lud sie zu mir nach Hause ein, aber sie wollte lieber in ein Restaurant. Sie ging für ihr Leben gern essen, also verabredeten wir uns zum Lunch bei ihrem Lieblingschinesen.

Mom saß schon da und studierte die Speisekarte, als ich eintraf. Sie hatte sich extra ein bisschen zurechtgemacht. Sie trug einen sackartigen grauen Pullover, der nur ein paar helle Flecken hatte, und schwarze Herrenschuhe aus Leder. Sie hatte sich das Gesicht gewaschen, doch Hals und Schläfen waren noch immer dunkel von Schmutz.

Sie winkte begeistert, als sie mich sah. »Da ist ja meine Kleine!«, rief sie. Ich küsste sie auf die Wange. Mom hatte die ganzen Plastikpäckchen mit Sojasauce und Ketchup und Senfsauce vom Tisch in ihrer Handtasche verschwinden lassen. Nun kippte sie auch noch eine Holzschale mit Trockennudeln hinein. »Ein kleiner Happen für später«, erklärte sie.

Wir bestellten, und Mom nahm etwas mit Meeresfrüchten. »Du weißt ja, ich liebe Meeresfrüchte«, sagte sie.

Mom fing an, über Picasso zu reden. Sie hatte sich eine Retrospektive von ihm angesehen und fand, dass er völlig überbewertet wurde. Das ganze kubistische Zeug sei ihrer Meinung nach nichts als Firlefanz. Nach seiner rosa Periode habe er nichts Nennenswertes mehr zustande gebracht.

»Mom, ich mache mir Sorgen um dich«, sagte ich. »Sag mir, wie ich dir helfen kann.«

Ihr Lächeln erstarb. »Wie kommst du darauf, dass ich deine Hilfe brauche?«, sagte sie.

»Ich bin nicht reich«, sagte ich. »Aber ich habe etwas Geld. Sag mir, was du brauchst.«

Sie überlegte einen Moment.

»Ich könnte eine Elektrolysebehandlung gebrauchen.«

»Sei doch mal ernst.«

»Ich bin ernst. Wenn eine Frau gut aussieht, fühlt sie sich auch gut.«

»Bitte, Mom.« Ich spürte, dass sich meine Schultern verkrampften, wie immer bei diesem Thema. »Ich meine irgendwas, das dir helfen könnte, dein Leben zu ändern, es zu verbessern.«

»Du willst mir helfen, mein Leben zu ändern?«, fragte Mom. »Mir geht's gut. Du bist es, die Hilfe braucht. Deine Werte sind total durcheinander geraten.«

»Mom, ich hab dich neulich im East Village gesehen, wie du im Müll herumgestochert hast.«

»Tja, in diesem Land wird viel zu viel weggeschmissen, und das ist meine Art von Recycling.« Sie aß eine Gabel von ihren Meeresfrüchten. »Wieso hast du mich nicht begrüßt?«

»Es war mir einfach zu peinlich, Mom. Ich hab mich versteckt.«

Mom zeigte mit ihren Essstäbchen auf mich. »Da siehst du's«, sagte sie. »Ganz klar. Genau das hab ich gemeint. Du schämst dich viel zu schnell. Dein Vater und ich sind, wie wir sind. Akzeptier das endlich.«

»Und was soll ich sagen, wenn man mich nach meinen Eltern fragt?«

»Sag einfach die Wahrheit«, sagte Mom. »Ganz einfach.«

II

DIE WÜSTE

I̱ch stand in Flammen.

Das ist meine früheste Erinnerung. Ich war drei Jahre alt, und wir wohnten in einem Wohnwagenpark in irgendeiner Stadt, irgendwo in Südarizona. Ich trug ein rosa Kleid, das meine Großmutter mir gekauft hatte, und stand auf einem Stuhl vor dem Herd. Rosa war meine Lieblingsfarbe. Das Kleid hatte einen kurzen Rock, der abstand wie ein Tutu, und wenn ich es anhatte, drehte ich mich gern vor dem Spiegel im Kreis und stellte mir vor, ich wäre eine Ballerina. Doch in dem Augenblick trug ich das Kleid, um Hot Dogs zu kochen. Ich sah zu, wie sie im kochenden Wasser nach oben trieben und tanzten, während die Vormittagssonne durch das winzige Küchenfenster des Wohnwagens drang.

Ich hörte Mom nebenan singen, während sie an einem ihrer Gemälde arbeitete. Juju, unser schwarzer Hund, schaute mir zu. Ich spießte eins von den Hot Dogs mit einer Gabel auf, bückte mich und hielt es ihm hin. Das Würstchen war heiß, deshalb leckte Juju zögernd daran, aber als ich mich aufrichtete und wieder im Topf rührte, spürte ich einen Hitzeschwall an meiner rechten Seite. Ich wandte den Kopf und merkte, dass mein Kleid brannte. Starr vor Schrecken sah ich zu, wie die gelbweißen Flammen eine gezackte braune Linie durch den rosa Kleiderstoff fraßen und an meinem Bauch emporstiegen. Dann sprangen die Flammen hoch und erreichten mein Gesicht.

Ich schrie. Ich roch Brandgeruch und hörte ein grässliches Knistern, als das Feuer meine Haare und Wimpern versengte. Juju bellte. Ich schrie wieder.

Mom kam ins Zimmer gerannt.

»Mommy, Hilfe!«, kreischte ich. Ich stand noch immer auf dem Stuhl, schlug mit der Gabel, die ich zum Rühren benutzt hatte, nach dem Feuer.

Mom rannte hinaus und kam mit einer von den Armeedecken zurück, die ich nicht ausstehen konnte, weil die Wolle so kratzte. Sie warf die Decke um mich und erstickte die Flammen. Dad war mit dem Auto unterwegs, deshalb packte Mom mich und meinen Bruder Brian und lief zu dem Wohnwagen nebenan. Die Frau, die dort wohnte, hängte gerade Wäsche auf. Sie hatte Wäscheklammern im Mund. Mom erklärte ihr mit unnatürlich ruhiger Stimme, was passiert war, und fragte, ob sie uns bitte zum Krankenhaus fahren könnte. Die Frau ließ ihre Wäscheklammern und die Wäsche an Ort und Stelle auf den Boden fallen und rannte wortlos zu ihrem Auto.

In der Notaufnahme wurde ich auf eine Trage gelegt. Die Krankenschwestern sprachen in lautem, besorgtem Flüsterton, während sie mit einer glänzenden Schere alles abschnitten, was von meinem schönen rosa Kleid noch übrig geblieben war. Dann hoben sie mich hoch, legten mich auf ein großes Metallbett voller Eiswürfel und verteilten auch noch Eis über meinen Körper. Ein Arzt mit silberweißem Haar und schwarzer Brille führte meine Mutter aus dem Zimmer, und als sie hinausgingen, hörte ich ihn sagen, dass es sehr ernst sei. Die Krankenschwestern blieben da und kümmerten sich weiter um mich. Ich merkte, dass ich alle in Aufregung versetzt hatte, und war ganz still. Eine von ihnen drückte mir die Hand und sagte, ich würde wieder gesund werden.

»Ich weiß«, sagte ich, »aber wenn nicht, ist das auch okay.«

Die Schwester drückte mir noch einmal die Hand und biss sich auf die Unterlippe.

Das Zimmer war klein und weiß, mit hellen Lampen und Metallschränken. Ich starrte eine Zeit lang auf die Reihen winziger Punkte in den Deckenpaneelen. Eiswürfel waren über meinen Bauch und den Brustkorb verteilt und drückten gegen meine Wangen. Aus den Augenwinkeln sah ich, wie eine kleine, schmutzige Hand dicht neben meinem Gesicht nach oben griff und eine Hand voll Eiswürfel nahm. Ich hörte ein lautes, knirschendes Geräusch und blickte nach unten. Mein Bruder Brian kaute Eis.

Die Ärzte sagten, ich hätte großes Glück gehabt. Sie nahmen Hautteile aus meinem Oberschenkel und pflanzten sie auf die am schlimmsten verbrannten Stellen an Bauch und Brustkorb. Sie sagten, dass nenne man Hauttransplantation. Als sie fertig waren, bandagierten sie die gesamte rechte Seite meines Körpers.

»Kuck mal, ich bin eine Halbmumie«, sagte ich zu einer der Schwestern. Sie lächelte und schob meinen rechten Arm in eine Schlinge, die sie am Kopfende des Bettes befestigte, sodass ich ihn nicht mehr bewegen konnte.

Die Schwestern und Ärzte stellten mir viele Fragen. Wie hatte ich mich verbrannt? Haben deine Eltern dir schon mal wehgetan? Woher hast du die vielen Prellungen und Schürfwunden? Meine Eltern tun mir nie weh, sagte ich. Die Schürfwunden und Prellungen hatte ich vom Draußen-Spielen und die Verbrennungen vom Hot-Dogs-Kochen. Sie fragten, wieso ich mit nur drei Jahren schon allein Hot Dogs kochte. Weil es leicht war, sagte ich. Du tust einfach die Hot Dogs ins Wasser und kochst sie. Ohne eins von den komplizierten Rezepten, die man erst verstand, wenn man schon in die Schule ging. Wenn der Topf voll Wasser war, konnte ich ihn nicht mehr heben, erklärte ich ihnen, deshalb schob ich einen Stuhl ans Waschbecken, stieg drauf und füllte ein Glas Wasser, dann stieg ich auf einen Stuhl am Herd und goss das Wasser in den Topf. Das tat ich so lange, bis genug Wasser im Topf war. Dann machte ich den Herd an, und wenn das Wasser kochte, warf ich die Hot Dogs rein. »Mom sagt, ich bin schon reif für mein Alter«, erzählte ich ihnen, »und sie lässt mich oft allein kochen.«

Zwei Schwestern tauschten Blicke, und eine von ihnen schrieb irgendwas auf ein Klemmbrett. Ich fragte, was denn los sei. Nichts, sagten sie, nichts.

Alle zwei Tage wechselten die Schwestern den Verband. Der alte Verband, der verklebt und voll mit Blut und gelbem Zeugs und kleinen Stückchen verbrannter Haut war, wurde entfernt. Dann kam ein neuer Verband, ein breiter Gazestreifen, auf die Verbrennungen. Nachts strich ich mit der linken Hand über die raue, verschorfte Oberfläche der Haut, die nicht von dem Verband bedeckt war. Manchmal pulte ich den Schorf ab. Die Schwestern hatten mir das verboten, aber ich konnte nicht anders, ganz langsam zog ich möglichst große Stücke Schorf ab, und wenn ich dann mehrere abhatte, tat ich so, als würden sie sich mit Piepsstimmchen unterhalten.

Das Krankenhaus war sauber und blitzblank. Alles war weiß – die Wände und Laken und Schwesterntrachten – oder silbern: die Betten und Tabletts und medizinischen Instrumente. Alle sprachen mit höflicher, ruhiger Stimme. Es war so leise, dass man die Gummisohlen der Schwesternschuhe über den ganzen Gang hinweg quietschen hörte. Ich war Ruhe und Ordnung nicht gewohnt, und es gefiel mir.

Mir gefiel auch, dass ich ein eigenes Zimmer hatte. Im Wohnwagen musste ich mir nämlich eins mit meinem Bruder und meiner Schwester teilen. Mein Krankenhauszimmer hatte sogar oben an der Wand einen Fernseher. Zu Hause hatten wir keinen Fernseher, also kuckte ich viel fern. Am liebsten Red Buttons und Lucille Ball.

Die Schwestern und Ärzte fragten mich dauernd, wie ich mich fühlte und ob ich Hunger hätte oder irgendwas brauchte. Dreimal am Tag brachten mir die Schwestern leckeres Essen mit Obstsalat oder Wackelpudding zum Nachtisch, und sie wechselten die Bettwäsche sogar schon, wenn sie noch ganz sauber aussah. Manchmal las ich ihnen was vor, und sie sagten, ich wäre sehr schlau und könnte so gut lesen wie eine Sechsjährige.

Einmal kaute eine Krankenschwester mit welligem gelbem Haar und blauem Augen-Make-up auf irgendwas. Ich fragte sie, was sie da im Mund hätte, und sie sagte, Kaugummi. Ich hatte noch nie etwas von Kaugummi gehört, deshalb ging sie los und kaufte mir eine ganze Packung. Ich zog einen Streifen heraus, machte das weiße Papier und die glänzende Silberfolie darunter ab und betrachtete den pudrigen, kittfarbenen Gummi. Ich schob ihn in den Mund und war überwältigt von der würzigen Süße. »Das schmeckt aber gut!«, sagte ich.

»Dann kau schön – aber nicht runterschlucken«, sagte die Schwester lachend. Sie strahlte übers ganze Gesicht und holte die anderen Schwestern, damit sie miterleben konnten, wie ich den ersten Kaugummi meines Lebens kaute. Als sie mir das Mittagessen brachte, sagte sie, ich müsse den Kaugummi aus dem Mund nehmen, aber ich könne nach dem Essen einen neuen nehmen, und wenn die ganze Packung alle wäre, würde sie mir eine neue kaufen. Das war das Tolle am Krankenhaus. Man musste keine Angst haben, dass man nichts mehr zu essen oder kein Eis oder Kaugummi bekam. Ich wäre furchtbar gern für immer im Krankenhaus geblieben.

Wenn meine Familie mich besuchen kam, dann hallten ihre Streitereien und ihr Lachen und Singen und Rufen durch die stillen Gänge. Die Krankenschwestern machten zischende Geräusche, und Mom und Dad und Lori und Brian waren ein Weilchen leise, und dann wurden sie allmählich wieder laut. Immer drehten sich alle nach Dad um und starrten ihm hinterher. Ich wusste nicht, ob es damit zu tun hatte, dass er so gut aussah oder dass er die Leute »Kumpel« und »Partner« nannte und beim Lachen den Kopf in den Nacken warf.

Eines Tages beugte sich Dad über mein Bett und fragte, ob die Schwestern und Ärzte auch nett zu mir wären. Wenn nicht, sagte er, würde er hier mal ordentlich auf den Tisch hauen. Als ich erwiderte, dass alle lieb und freundlich zu mir waren, sagte er: »Kein Wunder. Schließlich wissen sie, dass du die Tochter von Rex Walls bist.«

Als Mom sich erkundigte, was die Ärzte und Schwestern denn Nettes machten, erzählte ich ihr von dem Kaugummi. »Igitt«, sagte sie. Sie war gegen Kaugummikauen, erklärte sie. Es sei eine widerliche Angewohnheit der Unterschicht, und die Schwester hätte sie fragen sollen, ehe sie mir etwas so Vulgäres beibrachte. Sie sagte, sie würde der Frau ordentlich die Meinung geigen. »Schließlich bin ich deine Mutter«, sagte Mom, »und für deine Erziehung zuständig.«

»Vermisst du mich?«, fragte ich meine Schwester Lori, als sie mich besuchten.

»Nicht so richtig«, sagte sie. »Es ist immer so viel los.«

»Was denn?«

»Bloß das Übliche.«

»Auch wenn Lori dich nicht vermisst, Schätzchen«, sagte Dad. »Ich vermisse dich sehr. Du solltest nicht hier in diesem aseptischen Laden sein.«

Er setzte sich auf mein Bett und fing an, mir die Geschichte zu erzählen, wie Lori mal von einem giftigen Skorpion gebissen worden war. Ich hatte sie schon x-mal gehört, aber ich konnte nicht genug davon kriegen. Mom und Dad waren auf Erkundungstour in der Wüste, als Lori, die damals vier war, einen Stein umdrehte und der Skorpion, der sich darunter versteckt hatte, sie ins Bein biss. Sie hatte Krämpfe bekommen, und ihr Körper war ganz steif und schweißnass geworden. Aber Dad hatte kein Vertrauen in Krankenhäuser, deshalb brachte er sie zu einem Navajo-Medizinmann, der die Bissstelle aufschnitt und eine dunkelbraune Paste darauf schmierte und ein paar Sprüche herunterleierte, und im Handumdrehen war Lori wieder quietschfidel. »An dem Tag, als du dich verbrannt hast, hätte deine Mutter dich zu dem Medizinmann bringen sollen«, sagte Dad, »nicht hierher zu diesen studierten Quacksalbern, die nichts als Scheiße im Hirn haben.«

Als sie das nächste Mal zu Besuch kamen, hatte Brian einen schmutzigen weißen Verband mit getrockneten Blutflecken um den Kopf. Mom sagte, er wäre von der Couchlehne gefallen und mit dem Kopf auf dem Boden aufgeschlagen, aber sie und Dad hätten beschlossen, ihn nicht ins Krankenhaus zu bringen.

»Es hat stark geblutet«, sagte Mom, »aber *ein* Kind im Krankenhaus reicht.«

»Außerdem«, sagte Dad, »bei Brians hartem Schädel hat der Fußboden wahrscheinlich noch mehr abbekommen.«

Brian fand das zum Schreien komisch und kriegte sich nicht mehr ein.

Mom erzählte, dass sie unter meinem Namen bei einer Tombola auf der Kirmes mitgespielt hatte, und ich hätte einen Hubschrauberflug gewonnen. Ich war ganz aus dem Häuschen. Ich war noch nie mit einem Hubschrauber oder Flugzeug geflogen.

»Wann darf ich fliegen?«, fragte ich.

»Och, das haben wir schon gemacht«, sagte Mom. »War toll.«

Dann bekam Dad Streit mit dem Arzt. Es ging darum, dass Dad meinte, ich sollte keine Verbände tragen. »Brandwunden müssen atmen«, erklärte er dem Arzt.

Der Arzt sagte, die Verbände wären notwendig, um Infektionen zu vermeiden. Dad starrte den Arzt an. »Infektionen, so ein Blödsinn«, sagte Dad. Er schnauzte den Arzt an, er sei schuld, wenn ich für den Rest meines Lebens vernarbt wäre, aber ich würde nicht die Einzige mit Narben sein, das könne er ihm garantieren.

Dad hob die Faust, als wollte er den Arzt schlagen, der die Hände hob und zurückwich, doch ehe irgendwas passieren konnte, tauchte ein Wachmann in Uniform auf und sagte, Mom und Dad und Lori und Brian müssten sofort gehen.

Hinterher fragte mich eine Schwester, ob mit mir alles in Ordnung wäre. »Na klar«, sagte ich. Ich erklärte ihr, es würde mir nichts ausmachen, wenn ich irgend so eine blöde Narbe hätte. Das sei gut, sagte sie, es sähe nämlich ganz danach aus, als hätte ich noch andere Sorgen.

Ein paar Tage später, als ich etwa sechs Wochen im Krankenhaus lag, stand Dad auf einmal allein in der Tür zu meinem Zimmer. Er sagte mir, ich würde entlassen – à la Rex Walls.

»Geht das denn?«, fragte ich.

»Vertrau einfach deinem alten Herrn«, sagte Dad.

Er nahm meinen rechten Arm aus der Schlinge über meinem Kopf. Als er mich an sich zog, atmete ich den vertrauten Geruch von Vitalis-Haarwasser, Whiskey und Zigarettenrauch ein. Ich fühlte mich an zu Hause erinnert.

Dad trug mich hastig in seinen Armen den Gang entlang. Hinter uns schrie eine Schwester, wir sollten stehen bleiben, aber Dad rannte los. Er stieß eine Notausgang-Tür auf, lief die Treppe hinunter und hinaus auf die Straße. Unser Auto, ein verbeulter Plymouth, den wir Blaue Gans nannten, parkte mit laufendem Motor gleich um die Ecke. Mom saß auf dem Beifahrersitz, Lori und Brian mit Juju auf der Rückbank. Dad schob mich zu Mom hinüber und setzte sich hinters Steuer.

»Du musst keine Angst mehr haben, Kleines«, sagte Dad. »Jetzt bist du in Sicherheit.«

Wᴇɴɪɢᴇ Tᴀɢᴇ ɴᴀᴄʜᴅᴇᴍ Mᴏᴍ ᴜɴᴅ Dᴀᴅ mich nach Hause geholt hatten, kochte ich mir ein paar Hot Dogs. Ich hatte Hunger, Mom arbeitete an einem Gemälde, und es war sonst keiner da, der sie mir hätte kochen können.

»So ist es richtig«, sagte Mom, als sie mich am Herd stehen sah. »Immer gleich wieder in den Sattel steigen. Vor so normalen Sachen wie Feuer darfst du keine Angst haben.«

Hatte ich auch nicht. Im Gegenteil, Feuer faszinierte mich jetzt erst recht. Auch Dad fand, dass ich mich meinem Feind stellen sollte, und er zeigte mir, wie ich mit dem Finger durch eine Kerzenflamme fahren konnte. Ich tat es immer und immer wieder, wurde von Mal zu Mal langsamer, beobachtete, wie mein Finger die Flamme regelrecht zu zerteilen schien, probierte aus, wie viel Flamme mein Finger aushalten konnte, ohne sich zu verbrennen. Ich hielt ständig Ausschau nach größeren Feuern. Wenn Nachbarn Müll verbrannten, rannte ich sofort hin und schaute zu, wie die lodernden Flammen versuchten, der Mülltonne zu entkommen. Dann schob ich mich näher und näher heran, bis die Hitze auf meinem Gesicht unerträglich wurde, und wich dann gerade so weit zurück, dass ich sie aushalten konnte.

Die Nachbarin, die mich zum Krankenhaus gefahren hatte, staunte, dass ich nicht vor jedem Feuer Reißaus nahm. »Zum Donnerwetter, warum sollte sie?«, dröhnte Dad mit stolzem Grinsen. »Sie hat doch schon mal gegen Feuer gekämpft, und sie hat gewonnen.«

Ich fing an, Streichhölzer von Dad zu stibitzen. Dann ging ich hinter den Wohnwagen und zündete sie an. Ich mochte das Geräusch, wenn das Streichholz über den schmirgelpapierartigen braunen Streifen kratzte und wenn die Flamme mit einem Ploppen und Zischen aus der rot betupften Spitze sprang. Wenn ich die Hitze dicht an den Fingerspitzen spürte, wedelte ich es triumphierend aus. Ich zündete Papierstücke und Häufchen aus dünnen Zweigen an, wartete dann mit angehaltenem Atem, bis die Flammen fast außer Kontrolle gerieten. Dann trat ich sie aus und rief dabei die Schimpfworte, die Dad benutzte, wie »dämliches Arschloch!« und »Schleimscheißer!«.

Einmal ging ich mit meinem Lieblingsspielzeug Tinkerbell, einer Plastikpuppe, die aussah wie die kleine Fee aus Peter Pan, hinter den Wohnwagen. Sie war nur fünf Zentimeter groß, trug das blonde Haar zu einem hohen Pferdeschwanz gebunden und hatte die Hände, was mir besonders gefiel, selbstbewusst und herausfordernd in die Hüften gestemmt. Ich zündete ein Streichholz an und hielt es nah vor Tinkerbells Gesicht, um ihr zu zeigen, wie sich das anfühlte. Im Schein der Flamme sah sie schöner aus denn je. Als das Streichholz ausging, machte ich noch eins an, und diesmal hielt ich es ihr ganz dicht ans Gesicht. Plötzlich weiteten sich ihre Augen wie vor Angst, und dann sah ich zu meinem Entsetzen, dass ihr Gesicht zu schmelzen anfing. Ich löschte das Streichholz, doch zu spät. Tinkerbells einst vollkommene kleine Nase war komplett verschwunden, und dort, wo ihre kecken roten Lippen gewesen waren, hatte sie nun einen hässlichen, schiefen Fleck. Ich versuchte ihre Gesichtszüge wieder zurechtzudrücken, machte aber alles nur noch schlimmer, und dann war die Masse auch schon abgekühlt und wieder erstarrt. Ich wickelte einen Verband darum. Ich hätte Tinkerbell gern eine Hauttransplantation verpasst, aber dazu hätte ich sie in Stücke schneiden müssen. Obwohl ihr Gesicht zerschmolzen war, blieb sie mein Lieblingsspielzeug.

WENIGE MONATE NACH MEINER RÜCKKEHR aus dem Krankenhaus kam Dad mitten in der Nacht nach Hause und holte
uns alle aus dem Bett.

»Zeit, unsere Zelte abzubrechen und dieses Drecksloch
hinter uns zu lassen«, donnerte er.

Wir hatten fünfzehn Minuten, um unsere Sachen zu packen und ins Auto zu klettern.

»Ist alles in Ordnung, Dad?«, fragte ich. »Ist jemand hinter
uns her?«

»Nur keine Bange«, sagte Dad. »Überlass das ruhig mir.
Pass ich nicht immer gut auf euch auf?«

»Doch, das tust du«, sagte ich.

»Braves Mädchen!«, sagte Dad und nahm mich in die
Arme. Dann befal er lautstark, wir sollten uns beeilen. Er
selbst nahm die wichtigsten Sachen – eine große, schwarze,
gusseiserne Pfanne und den Bratentopf, ein paar Blechteller
aus Armeebeständen, ein paar Messer, seine Pistole und
Moms Pfeile und Bogen – und verstaute alles im Kofferraum
der Blauen Gans. Er sagte, wir sollten möglichst wenig mitnehmen, bloß das, was wir zum Überleben brauchten. Mom
eilte in den Garten und fing an, im Mondlicht Löcher zu graben. Sie suchte nach dem Einmachglas mit unserem Bargeld.
Sie hatte vergessen, wo sie es vergraben hatte.

Eine Stunde verging, bis wir schließlich Moms Gemälde
aufs Autodach schnallten, den Kofferraum bis oben hin voll
packten und den Rest auf Rückbank und Wagenboden verteilten. Dad steuerte die Blaue Gans durch die Dunkelheit,
ganz langsam, damit keiner merkte, dass wir »türmten«, wie
Dad gern sagte, und er knurrte, dass er einfach nicht begrei-

fen könne, warum zum Teufel wir immer so lange brauchten, um das Notwendigste zu schnappen und unseren Hintern ins Auto zu bewegen.

»Dad!«, sagte ich. »Ich hab Tinkerbell vergessen!«

»Tinkerbell kommt auch allein zurecht«, sagte Dad. »Sie ist wie mein kleines, tapferes Mädchen. Du bist doch tapfer und abenteuerlustig, oder nicht?«

»Doch«, sagte ich. Ich hoffte, dass derjenige, der Tinkerbell fand, sie trotz ihres zerschmolzenen Gesichts lieb haben würde. Zum Trost wollte ich Quixote an mich drücken, unseren grauweißen Kater, dem ein Ohr fehlte, aber er fauchte und kratzte mir ins Gesicht. »Ganz ruhig, Quixote!«, sagte ich.

»Katzen reisen nicht gern!«, erklärte Mom.

Wer nicht gern reise, sei bei unserem Abenteuer fehl am Platze, meinte Dad. Er hielt das Auto an, packte Quixote am Nackenfell und warf ihn aus dem Fenster. Quixote landete mit einem kreischenden Miauen und einem dumpfen Aufprall, Dad gab Gas, und ich brach in Tränen aus.

»Sei nicht so gefühlsduselig«, sagte Mom. Sie erklärte, wir könnten jederzeit eine andere Katze haben und dass Quixote nun eine Wildkatze werden würde, was viel mehr Spaß machte, als bloß eine Hauskatze zu sein. Brian, der Angst hatte, dass Dad auch Juju aus dem Fenster werfen könnte, hielt den Hund ganz fest.

Um uns Kinder abzulenken, sang Mom mit uns Lieder wie »Don't Fence Me In« und »This Land Is Your Land«, und Dad stimmte eine schwungvolle Version von »Old Man River« und seinem Lieblingssong »Swing Low, Sweet Chariot« an. Nach einer Weile dachte ich nicht mehr an Quixote und Tinkerbell und die Freundinnen, die ich in dem Wohnwagenpark zurückgelassen hatte. Dad erzählte, was wir für aufregende Dinge unternehmen würden und dass wir reich werden würden, wenn wir erst an unserem neuen Wohnort angekommen wären.

»Wohin fahren wir denn, Dad?«, fragte ich.

»Dahin, wo wir landen«, sagte er.

Später in der Nacht hielt Dad mitten in der Wüste, und wir schliefen unterm Sternenhimmel. Wir hatten keine Kissen, aber Dad sagte, das gehöre dazu. Er wolle uns nämlich eine gute Körperhaltung beibringen. Die Indianer benutzten auch keine Kissen, erklärte er, und seht euch an, wie gerade die sich halten. Wir hatten ja unsere kratzigen Armeedecken, die breiteten wir aus und legten uns darauf, den Blick auf das Sternenmeer gerichtet. Ich sagte zu Lori, was für ein Glück wir doch hätten, draußen im Freien zu schlafen wie Indianer.

»Ich könnte immer so leben«, sagte ich.

»Ich glaube, das werden wir auch«, sagte sie.

WIR TÜRMTEN STÄNDIG, MEISTENS MITTEN IN DER NACHT. Manchmal hörte ich, wie Mom und Dad über die Leute redeten, die hinter uns her waren. Dad nannte sie Handlanger, Blutsauger und die Gestapo. Manchmal machte Dad komische Andeutungen über Manager von Standard Oil, die das Land stehlen wollten, das Moms Familie in Texas gehörte, und über FBI-Agenten, die Dad wegen einer dunklen Sache verfolgten, von der er uns nichts erzählte, um uns nicht auch noch in Gefahr zu bringen.

Weil Dad sich so sicher war, dass ein ganzes Aufgebot von FBI-Leuten hinter uns her war, rauchte er seine filterlosen Zigaretten vom falschen Ende an. Auf diese Weise, so erklärte er uns, verbrannte der aufgedruckte Markenname, und falls die Leute, die uns verfolgten, in seinen Aschenbecher kuckten, würden sie nur unidentifizierbare Kippen finden statt der Pall Mall, die ihn verraten könnten. Aber Mom erzählte uns, dass das FBI gar nicht hinter Dad her war, er sagte das bloß, weil es mehr Spaß machte, vom FBI gesucht zu werden als von Geldeintreibern.

Wir zogen umher wie Nomaden. Wir lebten in staubigen Bergarbeiterstädtchen in Nevada, Arizona und Kalifornien, meistens bloß eine spärliche Ansammlung von traurigen, baufälligen Hütten, einer Tankstelle, einem Laden und ein oder zwei Kneipen. Sie hatten Namen wie Needles and Bouse, Pie Town, Goffs und Why und lagen in der Nähe von Orten wie den Superstition Mountains, dem ausgetrockneten Soda Lake und dem Old Woman Mountain. Je verlassener und entlegener, desto besser gefiel es Mom und Dad.

Dad suchte sich meist Arbeit als Elektriker oder Ingenieur

in einem Gips- oder Kupferbergwerk. Mom sagte immer richtig stolz, dass Dad das Blaue vom Himmel herunterlügen könne. Er ließ sich Jobs einfallen, die er nie gehabt, und Universitätsabschlüsse, die er nie gemacht hatte. Auf diese Weise kriegte er so ziemlich jeden Job, den er haben wollte, nur dass er keine große Lust verspürte, ihn lange zu behalten. Manchmal gewann er beim Glücksspiel oder verdingte sich als Gelegenheitsarbeiter. Wenn er sich dann langweilte oder rausgeschmissen wurde oder wenn sich die unbezahlten Rechnungen türmten oder ein Störungssucher von den Stadtwerken rausfand, dass Dad unseren Wohnwagen an einen Strommast angeschlossen hatte – oder wenn das FBI zu nah kam –, packten wir mitten in der Nacht unsere Sachen und machten uns aus dem Staub, fuhren so lange, bis Mom und Dad eine andere Kleinstadt gefunden hatten, die ihnen auf Anhieb gefiel. Dann kurvten wir herum und hielten nach Häusern mit einem »ZU-VERMIETEN«-Schild Ausschau.

Hin und wieder wohnten wir eine Weile bei Grandma Smith, Moms Mom, die in einem großen weißen Haus in Phoenix lebte. Grandma Smith war ein westtexanisches Urgestein, sie tanzte und fluchte gern und liebte Pferde über alles. Sie war bekannt dafür, dass sie die wildesten Wildpferde einreiten konnte, und hatte auf Grandpas Ranch mitgeholfen, oben am Fish Creek Canyon in Arizona, westlich von Bullhead City, nicht allzu weit vom Grand Canyon. Ich fand Grandma Smith toll. Aber nach ein paar Wochen kriegten sie und mein Dad sich immer schrecklich in die Haare. Auslöser konnte sein, dass Mom erwähnte, wie knapp wir mit Geld waren. Dann machte Grandma eine abfällige Bemerkung darüber, dass Dad nicht arbeitete. Und dann sagte Dad irgendwas über selbstsüchtige alte Weiber, die mehr Geld hatten, als sie je würden ausgeben können, und in null Komma nichts trugen sie den reinsten Schimpfwettstreit aus.

»Du verkommener Saufbold!«, schrie Grandma dann.

»Du gottverdammtes, hartherziges Miststück!«, brüllte Dad zurück.

»Du nutzloser, armseliger Schlappschwanz!«

»Du niederträchtige, Unglück bringende Kastrationshexe!«

Dads Wortschatz war kreativer, aber Grandma Smith konnte lauter brüllen als er. Außerdem hatte sie Heimvorteil, und irgendwann reichte es Dad, und er befahl uns Kindern, ins Auto zu steigen. Grandma schrie dann Mom an, sie solle nicht zulassen, dass dieser faule Pferdearsch ihre Enkelkinder mitnahm. Mom zuckte daraufhin die Achseln und sagte, dagegen könne sie nichts machen, er sei ihr Mann. Und schon waren wir wieder unterwegs und fuhren hinaus in die Wüste auf der Suche nach einem weiteren Haus, das in einem weiteren kleinen Bergarbeiterstädtchen zu vermieten war.

Manche von den Leuten, die in diesen Städtchen wohnten, lebten schon seit Jahren dort. Andere waren ungebunden wie wir – nur auf der Durchreise. Es waren Spieler oder Exknackis oder Kriegsveteranen oder lose Frauen, wie Mom sie bezeichnete. Es gab alte Goldsucher mit runzligen Gesichtern, sonnengegerbt wie vertrocknete Äpfel. Die Kinder waren mager und abgehärtet, mit Schwielen an Händen und Füßen. Wir freundeten uns mit ihnen an, aber nicht sehr eng, weil wir wussten, dass wir früher oder später weiterziehen würden.

Manchmal wurden wir in der Schule angemeldet, aber nicht immer. Meistens gaben Mom und Dad uns Unterricht. Dank Mom konnten wir alle schon mit fünf Jahren Bücher ohne Bilder lesen, und Dad brachte uns Mathe bei. Er brachte uns auch die Sachen bei, die wirklich wichtig und nützlich waren, zum Beispiel Morsen und dass man niemals die Leber von einem Eisbären essen sollte, weil das viele Vitamin A einen umbringen könnte. Er zeigte uns, wie man mit seiner Pistole zielte und feuerte, wie man mit Moms Pfeil und Bogen schoss und wie man ein Messer an der Klinge fasste und es so warf, dass es mit einem satten Tschwock mitten im Ziel stecken blieb. Als ich vier Jahre alt war, konnte ich schon ziemlich gut mit Dads Pistole umgehen, einem sechsschüssigen Revolver: Auf dreißig Schritt Entfernung traf ich fünf von sechs Bierflaschen. Ich hielt die Waffe mit beiden Händen, zielte über den Lauf und zog langsam und gleichmäßig am Abzug, bis der Revolver mit einem lauten Knall nach oben schnellte und die Flasche zerplatzte. Das war lustig. Dad meinte, meine Künste als Scharfschützin würden uns zugute kommen, falls das FBI uns je umzingeln sollte.

Mom war in der Wüste aufgewachsen. Sie liebte die trockene, knisternde Hitze, den Himmel, der bei Sonnenuntergang aussah wie ein brennendes Laken, und die überwältigende Leere und Rauheit des weiten Landes, das einmal ein riesiges Ozeanbett gewesen war. Den meisten Menschen fiel es schwer, in der Wüste zu überleben, doch Mom blühte regelrecht auf. Sie wusste, wie man sich mit so gut wie nichts durchschlug. Sie zeigte uns, welche Pflanzen essbar waren und welche giftig. Sie konnte Wasser finden, wenn kein anderer es konnte, und sie wusste, mit wie wenig man wirklich auskam. Sie brachte uns bei, dass man sich mit nur einer Tasse Wasser einigermaßen sauber waschen kann. Sie sagte, es täte uns gut, ungereinigtes Wasser zu trinken, sogar Abwasser, vorausgesetzt, die Tiere tränken davon. Das mit Chlor versetzte Wasser in den Städten wäre was für Weicheier, sagte sie. Wasser aus der Natur würde dafür sorgen, Antikörper aufzubauen. Auch Zahncreme war ihrer Meinung nach was für Weicheier. Vor dem Schlafengehen schütteten wir ein bisschen Natron in eine Hand, gaben einen Spritzer Wasserstoffsuperoxid dazu und benutzten dann die Finger, um uns mit der schäumenden Paste die Zähne zu putzen.

Ich liebte die Wüste ebenfalls. Wenn die Sonne am Himmel stand, war der Sand so heiß, dass er dir die Füße verbrannte, wenn du zu den Kindern gehörtest, die normalerweise Schuhe trugen, aber da wir immer barfuß liefen, waren unsere Fußsohlen so zäh und dick wie Leder. Wir fingen Skorpione und Schlangen und Krötenechsen. Wir suchten nach Gold, und als wir keins fanden, sammelten wir andere kostbare Steine wie Türkise und Granate. Wenn die Sonne unterging, wurde es kühl, und dann kamen die Moskitos in so dichten Wolken, dass sie die Luft verdunkelten, und bei Einbruch der Nacht wurde es so kalt, dass wir Decken brauchten.

Es gab schlimme Sandstürme. Mal kamen sie ohne Vorwarnung, und mal erkannte man an den Staubteufeln, die wirbelnd durch die Wüste tanzten, dass einer im Anmarsch war. Sobald der Wind dann den Sand hochpeitschte, konnte man kaum die Hand vorm Gesicht sehen. Wenn kein Haus oder Auto oder Schuppen da war, in dem man Schutz suchen konnte, musste man sich hinkauern, Augen und Mund ganz fest zusammenpressen, die Ohren zuhalten und das Gesicht in den Schoß legen, bis der Sturm vorüber war. Ab und zu wurde man von einem Tumbleweed getroffen, einem dieser Gestrüppballen, die durch die Wüste kullern, aber die waren leicht und taten nicht weh. Wenn der Sandsturm besonders stark war, riss er einen mit, und man rollte weiter, als wäre man selbst ein Tumbleweed.

Wenn endlich der Regen kam, wurde der Himmel dunkel und die Luft schwül. Dann prasselten Regentropfen so groß wie Murmeln herab. Manche Eltern fürchteten, ihre Kinder könnten vom Blitz getroffen werden, aber Mom und Dad hatten keine Angst um uns, und sie ließen uns draußen in dem warmen, strömenden Wasser spielen. Wir planschten herum und sangen und tanzten. Mächtige Blitze zuckten aus den tief hängenden Wolken, und Donner ließ die Erde erbeben. Staunend schauten wir dem Spektakel zu, als wäre es ein Feuerwerk. Nach dem Unwetter ging Dad mit uns zu den sonst trockenen Flussbetten, den *Arroyos*, wo wir uns die Springfluten ansahen, die durch sie hindurchrauschten. Am nächsten Tag waren die Saguaro-Kakteen und die Feigenkakteen ganz dick, weil sie sich richtig voll getrunken hatten, um die vielleicht lange Zeit bis zum nächsten Regen zu überstehen.

Wir mochten die Kakteen irgendwie. Wir aßen unregelmäßig, und wenn wir aßen, dann stopften wir uns den Bauch voll. Einmal, als wir in Nevada lebten, entgleiste ein mit Melonen beladener Zug. Ich hatte noch nie eine Melone gegessen, aber Dad brachte zahllose Kisten mit Melonen nach Hause. Wir aßen frische Melonen, gedünstete Melonen, sogar gebratene Melonen. Und in Kalifornien streikten einmal die Traubenpflücker. Die Winzer gaben die Trauben für fünf Cent das Pfund an Selbstpflücker ab. Wir fuhren rund hundert Meilen zu den Weinbergen, wo die zum Bersten reifen Beeren in prallen Trauben hingen, die größer waren als mein Kopf. Wir füllten den ganzen Wagen mit grünen Beeren, den Kofferraum, sogar das Handschuhfach, und Dad häufte sie so hoch auf unseren Schoß, dass wir kaum darüber schauen konnten. Danach aßen wir wochenlang Weintrauben, morgens, mittags und abends.

Dieses ständige Unterwegssein war bloß vorübergehend, erklärte Dad. Er hatte einen Plan. Er würde nämlich Gold finden.

Alle sagten, dass Dad ein Genie sei. Er konnte alles bauen oder reparieren. Einmal, als der Fernseher eines Nachbarn kaputt war, der den Apparat schon wegwerfen wollte, schraubte Dad das Gerät hinten auf und benutzte eine Makkaroni, um ein paar Platinen zu isolieren. Der Nachbar war völlig von den Socken. Er erzählte im ganzen Ort herum, was Dad alles mit einer gewöhnlichen Nudel anstellen konnte. Dad begeisterte sich für Mathe und Physik und Elektrizität. Er las Bücher über Algebra und Logarithmen, und er war fasziniert von der Poesie und Symmetrie der Mathematik, wie er sagte. Am meisten interessierte sich Dad für Energie: Thermalenergie, Kernenergie, Sonnenenergie, elektrische Energie und Windenergie. Er sagte, es gäbe so viele ungenutzte Energiequellen auf der Welt, dass es einfach lächerlich sei, die ganzen fossilen Brennstoffe zu verpulvern.

Außerdem war Dad Erfinder. Eine seiner wichtigsten Erfindungen war eine komplizierte Apparatur, die er »Goldsucher« nannte. Sie sollte uns helfen, Gold zu finden. Der Goldsucher hatte eine große, glatte, schräge Oberfläche, etwa ein Meter zwanzig hoch und ein Meter achtzig breit. Auf die-

ser Fläche befanden sich in regelmäßigen Abständen waage-
rechte Holzleisten. Der Goldsucher konnte Erde und Steine
aufnehmen und sie durch dieses Holzleistengitter sieben.
Anhand des Gewichts konnte er feststellen, ob ein Stein aus
Gold war oder nicht. Er würde alles Wertlose rausschmeißen
und die Goldnuggets auf einen Haufen schichten, und immer
wenn wir was einkaufen wollten, würden wir uns einfach ein
Nugget nehmen. Zumindest würde der Goldsucher das können, sobald Dad ihn fertig gebaut hatte.

Brian und ich durften ihm bei der Arbeit daran helfen. Das
hieß, wir hielten die Nägel fest, wenn Dad sie einschlug.
Manchmal durfte ich die ersten Hammerschläge machen, und
dann trieb er den Nagel mit einem einzigen festen Schlag ins
Holz. Die Luft war erfüllt von Sägemehl, dem Duft von frisch
gesägtem Holz, dem Geräusch des Hammers und von Dads
Pfeifen; er pfiff immer bei der Arbeit.

Für mich war Dad vollkommen, außer manchmal, wenn er
sein Alkoholproblem hatte, wie Mom es nannte. Dad hatte
seine »Bierphasen«, aber damit kamen wir alle ganz gut klar.
Dann fuhr er zu schnell Auto und sang aus vollem Halse, die
Haare fielen ihm ins Gesicht, und das Leben war ein bisschen
beängstigend, aber immer noch lustig. Doch wenn Dad eine
Flasche von dem »harten Zeug«, wie Mom sagte, hervorholte, dann wurde sie ein bisschen nervös, denn wenn Dad
sich eine Weile mit der Flasche beschäftigt hatte, verwandelte er sich in einen wütend blickenden Fremden, der he-
rumbrüllte, Möbel durch die Gegend schmiss und nicht nur
Mom mit Prügel drohte, sondern jedem, der ihm in die Quere
kam. Wenn er dann vom Fluchen und Toben und Sachen-Zer-
schlagen genug hatte, kippte er um. Aber Dad trank nur dann
Hochprozentiges, wenn wir Geld hatten – was nicht oft der
Fall war –, deshalb verlief das Leben damals meist friedlich.

Jeden Abend vor dem Einschlafen erzählte Dad Lori,
Brian und mir eine Gutenachtgeschichte. Sie handelte immer von ihm. Wir lagen in unseren Betten oder unter Decken in der Wüste, und die Welt war duster bis auf das oran-

gerote Glühen seiner Zigarette. Wenn er einen tiefen Zug nahm, leuchtete sie gerade so hell auf, dass wir sein Gesicht sehen konnten.

»Erzähl uns eine Geschichte von dir, Dad!«, bettelten wir.

»Ach was, ihr wollt doch bestimmt nicht schon wieder eine Geschichte über mich hören«, sagte er dann.

»Doch, wollen wir wohl! Wollen wir wohl!«, beteuerten wir.

»Na gut«, sagte er. Dann hielt er meistens inne und lachte leise, weil ihm irgendwas einfiel. »Euer alter Herr hat ja schon viele tolldreiste Sachen angestellt, aber das, was ich euch jetzt erzähle, war selbst für einen so durchgeknallten Hund wie Rex Walls ein starkes Stück.«

Und dann erzählte er uns, wie er mal, als er in der Air Force war und der Motor von seinem Flugzeug ausfiel, auf einer Viehweide notgelandet war und dadurch sich und seine Crew gerettet hatte. Oder wie er es mit einem Rudel Wildhunde aufgenommen hatte, das einen lahmenden Mustang umzingelt hatte. Und dann war da noch die Geschichte, wie er ein kaputtes Schleusentor am Hoover-Damm repariert und damit Tausende von Menschen gerettet hatte, die ertrunken wären, wenn der Damm gebrochen wäre. Und die, wie er sich in der Air Force unerlaubt von der Truppe entfernt hatte, um ein Bier zu trinken, und in der Kneipe einen Irren erwischte, der vorhatte, den Luftwaffenstützpunkt in die Luft zu sprengen; was mal wieder zeigte, dass es sich manchmal auszahlte, die Regeln zu brechen.

Dad war ein sehr dramatischer Geschichtenerzähler. Er fing immer ganz langsam an, mit vielen Pausen. »Erzähl weiter! Was ist dann passiert?«, fragten wir, auch wenn wir die Geschichte schon kannten. Mom kicherte ein bisschen und verdrehte die Augen, wenn Dad seine Geschichten erzählte, und er blickte sie strafend an. Wenn jemand ihn unterbrach, wurde er richtig ärgerlich, und wir mussten ihn anbetteln, damit er weitererzählte, und versprechen, dass ihn keiner mehr unterbrechen würde.

Dad war stets ein besserer Kämpfer, ein schnellerer Flieger und cleverer Pokerspieler als alle anderen in seinen Geschichten. Und ganz nebenbei rettete er Frauen und Kinder und sogar Männer, die nicht so stark und schlau waren wie er. Dad weihte uns in die Geheimnisse seiner Heldentaten ein – er zeigte uns, wie man sich rittlings auf einen Wildhund setzte und ihm das Genick brach und wo man einen Mann an der Kehle treffen musste, um ihn mit einem kraftvollen Schlag zu töten. Aber er beruhigte uns, dass wir uns nicht selbst verteidigen müssten, solange er bei uns war, denn, so schwor er, er würde jedem, der irgendeinem von Rex Walls' Kindern auch nur ein Haar krümmen wollte, so fest in den Hintern treten, dass man Dads Schuhgröße auf der Arschbacke ablesen könnte.

Und wenn Dad uns nicht von den unglaublichen Sachen erzählte, die er schon vollbracht hatte, dann erzählte er von den Sachen, die er noch vorhatte. Wie zum Beispiel das Glasschloss bauen. Sein ganzes handwerkliches Geschick und mathematisches Genie vereinigten sich zu einem einzigen besonderen Projekt – einem wunderbaren, großen Haus, das Dad in der Wüste für uns bauen würde. Es würde eine Glasdecke und dicke Glaswände und sogar ein Treppe aus Glas haben. Das Glasschloss würde obendrauf Solarzellen haben, die die Sonnenstrahlen auffangen und in Strom umwandeln würden, zum Heizen und Kühlen und für alle anderen Elektrogeräte. Es würde sogar eine eigene Kläranlage bekommen. Dad hatte die Baupläne und die meisten mathematischen Berechnungen schon fertig. Überall, wo wir hinfuhren, hatte er die Entwürfe für das Glasschloss dabei, und manchmal breitete er sie aus, und wir durften an den Plänen für unsere Zimmer arbeiten.

Jetzt müssten wir nur noch Gold finden, sagte Dad, und wir waren ganz knapp davor. Sobald er den Goldsucher fertig hatte und wir richtig reich geworden waren, würde er mit der Arbeit an unserem Glasschloss anfangen.

DAD TAT SICH SCHWER, von seinen Eltern zu erzählen oder von dem Ort, wo er zur Welt gekommen war, aber wir wussten, dass er aus einem Städtchen namens Welch in West Virginia stammte, wo es viel Kohlenbergbau gab. Sein Vater war bei der Eisenbahn gewesen und hatte Tag für Tag in einem kleinen Bahnhofshäuschen gesessen, wo er Nachrichten auf Blätter schrieb, die er dann an einem Stock für die durchfahrenden Lokomotivführer hochhielt. So ein Leben interessierte Dad nicht, deshalb verließ er Welch mit siebzehn und ging zur Air Force, um Pilot zu werden.

Eine von seinen Lieblingsgeschichten, die er uns bestimmt hundert Mal erzählt hat, war die, wie er Mom kennen lernte und sich in sie verliebte. Dad war in der Air Force, und Mom war in der United Service Organization, einer Betreuungsorganisation für amerikanische GIs, aber als sie sich kennen lernten, hatte sie Urlaub und besuchte gerade ihre Eltern, Grandpa und Grandma Smith, auf ihrer Viehranch am Fish Creek Canyon.

Dad und ein paar von seinen Air-Force-Kumpeln standen auf einer Klippe des Canyon und waren dabei, ihren ganzen Mut zusammenzunehmen, um zwölf Meter tief in den See zu springen, als Mom und eine Freundin angefahren kamen. Mom trug einen weißen Badeanzug, der ihre Figur und ihre von der Arizonasonne gebräunte Haut zur Geltung brachte. Sie hatte hellbraunes Haar, das im Sommer blond wurde, und sie trug nie irgendwelches Make-up außer dunkelrotem Lippenstift. Sie sah aus wie ein Filmstar, sagte Dad immer, aber verdammt, er war in seinem Leben schon vielen schönen Frauen begegnet, und bei keiner hatte er weiche Knie bekommen. Mom war etwas Besonderes. Er sah sofort, dass sie Mumm hatte, und er verliebte sich auf der Stelle in sie.

Mom ging zu den Soldaten und sagte, es sei nichts dabei, von der Klippe zu springen, sie hätte das schon als Kind getan. Die Männer glaubten ihr kein Wort, also trat Mom einfach an den Klippenrand und machte einen perfekten Kopfsprung ins Wasser.

Dad sprang gleich hinterher. So eine Klassebraut würde er sich doch nicht durch die Lappen gehen lassen.

»Was für einen Sprung hast du gemacht, Dad?«, fragte ich immer, wenn er die Geschichte erzählte.

»Einen Fallschirmsprung. Ohne Fallschirm«, antwortete er immer.

Dad schwamm hinter Mom her und sagte ihr noch im Wasser, dass er sie heiraten würde. Dreiundzwanzig Männer hätten ihr schon einen Heiratsantrag gemacht, entgegnete Mom, und sie habe jedes Mal Nein gesagt. »Wie kommst du darauf, dass ich deinen Antrag annehme?«, fragte sie.

»Ich hab dir keinen Antrag gemacht«, sagte Dad. »Ich hab gesagt, dass ich dich heiraten werde.«

Sechs Monate später heirateten sie. Für mich war das die romantischste Geschichte, die ich mir vorstellen konnte, aber Mom mochte sie nicht. Sie fand sie überhaupt nicht romantisch.

»Ich musste Ja sagen«, sagte Mom. »Mit einem Nein hätte euer Vater sich nicht abspeisen lassen.« Außerdem, so erklärte sie, wollte sie unbedingt weg von ihrer Mutter, die sie nicht mal die kleinste Entscheidung treffen ließ. »Ich hatte ja keine Ahnung, dass euer Vater noch schlimmer sein würde.«

Nach der Heirat quittierte Dad den Dienst in der Air Force, weil er, wie er sagte, für seine Familie ein Vermögen machen wollte, und das war beim Militär nun mal nicht möglich. Wenige Monate später wurde Mom schwanger. Nachdem Lori das Licht der Welt erblickt hatte, war sie die ersten drei Jahre ihres Lebens stumm und kahlköpfig. Dann sprossen ihr plötzlich lockige Haare, rot wie eine blanke Kupfermünze, und sie plapperte ohne Unterlass. Aber es hörte sich an wie sinnloses Geschnatter, und alle hielten sie für etwas zurückgeblieben, bis auf Mom, die sie ausgezeichnet verstand und sagte, sie habe ein prima Vokabular.

Ein Jahr nach Loris Geburt bekamen Mom und Dad eine zweite Tochter, Mary Charlene, die pechschwarzes Haar und schokoladenbraune Augen hatte, genau wie Dad. Mary Charlene starb eines Nachts, als sie neun Monate alt war. Plötzlicher Kindstod. Zwei Jahre später wurde ich geboren. »Du solltest Mary Charlene ersetzen«, sagte Mom. Sie erzählte mir, dass sie noch eine zweite rothaarige Tochter bestellt hatte, damit Lori sich nicht so komisch vorkam. »Du warst so ein mageres Baby«, sagte Mom oft zu mir. »Das längste, knochigste Neugeborene, das die Schwestern je gesehen hatten.«

Brian kam, als ich eins war. Er war ein so genanntes Bluebaby, sagte Mom. Als er zur Welt kam, konnte er nicht atmen und hatte als Erstes einen Anfall. Immer wenn Mom die Geschichte erzählte, machte sie die Arme ganz steif, presste die Zähne aufeinander und riss die Augen weit auf, um zu zeigen, wie Brian bei seiner Geburt aussah. Mom sagte, als sie ihn so sah, hätte sie gedacht: »Ooh, der macht's auch nicht lange.« Aber Brian überlebte. Während seines ersten Lebensjahres hatte er öfter solche Anfälle, aber eines Tages hörten sie einfach auf. Er wurde ein zäher kleiner Kerl, der nie jammerte oder weinte, selbst als ich ihn einmal aus Versehen vom oberen Bett schubste und er sich die Nase brach.

Mom sagte immer, die Leute würden sich einfach zu viele Sorgen um ihre Kinder machen. In jungen Jahren zu leiden tut jedem gut, erklärte sie. Es stärkt den Körper und die Seele, und deshalb achtete sie nicht auf uns Kinder, wenn wir weinten. Weinende Kinder zu betütern führt höchstens dazu, dass sie noch weinerlicher werden, sagte sie zu uns. Das ist bloß positive Verstärkung eines negativen Verhaltens.

Mom schien nie unter Mary Charlenes Tod zu leiden. »Gott weiß, was er tut«, sagte sie. »Er hat mir perfekte Kinder geschenkt, aber auch eins, das nicht so perfekt war, und des-halb hat er sich gesagt: ›Hoppla, das da nehme ich lieber wie-der zurück.‹« Dad dagegen wollte nicht über Mary Charlene reden. Wenn ihr Name fiel, versteinerte sich seine Miene, und er ging aus dem Zimmer. Er war es gewesen, der sie tot in ihrem Bettchen gefunden hatte, und Mom konnte einfach nicht fassen, wie sehr ihn das mitgenommen hatte. »Als er sie fand, stand er da wie unter Schock oder so und wiegte ihren steifen kleinen Körper in den Armen«, sagte Mom, »und dann hat er geschrien wie ein verwundetes Tier. So ein schreckliches Geräusch hab ich noch nie gehört.«

Mom sagte, nach Mary Charlenes Tod war Dad nicht mehr der Alte. Er hatte düstere Stimmungen, blieb öfters bis spät nachts weg und kam dann betrunken nach Hause, und er ver-lor seine Jobs. Eines Tages, kurz nach Brians Geburt, waren wir ein bisschen knapp bei Kasse, und Dad verpfändete Moms großen Brillant-Ehering, den ihre Mutter bezahlt hatte, woraufhin Mom der Kragen platzte. Immer wenn Mom und Dad danach Streit hatten, fing Mom von dem Ring an, und Dad sagte, sie solle mit ihrem blöden Gejammer aufhören. Er versprach ihr einen neuen Ring, der noch toller wäre als der, den er versetzt hatte. Deshalb mussten wir unbedingt Gold finden. Damit Mom ihren neuen Ehering kriegte. Und damit wir das Schloss aus Glas bauen konnten.

GEFÄLLT DIR DIE HERUMZIEHEREI?«, FRAGTE LORI MICH.

»Ja klar!«, sagte ich. »Dir nicht?«

»Doch«, sagte sie.

Es war später Nachmittag, und wir parkten vor einer Bar in der Wüste von Nevada. Sie hieß None Bar. Ich war vier, und Lori war sieben. Wir waren auf dem Weg nach Las Vegas. Dad wollte eine Weile sein Glück in den Kasinos versuchen, weil er meinte, dass es die einfachste Methode wäre, um das für die Finanzierung des Goldsuchers notwendige Kapital zusammenzukriegen. Wir waren schon stundenlang gefahren, als er die None Bar entdeckte, die Grüne Kombüse anhielt – die Blaue Gans war gestorben, und wir hatten jetzt ein anderes Auto, einen Kombi, den Dad Grüne Kombüse getauft hatte – und verkündete, dass er kurz auf einen Schluck dort reingehen würde. Mom legte etwas roten Lippenstift auf und ging mit, obwohl sie nie etwas trank, das stärker war als Tee. Sie waren seit Stunden drin. Die Sonne hing hoch am Himmel, und es wehte nicht das leiseste Lüftchen. Nichts rührte sich außer ein paar Aasgeiern am Straßenrand, die an einem unidentifizierbaren Kadaver herumpickten. Brian las ein abgegriffenes Comic-Heft.

»An wie vielen Orten haben wir schon gewohnt?«, fragte ich Lori.

»Kommt drauf an, was du mit Wohnen meinst«, sagte sie. »Wenn man nur eine Nacht in einer Stadt verbracht hat, hat man dann da gewohnt? Oder zwei Nächte? Oder eine ganze Woche?«

Ich überlegte einen Moment. »Wenn du deine ganzen Sachen ausgepackt hast«, sagte ich.

Wir kamen auf elf Orte, an denen wir gewohnt hatten, dann verloren wir den Überblick. Lori sagte, das bedeutete, dass wir drei Mal pro Jahr weitergezogen waren. Bei manchen von den Orten konnten wir uns nicht mehr an den Namen erinnern und auch nicht, wie die Häuser aussahen, in denen wir gelebt hatten. Am meisten erinnerte ich mich an den Innenraum von Autos.

»Was meinst du, was passieren würde, wenn wir nicht ständig weiterziehen würden?«, fragte ich.

»Wir würden geschnappt«, sagte Lori.

Als Mom und Dad aus der None Bar kamen, brachten sie jedem von uns ein langes Stück Dörrfleisch und einen Schokoriegel mit. Ich aß zuerst das Fleisch, und als ich schließlich meinen Mounds-Riegel auspackte, war er zu einer braunen, klebrigen Masse zerschmolzen, deshalb beschloss ich, ihn mir bis zum Abend aufzuheben, wenn die Wüstenkälte ihn wieder hart machen würde.

Inzwischen hatten wir die kleine Stadt gleich jenseits der None Bar hinter uns gelassen. Dad lenkte und rauchte mit einer Hand, in der anderen hielt er eine braune Bierflasche. Lori saß zwischen ihm und Mom auf der Vorderbank, und Brian, der mit mir zusammen hinten saß, versuchte gerade, eine Hälfte von seinem Mars gegen eine Hälfte von meinem geschmolzenen Mounds einzutauschen. Genau in dem Augenblick fuhren wir in einer scharfen Kurve über irgendwelche Eisenbahnschienen, die Tür flog auf, und ich purzelte aus dem Auto.

Ich rollte einige Meter am Bahndamm entlang, und als ich schließlich liegen blieb, war ich zu erschrocken, um zu weinen. Ich bekam keine Luft und hatte Dreck und Steinchen in Augen und Mund. Als ich den Kopf hob, sah ich gerade noch, wie die Grüne Kombüse kleiner und kleiner wurde und dann um die nächste Straßenbiegung verschwand.

Blut lief mir über die Stirn und aus der Nase. Meine Knie und Ellbogen waren aufgeschürft und mit Sand bedeckt. Ich hielt noch immer den Mounds-Riegel in der Hand, aber die Packung war beim Sturz aufgeplatzt und die weiße Kokosfüllung herausgequollen und voller Sand.

Sobald ich wieder Luft bekam, kroch ich über den Bahndamm zur Straße und setzte mich hin, um auf Mom und Dad zu warten. Mir tat alles weh. Die Sonne war klein und weiß und backofenheiß. Wind war aufgekommen und wirbelte den Staub am Straßenrand entlang. Das Warten kam mir lange vor, und dann dachte ich, dass Mom und Dad vielleicht nicht zurückkommen würden, um mich zu holen. Vielleicht merkten sie gar nicht, dass ich nicht mehr da war. Vielleicht fanden sie ja, dass es sich nicht lohnen würde, extra meinetwegen zurückzufahren, dass ich wie Quixote, der Kater, nur eine Plage und eine Belastung war, auf die sie gut verzichten konnten.

Die kleine Stadt hinter mir war still, und es waren keine anderen Autos auf der Straße unterwegs. Ich fing an zu weinen, aber davon fühlte ich mich nur noch schlechter. Ich stand auf und ging auf die Häuser zu, doch dann fiel mir ein, dass mich Mom und Dad nicht finden könnten, falls sie doch zurückkamen, also ging ich wieder zu den Schienen und setzte mich hin.

Ich kratzte mir gerade das getrocknete Blut von den Beinen, als ich aufblickte und die Grüne Kombüse um die Kurve kommen sah. Sie kam die Straße herunter auf mich zugebraust, wurde größer und größer, bis sie mit quietschenden Bremsen genau vor mir hielt. Dad stieg aus dem Auto, kniete sich hin und wollte mich umarmen.

Ich wich zurück. »Ich hab gedacht, du würdest mich hier zurücklassen«, sagte ich.

»Aber nein, das würde ich doch nie tun«, sagte er. »Dein Bruder wollte uns sagen, dass du rausgefallen bist, aber er hat so heftig geflennt, dass wir kein Wort verstanden haben.«

Dad fing an, mir Steinchen aus dem Gesicht zu pulen. Manche steckten richtig tief in der Haut, deshalb holte er eine spitze Pinzette aus dem Handschuhfach, um sie rauszubekommen. Als er alle Steinchen aus Wangen und Stirn entfernt

hatte, nahm er sein Taschentuch und versuchte mein Nasen-
bluten zu stillen. Das Blut tröpfelte wie aus einem kaputten
Wasserhahn. »Du liebes bisschen, Schätzchen«, sagte er. »Du
hast dir den Rotzkoffer aber ziemlich übel zugerichtet.«

Ich musste schrecklich lachen. »Rotzkoffer« war das lus-
tigste Wort für die Nase, das ich je gehört hatte. Nachdem
Dad mich sauber gemacht hatte und ich wieder ins Auto gestiegen war, erzählte ich Brian und Lori und Mom von dem
Wort, und auch sie bogen sich vor Lachen. Rotzkoffer. Einfach zum Schreien.

Wir lebten etwa einen Monat in Las Vegas, in einem Motelzimmer mit dunkelroten Wänden und zwei schmalen Betten. Wir drei Kinder schliefen in dem einen, Mom und Dad in dem anderen. Tagsüber gingen wir in die Kasinos, wo Dad, wie er sagte, ein todsicheres System hatte, die Bank zu schlagen. Brian und ich spielten zwischen den klickenden Spielautomaten Verstecken und suchten die Auffangschalen nach vergessenen Vierteldollarmünzen ab, während Dad am Black-Jack-Tisch gewann. Ich blieb oft stehen und starrte die langbeinigen Showgirls an, die in engen Glitzerkostümen mit riesigen Federn an Kopf und Hintern über die Kasino-Bühne stolzierten. Als ich versuchte, ihren Gang nachzumachen, sagte Brian, ich sähe aus wie ein Strauß.

Gegen Abend, wenn Dad uns holen kam, hatte er die Taschen voller Geld. Er kaufte uns Cowboyhüte und Fransenwesten, und wir aßen panierte Steaks in Restaurants mit eiskalter Klimaanlage und kleinen Musikboxen an jedem einzelnen Tisch. Eines Abends, als Dad richtig viel gewonnen hatte, sagte er, jetzt könnten wir mal ordentlich auf den Putz hauen. Er ging mit uns in ein Restaurant, das Schwingtüren hatte wie ein Western-Saloon. Die Wände waren mit echten Goldgräberwerkzeugen geschmückt. Ein Mann mit Ärmelhaltern spielte Klavier, und eine Frau mit Handschuhen, die ihr bis zu den Ellbogen reichten, kam ständig angehastet, um Dad Zigaretten anzuzünden.

Dad sagte, dass er uns zum Nachtisch etwas ganz Besonderes bestellt hatte – eine brennende Eistorte. Ein Kellner rollte einen Servierwagen mit der Torte darauf an unseren Tisch, und die Frau mit den Handschuhen steckte sie mit einem Anzünder an. Alle hörten auf zu essen und schauten zu uns herüber. Die Flammen bewegten sich langsam wie Wasser und ringelten sich hoch wie Luftschlangen. Alle klatschten, und Dad sprang auf und hob die Hand des Kellners hoch, als hätte der gerade den ersten Preis gewonnen.

Wenige Tage später gingen Mom und Dad zum Black-Jack-Tisch und kamen schon kurz darauf wieder. Dad sagte, einer der Geber hätte gemerkt, dass Dad ein System hatte, und die anderen vor ihm gewarnt. Er meinte, es wäre mal wieder Zeit zu türmen.

Wir müssten möglichst weit weg von Las Vegas, sagte Dad, weil die Mafia, der die Kasinos gehörten, hinter ihm her war. Wir fuhren Richtung Westen durch die Wüste und dann durch die Berge. Mom sagte, wir sollten alle wenigstens ein Mal im Leben am Pazifischen Ozean leben, also fuhren wir immer weiter bis nach San Francisco.

Mom wollte nicht in eins von diesen Touristen-Abzockhotels am Fisherman's Wharf ziehen, die wären nicht authentisch, meinte sie, und hätten nichts mit dem wahren Leben der Stadt zu tun, also suchten wir uns eins, das mehr Atmosphäre hatte. Es lag im Stadtteil Tenderloin und zählte auch Matrosen und Frauen mit sehr viel Make-up zu seinen Gästen. Dad nannte das Hotel eine Absteige, aber Mom sagte, es wäre eine Pension, und als ich sie fragte, was das hieß, sagte sie, das wäre was für Dauergäste.

Während Mom und Dad loszogen, um Geld für den Goldsucher aufzutreiben, spielten wir Kinder im Hotel. Eines Tages fand ich eine halb volle Schachtel Streichhölzer. Ich war hin und weg, weil ich Holzstreichhölzer viel schöner fand als die weichen Dinger in den Streichholzbriefchen aus Pappe. Ich nahm die Schachtel mit aufs Zimmer und schloss mich auf der Toilette ein. Ich zog etwas Klopapier von der Rolle, zündete es an, und als es richtig brannte, warf ich es ins Klo. Ich quälte das Feuer, schenkte ihm Leben und blies ihm das Lebenslicht gleich wieder aus. Dann hatte ich eine bessere Idee. Ich häufte Klopapier in der Toilette auf, zündete es an, und wenn es brannte und die Flammen jäh und lautlos aus der Schüssel hochloderten, spülte ich das Feuer die Toilette runter.

Wenige Tage später wurde ich nachts plötzlich wach. Die Luft war heiß und stickig. Ich roch Rauch und sah Flammen am offenen Fenster züngeln. Zuerst wusste ich nicht, ob das Feuer drinnen oder draußen war, aber dann sah ich, dass einer der Vorhänge nur einen halben Meter vom Bett entfernt lichterloh brannte.

Mom und Dad waren nicht im Zimmer, und Lori und Brian schliefen tief und fest. Ich wollte schreien und sie warnen, aber es drang kein Laut aus meiner Kehle. Ich wollte hinübergreifen und sie wachrütteln, aber ich konnte mich nicht bewegen. Das Feuer wurde größer, stärker und wütender.

Und dann flog die Tür auf. Jemand rief unsere Namen. Es war Dad. Lori und Brian wachten auf und liefen hustend zu ihm. Ich konnte mich noch immer nicht bewegen. Ich starrte auf das Feuer, rechnete jeden Moment damit, dass meine Decke in Flammen aufging. Dad packte die Decke, wickelte sie um mich und lief die Treppe hinunter. Mit einem Arm dirigierte er Lori und Brian, mich trug er auf dem anderen.

Dad brachte uns Kinder über die Straße in eine Bar und lief dann zurück, um beim Löschen des Feuers zu helfen. Eine Kellnerin mit roten Fingernägeln und blauschwarzem Haar fragte, ob wir eine Cola oder sogar, was soll's, ein Bier haben wollten, schließlich hatten wir in der Nacht einiges durchgemacht. Brian und Lori sagten, ja, bitte eine Cola. Ich fragte, ob ich vielleicht bitte ein Glas Shirley Temple haben könnte. Das war ein Cocktail aus Ginger Ale und Sirup, den Dad mir immer spendierte, wenn er mich mit in eine Bar nahm. Aus irgendeinem Grund lachte die Kellnerin.

Die Leute in der Bar machten laufend witzige Bemerkungen über Frauen, die nackt aus dem brennenden Hotel gerannt kamen. Ich hatte nur meine Unterwäsche an, deshalb hielt ich die Decke fest um mich gewickelt. Nachdem ich meinen Shirley Temple ausgetrunken hatte, wollte ich über die Straße gehen, um mir das Feuer aus der Nähe anzusehen, aber die Kellnerin ließ mich nicht, deshalb kletterte ich auf einen Barhocker und schaute durchs Fenster zu. Inzwischen war die Feuerwehr gekommen. Blaulicht blitzte, und Männer in schwarzen Gummijacken hielten Stoffschläuche, aus denen dicke Wasserstrahlen schossen.

Ich fragte mich, ob das Feuer es auf mich abgesehen hatte. Ich fragte mich, ob alle Feuer miteinander verwandt waren, so wie Dad sagte, dass alle Menschen verwandt waren. Ob das Feuer, von dem ich die Narben hatte, irgendwie mit dem Feuer verbunden war, das ich im Klo runtergespült hatte, und mit dem Feuer, das jetzt im Hotel brannte. Ich hatte keine Antwort auf meine Fragen, ich wusste nur, dass ich in einer Welt lebte, die jeden Augenblick in Flammen aufgehen konnte. Ein solches Wissen hält dich auf Trab.

Nachdem das Hotel abgebrannt war, lebten wir ein paar Tage am Strand. Wenn wir die Rückbank der Grünen Kombüse umklappten, war für uns alle genug Platz zum Schlafen, obwohl ich manchmal irgendwelche Füße ins Gesicht bekam. Eines Nachts klopfte ein Polizist an unser Fenster und sagte, wir müssten weiterfahren, es wäre verboten, am Strand zu schlafen. Er war nett und sprach uns mit »Leute« an, und er malte uns sogar eine Stelle auf, wo wir schlafen konnten, ohne verhaftet zu werden.

Aber als er weg war, nannte Dad ihn Gestapo-Schwein und sagte, Leute wie der würden sich daran aufgeilen, Leute wie uns zu schikanieren. Dad hatte die Nase voll von der Zivilisation. Er und Mom beschlossen, zurück in die Wüste zu gehen und auch ohne unser Startgeld weiter nach Gold zu suchen. »Großstädte bringen dich um«, sagte Dad.

WIR BRACHEN UNSERE ZELTE IN SAN FRANCISCO AB und fuhren in die Mojave-Wüste. In der Nähe der Eagle Mountains sagte Mom, Dad solle anhalten. Ein Stück von der Straße entfernt war ihr ein Baum aufgefallen.

Es war nicht bloß irgendein Baum. Es war ein alter Joshua-Baum. Er stand in einer Bodenfalte, wo die Wüste aufhörte und das Gebirge anfing, sodass eine Art Windtunnel entstanden war. Seit dieser Joshua-Baum ein kleiner Schössling gewesen war, hatte ihn der peitschende Wind so niedergedrückt, dass er nicht himmelwärts gewachsen war, sondern in die Richtung, in die der Wind ihn gedrückt hatte. Nun war er für immer windgebeugt, neigte sich tief, dass es aussah, als würde er gleich umstürzen, obwohl er in Wahrheit sicher von seinen Wurzeln gehalten wurde.

Ich fand den Joshua-Baum hässlich. Er sah knochig und irgendwie irre aus, für alle Zeit in dieser verdrehten, gequälten Haltung erstarrt, und ich musste daran denken, dass Erwachsene manchmal zu Kindern sagen, sie sollen keine Fratzen schneiden, weil die Grimassen stehen bleiben könnten. Für Mom war es jedoch einer der schönsten Bäume, die sie je gesehen hatte, und sie sagte, sie müsste ihn einfach malen. Während sie ihre Staffelei aufstellte, fuhr Dad ein Stück weiter, um sich ein bisschen in der Gegend umzusehen. Er fand ein paar ausgedörrte kleine Häuser, Wohnwagen, die allmählich im Sand einsackten, und Hütten mit verrosteten Blechdächern. An einem hing ein »ZU-VERMIETEN«-Schild. »Was soll's«, sagte Dad, »hier ist es genauso gut wie irgendwo anders.«

Das Haus, das wir mieteten, gehörte einer Bergbaufirma. Es war weiß und hatte zwei Zimmer und ein durchhängendes Dach. Es gab keine Bäume, und der Wüstensand ging bis an die Hintertür. Nachts konnte man die Kojoten heulen hören.

In der ersten Zeit in Midland, wenn ich wegen der Kojoten nicht schlafen konnte, hörte ich auch noch andere Geräusche: Gila-Krustenechsen, die im Gebüsch raschelten, Motten, die gegen die Fliegengitter prallten, und Kreosot-Büsche, die im Wind raschelten. Eines Nachts, als das Licht aus war und ich die Mondsichel durchs Fenster sehen konnte, hörte ich ein schlängelndes Geräusch auf dem Boden.

»Ich glaube, unterm Bett ist was«, sagte ich zu Lori.

»Das bildest du dir mit deiner blühenden Fantasie bloß ein«, sagte Lori. Sie sprach wie eine Erwachsene, wenn sie genervt war.

Ich versuchte mutig zu sein, aber ich hatte wirklich was gehört, und dann meinte ich im Mondlicht zu sehen, wie es sich bewegte.

»Da ist was«, flüsterte ich.

»Schlaf endlich«, sagte Lori.

Ich hielt mir schützend das Kopfkissen über den Kopf und lief ins Wohnzimmer, wo Dad saß und las. »Was ist, Bergziege?«, fragte er. Er nannte mich so, weil ich nie hinfiel, wenn wir eine Bergtour machten – sicher auf den Beinen wie eine Bergziege, sagte er immer.

»Wahrscheinlich nichts«, sagte ich. »Ich hab nur gedacht, ich hätte im Schlafzimmer was gesehen.« Dad zog die Augenbrauen hoch. »Aber das hab ich mir mit meiner blühenden Fantasie wahrscheinlich bloß eingebildet.«

»Hast du es gut sehen können?«, fragte er.

»Nicht so richtig.«

»Du hast es bestimmt gesehen. War es ein großes, hässliches Mistviech mit grässlichen Zähnen und Klauen?«

»Genau!«

»Und hatte es spitze Zähne und böse Augen mit Feuer drin, und hat es dich irgendwie bösartig angeglotzt?«, fragte er.

»Ja! Ja! Hast du's auch gesehen?«

»Und ob. Das ist der alte, üble Widerling von Dämon.«

Dad sagte, er wäre schon seit Jahren auf der Jagd nach dem Dämon. Mittlerweile, so Dad, hatte der alte Dämon kapiert, dass er sich besser nicht mit Rex Walls anlegte. Aber wenn dieser gerissene Saukerl meinte, er könnte Rex Walls' kleine Tochter in Angst und Schrecken versetzen, dann sollte er sich auf was gefasst machen. »Hol mir mal mein Jagdmesser«, sagte Dad.

Ich holte Dads Messer mit dem geschnitzten Horngriff und der Klinge aus bläulichem Stahl, dann gab er mir eine Rohrzange, und wir machten uns auf die Suche nach dem Dämon. Wir schauten unter meinem Bett nach, aber er war verschwunden. Wir schauten im ganzen Haus nach: unter dem Tisch, in den dunklen Schrankecken, in der Werkzeugkiste und sogar draußen in den Mülltonnen.

»Komm her, du dämlicher alter Dämon!«, rief Dad in die Wüstennacht hinein. »Komm raus und zeig uns dein jämmerliches, potthässliches Gesicht, du gelbbauchiges Monster!«

»Ja, komm doch, du alter gemeiner Dämon!«, sagte ich und schwenkte die Rohrzange durch die Luft. »Wir haben keine Angst vor dir!«

Nur die Kojoten waren in der Ferne zu hören. »Das ist mal wieder typisch für diesen Hosenscheißer von Dämon«, sagte Dad. Er setzte sich auf die Stufe vor die Haustür und steckte sich eine Zigarette an, und dann erzählte er mir die Geschichte, wie er einmal ganz allein gegen den Dämon gekämpft hatte, als der eine gesamte Stadt terrorisiert hatte. Dad hatte ihm in die Ohren gebissen und ihm die Finger in die Augen gestoßen. Der alte Dämon war entsetzt gewesen, denn zum ersten Mal hatte er es mit jemandem zu tun gekriegt, der keine Angst vor ihm hatte. »Der blöde alte Dämon verstand die Welt nicht mehr«, sagte Dad und schüttelte leise lachend den Kopf. Das müsse man sich bei allen Monstern merken, sagte Dad, sie jagen den Menschen gern Angst ein, aber sobald man sich ihnen entgegenstellt, nehmen sie die Beine in die Hand. »Du musst dem alten Dämon bloß zeigen, dass du keine Angst hast, Bergziege, mehr nicht.«

In der Umgebung von Midland wuchs nicht viel außer dem Joshua-Baum, Kakteen und den struppigen Kreosot-Büschen, die zu den ältesten Pflanzen auf der Erde gehörten, sagte Dad. Die Urgroßvater-Kreosot-Büsche waren Abertausende von Jahren alt, erklärte er uns. Wenn es regnete, sonderten sie einen ekligen, modrigen Geruch ab, damit die Tiere sie nicht fraßen. Pro Jahr fielen in Midland bloß zehn Zentimeter Regen – ungefähr so viel wie in der Nordsahara, sagte Dad –, und das Wasser für die Menschen wurde einmal täglich mit dem Zug in Spezialcontainern geliefert. Die einzigen Wesen, die in der Gegend überleben konnten, waren lippenlose, schuppige Kreaturen wie Gila-Krustenechsen und Skorpione, und Menschen wie wir.

Einen Monat nach unserer Ankunft in Midland wurde Juju von einer Klapperschlange gebissen und starb. Wir beerdigten ihn in der Nähe des Joshua-Baums. Es war praktisch das einzige Mal, dass ich Brian weinen sah. Aber wir hatten jede Menge Katzen, die uns Gesellschaft leisteten. Sogar zu viele. Wir hatten etliche Katzen gerettet, seit wir Quixote aus dem Auto geworfen hatten, und die meisten hatten dann irgendwann Junge bekommen, und schließlich war es so weit, dass wir einige von ihnen loswerden mussten. Wir hatten nicht viele Nachbarn, denen wir eine schenken konnten, also sah Dad keine andere Möglichkeit, als sie in einem Teich, den die Bergbaufirma als Kühlwasserreservoir für ihre Maschinen angelegt hatte, zu ertränken. Ich sah zu, wie er den Kofferraum mit hüpfenden, miauenden Säcken füllte.

»Ich finde es gemein«, sagte ich zu Mom. »Wir haben sie gerettet. Und jetzt töten wir sie.«

»Wir haben ihnen doch ein bisschen mehr Zeit auf diesem Planeten geschenkt«, sagte Mom. »Dafür sollten sie dankbar sein.«

Dad bekam schließlich einen Job im Gipsbergwerk. Dort wurden weiße Steine ausgegraben und zu dem Pulver zermahlen, das zur Herstellung von Rigipsplatten und Gipsmörtel verwendet wird. Wenn er nach Hause kam, war er über und über mit weißem Gipsstaub bedeckt, und manchmal spielten wir Gespenst, und er jagte uns herum. Er brachte auch Säcke voll Gips mit, und Mom rührte den Gips mit Wasser an und machte mit Hilfe einer Gummiform, die sie per Post bestellt hatte, Venus-von-Milo-Skulpturen. Es bekümmerte Mom, dass das weiße Gestein abgebaut wurde – sie sagte, es wäre eigentlich Marmor und hätte ein besseres Schicksal verdient. Doch mit ihren Skulpturen machte sie zumindest einen kleinen Teil davon unsterblich.

Mom war schwanger. Alle hofften, dass es ein Junge würde, damit Brian einen Spielkameraden bekäme. Dad plante, mit uns nach Blythe zu fahren, wenn es so weit war. Das lag zwanzig Meilen südlich und war ein größerer Ort mit zwei Kinos und zwei Staatsgefängnissen.

Bis dahin widmete sich Mom ganz ihrer Kunst. Den ganzen Tag über beschäftigte sie sich mit Ölbildern, Aquarellen, Kohlezeichnungen, Bleistift- und Tuscheskizzen, Ton- und Drahtskulpturen, Seidenmalereien und Holzblöcken. Sie hatte keinen speziellen Stil. Manche Gemälde waren primitiv, wie sie sagte, manche waren impressionistisch und abstrakt, manche wiederum realistisch. »Ich will in keine Schublade gesteckt werden«, sagte sie gern. Mom war außerdem Schriftstellerin und schrieb immer munter auf ihrer Schreibmaschine an Romanen, Kurzgeschichten, Theaterstücken, Gedichten, Märchen und Kinderbüchern, die sie selbst illustrierte. Moms Werke waren sehr kreativ. Ihre Rechtschreibung ebenfalls. Sie brauchte stets einen Korrekturleser, und als Lori gerade mal sieben Jahre alt war, ging sie Moms Manuskripte durch und verbesserte die Fehler.

Während unserer Zeit in Midland malte Mom unentwegt Variationen und Studien von dem Joshua-Baum. Manchmal begleiteten wir sie, und sie gab uns Kunstunterricht. Einmal entdeckte ich einen winzig kleinen Joshua-Baum-Schössling, der nicht weit von dem alten Baum wuchs. Ich wollte ihn ausgraben und bei unserem Haus wieder einpflanzen. Ich sagte Mom, ich wollte ihn vor dem Wind schützen und jeden Tag gießen, damit er schön und groß und gerade wuchs.

Mom sah mich stirnrunzelnd an. »Du würdest das zerstören, was ihn zu etwas Besonderem macht«, sagte sie. »Gerade der Kampf des Joshua-Baums verleiht ihm seine Schönheit.«

ICH GLAUBTE NICHT AN DEN WEIHNACHTSMANN.

Keins von uns Kindern glaubte an ihn. Mom und Dad wollten das nicht. Sie konnten sich keine teuren Geschenke leisten, und sie wollten nicht, dass wir glaubten, wir wären weniger wert als die anderen Kinder, die am Weihnachtsmorgen alle möglichen tollen Geschenke unter dem Baum fanden, die Santa Claus angeblich gebracht hatte. Deshalb erklärten sie uns, dass die anderen Kinder von ihren Eltern angelogen wurden und dass die Spielsachen, die angeblich von kleinen Elfen mit Glockenhauben in Werkstätten am Nordpol hergestellt worden waren, Etiketten mit der Aufschrift »Made in Japan« trugen.

»Aber schaut nicht auf die anderen Kinder herab«, sagte Mom. »Sie können nichts dafür, man hat ihnen nun mal diese albernen Märchen eingetrichtert.«

Auch wir feierten Weihnachten, aber meistens eine Woche nach dem 25. Dezember, wenn man das von anderen Leuten weggeworfene, aber noch tadellos erhaltene Geschenkpapier mit Schleifen und allem Drum und Dran im Müll am Straßenrand finden konnte, und auch Weihnachtsbäume, die noch fast all ihre Nadeln hatten und an denen sogar noch ein bisschen Lametta hing. Mom und Dad schenkten uns dann einen Beutel Murmeln oder eine Puppe oder eine Steinschleuder, Sachen, deren Preis nach Weihnachten drastisch gesenkt worden war.

Dad verlor seinen Job im Gipsbergwerk, und als es in dem Jahr Weihnachten wurde, hatten wir absolut kein Geld. Am Weihnachtsabend ging Dad nacheinander mit jedem von uns Kindern allein hinaus in die Wüste. Ich hatte eine Decke um mich gewickelt, und als ich an der Reihe war, bot ich Dad an, sie mit ihm zu teilen, aber er sagte, nein danke. Die Kälte machte ihm nie was aus. Ich war fünf Jahre alt, und ich setzte mich neben Dad, und wir blickten hinauf zum Himmel. Dad sprach gern über die Sterne. Er erklärte uns, wie sie durch den Nachthimmel wandern, während die Erde sich dreht. Er brachte uns bei, die Sternbilder zu erkennen und wie man sich am Polarstern orientiert. Diese leuchtenden Sterne, so betonte er oft, zählten zu den besonderen Geschenken für Menschen wie uns, die wir draußen in der Wildnis lebten. Reiche Stadtmenschen hatten schicke Wohnungen, aber ihre Luft war so verschmutzt, dass sie die Sterne nicht einmal mehr sehen konnten, und wir wären ja schön verrückt, wenn wir mit ihnen tauschen wollten, sagte er.

»Such dir deinen Lieblingsstern aus«, sagte Dad. Er erklärte, ich dürfte ihn behalten. Er sagte, der Stern wäre mein Weihnachtsgeschenk.

»Du kannst mir gar keinen Stern schenken!«, sagte ich. »Die Sterne gehören keinem.«

»Stimmt«, sagte Dad. »Sie gehören sonst keinem. Du musst sie einfach in Besitz nehmen, bevor es ein anderer tut. So wie dieser Itaker Kolumbus ganz Amerika für Königin Isabella in Besitz genommen hat. Genauso logisch ist es, einen Stern für sich in Besitz zu nehmen.«

Ich überlegte einen Moment und sah ein, dass Dad Recht hatte. Er kam immer auf solche Sachen.

Ich konnte jeden Stern haben, den ich wollte, sagte Dad, außer Beteigeuze und Rigel, weil die schon Lori und Brian gehörten.

Ich sah zu den Sternen hoch und überlegte, welcher der beste war. Am klaren Wüstenhimmel konnte man Hunderte, vielleicht Tausende oder gar Millionen Sterne funkeln sehen. Je länger man hinsah und je mehr sich das Auge an die Dunkelheit gewöhnte, desto mehr Sterne sah man, als würden sie Schicht um Schicht allmählich sichtbar. Einer, im Westen über den Bergen, aber ziemlich tief am Himmel, strahlte heller als die anderen.

»Den da will ich«, sagte ich.

Dad grinste. »Das ist die Venus«, sagte er. Dann erklärte er mir, dass die Venus bloß ein Planet war und eigentlich ziemlich mickrig im Vergleich zu echten Sternen. Sie sah nur größer und heller aus, weil sie viel näher war als die Sterne. Aber die arme alte Venus konnte nicht mal selbst Licht machen, sagte Dad. Sie strahlte nur durch reflektiertes Licht. Er erläuterte, dass Planeten leuchteten, weil reflektiertes Licht konstant war, und dass Sterne funkelten, weil ihr Licht pulsierte.

»Mir gefällt sie trotzdem«, sagte ich. Ich hatte die Venus schon vor Weihnachten bestaunt. Man konnte sie am frühen Abend sehen, wie sie am westlichen Himmel leuchtete, und wenn man früh aufstand, konnte man sie morgens immer noch sehen, wenn alle anderen Sterne schon verschwunden waren.

»Ach, was soll's«, sagte Dad. »Wir haben Weihnachten. Wenn du willst, kannst du dir auch einen Planeten aussuchen.«

Und er schenkte mir die Venus.

Beim Weihnachtsessen an diesem Abend unterhielten wir uns alle über den Weltraum. Dad erzählte von Lichtjahren und Schwarzen Löchern und Quasaren, und er erläuterte die besonderen Eigenschaften von Beteigeuze, Rigel und Venus.

Beteigeuze war ein roter Stern in der Schulter des Sternbildes Orion. Er war einer der größten Sterne am Himmel, viele hundert Male größer als die Sonne. Er leuchtete schon seit Millionen von Jahren so hell und würde bald eine Supernova werden und verglühen. Ich regte mich auf, weil Lori sich so einen Schrottstern ausgesucht hatte, aber Dad beruhigte mich und sagte, dass »bald« bei Sternen in Wahrheit Hunderttausende von Jahren bedeutete.

Rigel war ein blauer Stern und etwas kleiner als Beteigeuze, sagte Dad, aber noch heller. Er war auch im Orion – genauer gesagt, stellte er seinen linken Fuß dar, und das kam mir passend vor, weil Brian superschnell laufen konnte.

Venus hatte keine Monde oder Satelliten oder auch nur ein Magnetfeld, sagte Dad, aber sie hatte eine Atmosphäre, ganz ähnlich wie die auf der Erde, nur dass sie furchtbar heiß war – über 250 Grad. Und deshalb, meinte Dad, könnte es sein, dass die Menschen, wenn die Sonne allmählich ausbrennt und die Erde kalt wird, zur Venus ziehen wollen, um nicht mehr zu frieren. Und dann müssten sie sich erst mal von meinen Nachfahren die Erlaubnis holen.

Wir lachten über die Kinder, die an das Santa-Claus-Märchen glaubten und zu Weihnachten bloß einen Haufen billiger Plastikspielsachen bekamen. »In einigen Jahren, wenn der ganze Plunder, den sie bekommen haben, längst kaputt und vergessen ist«, sagte Dad, »habt ihr immer noch eure Sterne.«

IN DER DÄMMERUNG, wenn die Sonne hinter den Palen Mountains versunken war, kamen die Fledermäuse und schwirrten über den Hütten von Midland durch die Luft. Die alte Frau von nebenan warnte uns vor den Fledermäusen. Sie nannte sie fliegende Ratten und sagte, dass sich einmal eins von den kleinen Biestern in ihren Haaren verfangen hatte, dann völlig durchgedreht war und ihr die Kopfhaut zerkratzt hatte. Aber ich mochte die hässlichen kleinen Fledermäuse, die blitzschnell vorbeiflitzten, ihre Flügel nur ein einziges rasendes Flirren. Dad erklärte uns, dass sie eine Art Echopeilung hatten, wie in atomgetriebenen U-Booten. Brian und ich warfen immer kleine Steinchen in die Luft, weil wir hofften, die Fledermäuse würden sie für Insekten halten und fressen und dann vom Gewicht der Steine nach unten gezogen, sodass wir sie fangen und als Haustiere behalten könnten. Wir wollten ihnen eine lange Schnur an eine Klaue binden, damit sie weiter fliegen konnten. Ich wollte eine dazu abrichten, sich kopfüber an meinen Finger zu hängen. Aber diese verflixten Fledermäuse waren zu clever und fielen nicht auf unseren Trick herein.

Die Fledermäuse waren in der Luft und kreischten, als wir Midland Lebewohl sagten und uns auf den Weg nach Blythe machten. Kurz vorher hatte Mom verkündet, das Baby habe beschlossen, es sei jetzt groß genug und könne herauskommen, um Teil unserer Familie zu werden. Sobald wir losgefahren waren, gerieten Dad und Mom in einen heftigen Streit darüber, wie viele Monate sie schon schwanger war. Mom sagte, sie sei seit zehn Monaten schwanger. Dad, der am Nachmittag für jemanden ein Auto repariert und von dem

Geld eine Flasche Tequila gekauft hatte, meinte, sie habe vermutlich irgendwann den Überblick verloren.

»Ich trage meine Kinder immer länger als die meisten Frauen«, sagte Mom. »Lori war vierzehn Monate in meinem Bauch.«

»Schwachsinn!«, sagte Dad. »Es sei denn, Lori hat was von einem Elefanten.«

»Mach dich nicht über mich oder meine Kinder lustig!«, schrie Mom. »Manche Babys sind frühreif. Meine waren spätreif. Deshalb sind sie auch so schlau. Ihr Gehirn hatte länger Zeit, sich zu entwickeln.«

Dad sagte irgendwas über die Launen der Natur, und Mom nannte Dad einen Besserwisser, der einfach nicht glauben wollte, dass sie etwas Besonderes war. Dad sagte irgendwas in der Richtung, dass nicht mal Maria mit einem Bankert wie Jesus so lange schwanger war. Mom, die über Dads lästerliche Bemerkung wütend war, streckte den Fuß rüber auf die Fahrerseite und stieg auf die Bremse. Es war mitten in der Nacht, und Mom sprang aus dem Auto und rannte in die Dunkelheit.

»Du verrücktes Miststück!«, brüllte Dad. »Beweg deinen Arsch sofort zurück ins Auto, verdammt noch mal!«

»Nur über meine Leiche, du Banause!«, kreischte sie und lief weiter.

Dad riss das Lenkrad herum, fuhr von der Straße und hinter ihr her in die Wüste. Lori, Brian und ich stützten uns mit den Armen ab, wie jedes Mal, wenn Dad eine seiner wilden Verfolgungsfahrten unternahm, die sich immer recht holprig gestalteten.

Dad steckte beim Fahren den Kopf aus dem Seitenfenster und brüllte hinter Mom her, beschimpfte sie mit »blöde Nutte« und »Dreckstück« und befahl ihr, wieder ins Auto zu steigen. Mom wollte nicht. Sie lief vor uns her, tauchte immer mal wieder zwischen den Wüstenbüschen auf. Da sie niemals ordinäre Kraftausdrücke in den Mund nahm, nannte sie Dad einen »verflixten« und »nutzlosen Trunkenbold«. Dad hielt den Wagen an, setzte zurück und trat das Gaspedal durch. Wir schossen auf Mom zu, die kreischte und zur Seite sprang. Dad wendete und raste wieder auf sie los.

Es war eine mondlose Nacht, deshalb konnten wir Mom immer nur dann sehen, wenn sie ins Scheinwerferlicht geriet. Sie schaute immer wieder über die Schulter, die Augen weit aufgerissen wie ein gehetztes Tier. Wir Kinder weinten und flehten Dad an aufzuhören, aber er kümmerte sich nicht darum. Ich machte mir noch größere Sorgen um das Baby in Moms prallem Bauch als um Mom selbst. Das Auto sprang über Senken und Steine, Sträucher schabten über die Seiten, und Staub drang durch die offenen Fenster. Schließlich konnte Dad Mom vor ein paar Felsen in die Enge treiben. Ich hatte Angst, dass er sie mit dem Auto zerquetschen würde, doch stattdessen stieg er aus, zerrte sie zum Auto, obwohl sie sich mit Händen und Füßen wehrte, und stieß sie auf den Beifahrersitz. Der Wagen rumpelte durch die Wüste und zurück auf die Straße. Alle waren mucksmäuschenstill, bis auf Mom, die schluchzte, dass sie Lori wirklich vierzehn Monate getragen hatte.

Schon am nächsten Tag hatten Mom und Dad sich wieder vertragen, und am späten Nachmittag schnitt Mom Dad im Wohnzimmer der Wohnung, die wir in Blythe gemietet hatten, die Haare. Er hatte sich das Hemd ausgezogen und saß falsch herum auf einem Stuhl, den Kopf gesenkt und die Haare nach vorn gekämmt. Mom schnippelte drauflos, und Dad zeigte ihr die Stellen, die noch zu lang waren. Als sie fertig waren, kämmte Dad sich die Haare nach hinten und lobte Mom für die prima Frisur.

Unsere Wohnung lag in einem flachen Zementsteingebäude am Stadtrand. Vorn an der Fassade hing ein großes, blau-weißes Plastikschild, das wie ein Football und ein Bumerang geformt war. Es trug die Aufschrift »LBJ Apartments«. Ich dachte, das stünde für Lori, Brian und Jeannette, aber Mom sagte, LBJ wären die Initialen des Präsidenten, der, so fügte sie hinzu, ein Betrüger und Kriegstreiber war.

Ein paar Lastwagenfahrer und Cowboys hatten Zimmer in den LBJ Apartments, doch die meisten anderen Mieter waren Wanderarbeiter mit ihren Familien, und wir konnten sie durch die dünnen Rigipswände reden hören. Mom sagte, das wäre eine der kleinen Dreingaben, wenn man in den LBJ Apartments wohnte, weil man so ganz nebenbei noch ein bisschen Spanisch lernte.

Blythe lag in Kalifornien, aber die Grenze zu Arizona war nur einen Katzensprung entfernt. Die Menschen dort sagten oft, ihre Stadt liege hundertfünfzig Meilen westlich von Phoenix, zweihundertfünfzig Meilen östlich von Los Angeles und haargenau mitten am Arsch der Welt. Aber sie sagten es immer so, als wollten sie damit angeben.

Mom und Dad fanden Blythe nicht besonders toll. Zu zivilisiert, sagten sie, und noch dazu total unnatürlich, weil keine Stadt von der Größe wie Blythe da draußen in der Mojave-Wüste irgendwas verloren hatte. Es lag nicht weit vom Colorado River und war im neunzehnten Jahrhundert von einem Mann gegründet worden, der gedacht hatte, er könnte reich werden, wenn er die Wüste in Farmland verwandelte. Er buddelte ein paar Bewässerungsgräben, die Wasser aus dem Colorado River ableiteten, und baute zwischen den ganzen Kakteen und Beifußbüschen Salat, Wein und Broccoli an. Dad kriegte jedes Mal Zustände, wenn wir an einem von diesen Feldern mit den Bewässerungsgräben vorbeikamen, die so breit waren wie Befestigungsgräben. »Wenn du irgendwo zwischen Äckern und Feldern leben willst, dann beweg deinen trägen Hintern nach Pennsylvania. Wenn du in der Wüste leben willst, dann iss Feigenkakteen und keinen labberigen Eisbergsalat.«

»Stimmt genau«, sagte Mom dann. »Außerdem haben Feigenkakteen sowieso mehr Vitamine.«

Das Leben in der großen Stadt Blythe bedeutete, dass ich Schuhe tragen musste. Und es bedeutete, dass ich in die Schule musste.

Die Schule war nicht schlimm. Ich ging in die erste Klasse,

und meine Lehrerin, Miss Cook, nahm mich beim Lesen immer dran, wenn die Schulleiterin in die Klasse kam. Die anderen Schüler mochten mich aber nicht besonders, weil ich so groß und blass und mager war und weil ich immer zu schnell den Finger hob und wie wild in der Luft herumfuchtelte, wenn Miss Cook eine Frage stellte. Als ich schon einige Tage zur Schule gegangen war, folgten mir vier mexikanische Mädchen auf dem Heimweg und überfielen mich in einer kleinen Gasse nicht weit von den LBJ Apartments. Sie verprügelten mich, zerrten mir an den Haaren, zerrissen mir die Kleidung und beschimpften mich als Streberin und Bohnenstange.

Als ich anschließend mit aufgeschürften Knien und Ellbogen und einer geplatzten Lippe nach Hause kam, sagte Dad: »Sieht ganz danach aus, als hättest du dich geprügelt.« Er saß am Tisch und nahm mit Brian einen alten Wecker auseinander.

»Bloß eine kleine Rangelei«, sagte ich. Das Wort benutzte Dad immer, wenn er eine Schlägerei gehabt hatte.

»Wie viele waren es?«

»Sechs«, log ich.

»Und deine aufgeplatzte Lippe ist auch nicht zu schlimm?«, fragte er.

»Der kleine Kratzer?«, sagte ich. »Du hättest sehen sollen, was ich mit denen gemacht habe.«

»Braves Mädchen!«, sagte Dad und widmete sich wieder dem Wecker, aber Brian sah immer wieder zu mir herüber.

Als ich am nächsten Tag durch die kleine Gasse kam, lauerten mir die mexikanischen Mädchen schon auf. Bevor sie angreifen konnten, sprang Brian hinter einem Gebüsch hervor und schwenkte einen dicken Ast. Brian war kleiner als ich und genauso mager. Er hatte Sommersprossen auf der Nase und rotblondes Haar, das ihm in die Augen fiel. Er trug meine abgelegte Hose, die ich schon von Lori geerbt und dann an ihn weitergegeben hatte, und sie rutschte ihm dauernd über den knochigen Hintern.

»Verzieht euch einfach, dann kommt ihr auch auf zwei Beinen und Armen nach Hause«, sagte Brian. Das war noch so ein Spruch von Dad.

Die mexikanischen Mädchen starrten ihn einen Augenblick an, ehe sie in schallendes Gelächter ausbrachen. Dann umzingelten sie ihn. Brian konnte sie ziemlich gut abwehren, bis der Ast zerbrach. Sofort prasselte ein Hagel von Schlägen und Tritten auf ihn ein. Ich packte den größten Stein, den ich finden konnte, und schlug einem der Mädchen damit auf den Kopf. Ich spürte den Aufprall durch den ganzen Arm und dachte schon, ich hätte ihr den Schädel eingeschlagen. Sie sank auf die Knie. Eine von ihren Freundinnen stieß mich zu Boden und trat mir ins Gesicht, dann rannten sie weg, und das Mädchen, das ich geschlagen hatte, taumelte hinterdrein und hielt sich den Kopf.

Brian und ich setzten uns auf. Sein Gesicht war voller Sand. Ich konnte bloß seine blauen Augen sehen, die daraus hervorspähten, und ein paar Stellen, wo Blut durchsickerte. Am liebsten hätte ich ihn umarmt, aber das wäre zu peinlich gewesen. Brian stand auf und machte mir ein Zeichen mitzukommen. Wir kletterten durch ein Loch im Drahtzaun, das er am Morgen entdeckt hatte, und rannten auf das Feld mit Eisbergsalat gleich neben unserem Mietshaus. Ich folgte ihm durch die Reihen mit großen grünen Blättern, und schließlich ließen wir uns nieder, um uns den Bauch voll zu schlagen, wir drückten die Gesichter in die großen feuchten Salatköpfe und aßen, bis wir Bauchschmerzen kriegten.

»Denen haben wir ganz schön Angst eingejagt«, sagte ich zu Brian.

»Scheint so«, sagte er.

Er war kein Angeber, aber ich merkte, dass er mächtig stolz war, weil er es mit vier größeren, stärkeren Kindern aufgenommen hatte, auch wenn sie Mädchen waren.

»Salatkrieg!«, schrie Brian. Er schleuderte einen halb aufgegessenen Kopf in meine Richtung, als wäre er eine Handgranate. Wir liefen durch die Reihen, rupften Köpfe aus und bewarfen uns damit. Ein Schädlingsbekämpfungsflugzeug flog über uns hinweg. Wir winkten, als es über dem Feld eine Schleife flog. Eine Wolke sprühte hinten aus dem Flugzeug heraus, und feines weißes Pulver besprenkelte unsere Köpfe.

Zwei Monate nach unserer Ankunft in Blythe, als Mom sagte, sie sei jetzt im zwölften Monat, kam sie endlich nieder. Sie war zwei Tage im Krankenhaus, dann fuhren wir alle zusammen hin, um sie abzuholen. Dad ließ uns Kinder bei laufendem Motor im Auto warten, während er Mom holen ging. Sie kamen herausgelaufen, und Dad hatte den Arm um Moms Schultern gelegt. Mom hielt ein Bündel in den Armen und kicherte irgendwie schuldbewusst, als hätte sie in einem Laden Schokolade geklaut. Ich konnte mir denken, dass sie sich à la Rex Walls aus dem Staub gemacht hatten.

»Was ist es denn?«, rief Lori, als wir davonbrausten.

»Mädchen!«, sagte Mom.

Mom reichte mir das Baby. Ich würde in ein paar Monaten sechs werden, und Mom sagte, ich wäre schon groß genug, die Kleine auf der ganzen Fahrt nach Hause zu halten. Sie war rosa und runzlig, aber wunderschön, mit großen blauen Augen, weichen blonden Haarbüscheln und so winzigen Fingernägeln, wie ich sie noch nie gesehen hatte. Sie bewegte sich mit unkontrollierten, ruckartigen Bewegungen, als könnte sie nicht begreifen, warum Moms Bauch nicht mehr um sie herum war.

Wochenlang hatte das Baby keinen Namen. Mom sagte, sie wollte es erst studieren, so wie sie das Motiv ihrer Gemälde studierte. Wir hatten viele Debatten wegen des Namens. Ich wollte die Kleine nach dem hübschesten Mädchen in meiner Klasse Rosita nennen, aber Mom sagte, der Name wäre zu mexikanisch.

»Ich dachte, wir sollen keine Vorurteile haben«, sagte ich.

»Das hat nichts mit Vorurteilen zu tun«, sagte Mom. »Es gehe allein um korrekte Namensgebung.«

Sie erklärte uns, dass unsere beiden Großmütter verärgert

waren, weil weder ich noch Lori nach ihnen benannt worden waren, deshalb entschied sie sich schließlich, das Baby Lilly Ruth Maureen zu nennen. Lilly war der Name von Moms Mutter, und Erma Ruth war der Name von Dads Mutter. Aber wir würden das Baby Maureen rufen, ein Name, der Mom gefiel, weil es eine Verniedlichungsform von Mary war, sodass das Baby auch ihren Namen trug, was allerdings kaum jemand merken würde. Und damit, so sagte Dad, wären alle zufrieden außer seiner Mom, die den Namen Ruth nicht ausstehen konnte und wollte, dass das Baby Erma genannt wurde, und außer Moms Mom, der es überhaupt nicht passen würde, dass ihre Enkelin nicht nur ihren, sondern auch den Namen von Dads Mom trug.

Einige Monate nach Maureens Geburt wollte uns ein Streifenwagen anhalten, weil die Bremslichter an der Grünen Kombüse kaputt waren, aber Dad drückte aufs Gas. Er sagte, wenn die Bullen uns anhielten, würden sie herausfinden, dass der Wagen weder angemeldet noch versichert war und das Nummernschild von einem anderen Auto stammte, und dann würden wir alle verhaftet. Er wendete mit quietschenden Reifen auf dem Highway, wobei wir Kinder das Gefühl hatten, das Auto würde gleich umkippen, aber der Streifenwagen wendete ebenfalls, und so raste Dad mit hundert Meilen die Stunde durch Blythe, überfuhr eine rote Ampel, bretterte falsch herum in eine Einbahnstraße, sodass die entgegenkommenden Autos hupten und ausweichen mussten, bog noch ein paar Mal überraschend ab, bis er schließlich in eine kleine Seitenstraße steuerte, wo er eine leere Garage fand, in der wir uns verstecken konnten.

Wir hörten das Sirenengeheul ein paar Querstraßen weiter, dann wurde es allmählich leiser. Dad sagte, die Gestapo würde nach der Grünen Kombüse Ausschau halten, deshalb müssten wir den Wagen in der Garage lassen und zu Fuß nach Hause gehen.

Am nächsten Tag verkündete er, dass Blythe ein bisschen zu heiß geworden sei und dass wir weiterziehen würden. Diesmal jedoch wusste er, wohin. Dad hatte ein bisschen recherchiert und sich für eine Stadt namens Battle Mountain im Norden von Nevada entschieden. In Battle Mountain gab es nämlich Gold, sagte Dad, und er wollte es mit dem Goldsucher aufspüren. Endlich würden wir reich werden.

Mom und Dad mieteten einen großen Umzugswagen.

Mom erklärte, dass im Führerhaus nur für sie und Dad Platz wäre, weshalb Lori, Brian, Maureen und ich uns auf einen besonderen Spaß freuen könnten: Wir durften im Laderaum mitfahren. Das würde lustig werden, sagte sie, ein richtiges Abenteuer, aber da es hinten kein Licht gab, müssten wir uns ganz besonders anstrengen, um uns gegenseitig bei Laune zu halten. Außerdem durften wir kein Wort reden. Es war nämlich verboten, im Laderaum mitzufahren, und wenn uns jemand hörte, würde er vielleicht die Bullen rufen. Mom sagte, die Fahrt würde rund vierzehn Stunden dauern, wenn wir den Highway nahmen, aber wir sollten mit ein paar Stunden mehr rechnen, weil wir vielleicht noch den einen oder anderen Umweg fahren würden, um uns die schöne Gegend anzuschauen.

Wir packten unsere Möbel ein. Viel war es nicht, hauptsächlich Teile für den Goldsucher, ein paar Stühle und Moms Ölbilder und Kunstutensilien. Als es losgehen konnte, wickelte Mom Maureen in eine lavendelfarbene Decke und übergab sie mir. Wir Kinder kletterten in den Laderaum. Dad schloss die Tür. Es war stockfinster, und die Luft roch abgestanden und staubig. Wir saßen auf dem gerippten Holzboden auf ausgefransten, schmutzigen Decken, mit denen sonst Möbel eingewickelt wurden, und tasteten mit den Händen nacheinander.

»Jetzt fängt das Abenteuer an«, flüsterte ich.

»Pssst!«, sagte Lori.

Der Umzugswagen sprang an und machte einen Satz nach vorn. Maureen stieß einen schrillen Schrei aus. Ich beruhigte sie, wiegte sie und tätschelte sie, aber sie hörte nicht auf zu weinen. Also gab ich sie an Lori weiter, die ihr im Flüsterton etwas vorsang und Witze erzählte. Auch das half nichts, sodass wir Maureen nur noch anflehten, endlich still zu sein, und uns schließlich einfach die Ohren zuhielten.

Nach einer Weile wurde es im Laderaum kalt und unbequem, der Motor ließ den Boden vibrieren, und wir purzelten alle durcheinander, wenn wir durch ein Schlagloch fuhren.

Mehrere Stunden vergingen. Inzwischen mussten wir alle dringend aufs Klo, und wir fragten uns, ob Dad wohl bald mal eine Pause einlegen würde. Plötzlich krachten wir in ein besonders großes Schlagloch, und die Türen des Wagens flogen auf. Der Wind pfiff durch den Laderaum. Aus Angst, nach draußen gesogen zu werden, drückten wir uns nach hinten gegen die Möbel. Der Mond stand am Himmel. Wir konnten das Leuchten der Autorücklichter sehen und die Straße, über die wir fuhren und die sich durch die silbrige Wüste erstreckte. Die offenen Türen schwangen mit lautem Klappern auf und zu.

Da zwischen uns und dem Führerhaus die Möbel verstaut waren, konnten wir nicht an die Wand klopfen, um Mom und Dad auf uns aufmerksam zu machen. Wir schlugen gegen die Seitenwände und schrien aus vollem Halse, aber der Motor war zu laut, und sie hörten uns nicht.

Brian kroch zum Ausstieg und versuchte die Türen zuzuziehen, aber er bekam sie nicht zu fassen. Schließlich schlug wieder eine Tür nach innen, und er wollte sie festhalten, doch als sie wieder aufflog, riss sie ihn mit. Ich dachte schon, die Tür würde Brian ganz nach draußen ziehen, aber er sprang gerade noch rechtzeitig zurück und kam zu Lori und mir gekrabbelt.

Brian und Lori klammerten sich am Goldsucher fest, den Dad mit Tauen fest verzurrt hatte. Ich hielt Maureen im Arm, die aus irgendeinem unerfindlichen Grund aufgehört hatte zu weinen, und drückte mich in eine Ecke. Wir mussten die Sache einfach durchstehen.

Dann tauchte weit hinter uns ein Scheinwerferpaar auf. Wir sahen zu, wie das Auto uns langsam einholte. Nach wenigen Minuten war es direkt hinter uns, und die Scheinwerfer erfassten uns hinten im Laderaum. Das Auto fing an zu hupen und Lichtsignale zu geben. Dann überholte es uns. Der Fahrer hatte Mom und Dad offenbar Zeichen gegeben, denn unser Wagen wurde langsamer, hielt an, und Dad kam mit einer Taschenlampe nach hinten gelaufen.

»Was zum Teufel ist hier los?«, fragte er. Er war wütend. Wir versuchten ihm zu erklären, dass es nicht unsere Schuld war, dass die Türen von selbst aufgegangen waren, aber er blieb zornig. Und plötzlich begriff ich, dass er auch Angst hatte. Vielleicht mehr Angst als Wut.

»War das ein Bulle?«, fragte Brian.

»Nein«, sagte Dad. »Und ihr könnt froh sein, dass es keiner war, sonst würde der euch jetzt nämlich ins Gefängnis stecken.«

Nachdem wir gepinkelt hatten, kletterten wir wieder in den Laderaum und sahen Dad die Türen schließen. Erneut umfing uns die Dunkelheit. Wir konnten hören, dass Dad die Türen abschloss und zweimal kontrollierte. Dann sprang der Motor wieder an, und wir setzten unsere Reise fort.

Battle Mountain war hundert Jahre zuvor von Siedlern gegründet worden, die gehofft hatten, hier zu Reichtum zu kommen. Aber falls hier wirklich mal jemand reich geworden war, dann war er offenbar weggezogen, um sein Vermögen woanders auszugeben. Die Stadt hatte nichts Großartiges zu bieten außer dem weiten, leeren Himmel und in der Ferne die steinernen lila Tuscarora Mountains, die in der flachen Wüste ausliefen.

Die Main Street war breit – die von der Sonne ausgebleichten PKWs und Pick-ups parkten im rechten Winkel zum Bürgersteig –, aber nur ein paar Häuserblocks lang und wurde auf beiden Seiten von niedrigen Adobe- und Backsteingebäuden mit Flachdach gesäumt. Eine einsame Ampel blinkte Tag und Nacht rot. An der Main Street lagen ein Lebensmittelladen, ein Drugstore, ein Ford-Händler, ein Greyhound-Busbahnhof und zwei große Kasinos, der Owl Club und das Nevada Hotel. An den Gebäuden, die unter diesem gewaltigen Himmel kümmerlich wirkten, waren Neonreklamen, aber tagsüber sah man gar nicht, dass sie leuchteten, weil die Sonne so grell war.

Wir zogen in ein Holzhaus am Rande der Stadt, das früher mal ein Bahnhof gewesen war. Es hatte zwei Stockwerke, war mit grüner Industriefarbe gestrichen und stand so nah an den Gleisen, dass wir dem Lokführer von unserem vorderen Fenster aus zuwinken konnten. Unser neues Zuhause war das älteste Gebäude in der Stadt, wie Mom uns stolz erzählte, mit echtem Pioniercharme.

Das Schlafzimmer von Mom und Dad lag im ersten Stock, wo früher der Bahnhofsvorsteher sein Büro gehabt hatte. Wir

Kinder schliefen unten im ehemaligen Wartesaal. Die alten Toilettenräume gab es noch, aber aus einem war das Klo herausgerissen und stattdessen eine Badewanne installiert worden. Der Raum mit dem Fahrkartenschalter war zur Küche umfunktioniert worden. Ein paar von den Bänken im Wartesaal waren noch immer an die ungestrichenen Holzwände geschraubt, und man konnte die dunklen, abgenutzten Stellen sehen, wo die Goldschürfer und Bergarbeiter und ihre Frauen und Kinder gesessen und mit dem Hintern das Holz poliert hatten, während sie auf den Zug warteten.

Da wir kein Geld für Möbel hatten, improvisierten wir. Auf einer Seite der Gleise, nicht weit von unserem Haus, lagerten riesige Holzspulen für dicke Kabel, und die rollten wir nach Hause und verwandelten sie in Tische. »Wer ist schon so blöd, Geld für Tische aus dem Laden auszugeben, wenn er die hier umsonst haben kann?«, sagte Dad und schlug mit der Faust auf die Spulen, um uns zeigen, wie stabil sie waren.

Ein paar kleine Spulen und Kisten dienten uns als Stühle. Anstatt in Betten schliefen wir Kinder alle in einem eigenen großen Pappkarton, wie die, in denen Kühlschränke geliefert werden. Eines Tages, kurz nachdem wir in den Bahnhof gezogen waren, hörten wir Mom und Dad darüber reden, dass sie für uns Kinder richtige Betten kaufen wollten, und wir sagten, sie sollten es nicht tun. Wir fanden die Kartons toll. Das Ins-Bett-Gehen war immer ein richtiges Abenteuer.

Wir wohnten noch nicht lange in dem Bahnhof, als Mom meinte, wir bräuchten unbedingt ein Klavier. Dad trieb in einem Saloon, der zugemacht hatte, ein billiges Instrument auf und lieh sich bei einem Nachbarn einen Pick-up, um es nach Hause zu transportieren. Wir schoben es über eine Rampe vom Pick-up hinunter, aber es war zu schwer zum Tragen. Um es in den Bahnhof zu schaffen, ließ Dad sich etwas einfallen. Er befestigte Seile an dem Klavier, die über Flaschenzugrollen durchs Haus zur Hintertür verliefen, wo er sie am Pick-up festband. Mom sollte mit dem Pick-up behutsam anfahren und das Klavier so ins Haus ziehen, während Dad und wir Kinder es durch die Haustür bugsierten.

»Fertig!«, schrie Dad, als wir alle unsere Posten bezogen hatten.

»Okay!«, rief Mom. Aber anstatt behutsam anzufahren, trat Mom, die keine geübte Autofahrerin war, das Gaspedal durch, und der Wagen machte einen Satz nach vorn. Das Klavier riss uns ein Stück mit, flutschte uns aus den Händen und polterte ins Haus, wobei es den Türrahmen demolierte. Dad brüllte, Mom solle bremsen, aber sie fuhr weiter und zog das quietschende Klavier mit scheppernden Saiten quer durch den Bahnhof, schnurstracks zur Hintertür hinaus, deren Rahmen gleichfalls zu Bruch ging, und hinters Haus, wo es schließlich neben einem Dornenbusch zum Stehen kam.

Dad rannte durchs Haus. »Was in Dreiteufelsnamen machst du denn?«, schrie er Mom an. »Ich hab doch gesagt, du sollst bremsen!«

»Ich hatte bloß fünfundzwanzig Meilen drauf«, sagte Mom. »Wenn ich auf dem Highway so langsam fahre, wirst du sauer.« Dann drehte sie sich um und sah das Klavier hinterm Haus stehen. »Hoppla«, sagte sie.

Mom wollte vors Haus fahren und das Klavier in umgekehrter Richtung wieder in den Bahnhof ziehen, aber Dad sagte, das wäre unmöglich, weil die Eisenbahnschienen zu dicht vor der Tür waren, um den Pick-up richtig auszurichten. Also blieb das Klavier, wo es war. An den Tagen, wenn Mom sich inspiriert fühlte, nahm sie ihre Noten und einen von unseren Spulenstühlen mit nach draußen und klimperte hinterm Haus munter vor sich hin. »Den wenigsten Pianisten ist es vergönnt, in der herrlichen Natur zu spielen«, sagte sie. »Und jetzt kann sich auch noch die ganze Nachbarschaft an der Musik erfreuen.«

Dᴀᴅ ꜰᴀɴᴅ ᴇɪɴᴇɴ Jᴏʙ ᴀʟꜱ Eʟᴇᴋᴛʀɪᴋᴇʀ in einer Silbermine. Er ging früh zur Arbeit und war auch früh wieder zu Hause, sodass wir nachmittags alle zusammen spielen konnten. Dad brachte uns Kartenspiele bei. Er wollte aus uns stahläugige Pokerspieler machen, aber ich war nicht besonders gut. Dad sagte, mein Gesicht wäre ungefähr so rätselhaft wie eine Verkehrsampel. Ich konnte zwar nicht gut bluffen, aber manchmal gewann ich trotzdem eine Partie, weil ich mich selbst über mittelmäßige Karten freute, beispielsweise über ein Paar Fünfen, sodass Brian und Lori dachten, ich hätte Asse in die Hand bekommen. Dad erfand auch ständig irgendwelche Spiele für uns, zum Beispiel das Ergo-Spiel, bei dem er zwei sachliche Aussagen machte und wir aufgrund dieser Aussagen eine Schlussfolgerung ziehen oder aber sagen mussten: »Information für Schlussfolgerung unzureichend«, und dann erklären, wieso. Wenn Dad nicht da war, dachten wir uns selbst Spiele aus. Wir hatten nicht viele Spielsachen, aber in einem Ort wie Battle Mountain brauchte man eigentlich auch kein Spielzeug. Wir besorgten uns zum Beispiel ein Stück Pappe und schlitterten damit die schmale Treppe im Bahnhof hinunter. Oder wir sprangen vom Bahnhofsdach, mit einer Armeedecke als Fallschirm, und rollten uns bei der Landung ab, wie Dad es uns beigebracht hatte und wie echte Fallschirmspringer es machen. Manchmal legten wir kurz bevor der Zug kam ein kleines Stück Metall – oder, wenn uns verschwenderisch zumute war, einen Penny – auf die Schienen. War der Zug dann auf seinen wuchtigen Rädern stampfend vorbeigedröhnt, holten wir uns glücklich unser frisch geplättetes, heißes und glänzendes Metallstück.

Aber am liebsten unternahmen wir Streifzüge durch die Wüste. Dann standen wir im Morgengrauen auf, meine liebste Tageszeit, wenn die Schatten lang und lila waren und der ganze Tag noch vor einem lag. Manchmal kam Dad mit, und wir marschierten wie Soldaten in Reih und Glied durch die Beifußbüsche. Dad rief in einer Art Singsang seine Befehle – *hopp, zwei, drei, vier* –, und dann stoppten wir und machten Liegestütze, oder Dad hielt den Arm ausgestreckt, damit wir Klimmzüge daran machen konnten. Meistens aber zogen Brian und ich allein los. Die Wüste war voll mit den erstaunlichsten Schätzen.

Wir waren nach Battle Mountain gezogen, weil es in der Gegend Gold gab, aber in der Wüste gab es auch tonnenweise andere mineralische Ablagerungen. Es gab Silber und Kupfer und Uran und Schwerspat, der, wie Dad sagte, beim Bohren nach Öl verwendet wurde. Mom und Dad konnten anhand der Farbe von Steinen und Erde sagen, welche Mineralien und Erze sich im Boden befanden, und sie brachten uns bei, worauf wir achten sollten. Die roten Felsen enthielten Eisen, die grünen Kupfer. Es gab jede Menge Türkis – er lag in kleinen Brocken oder sogar dicken Klumpen auf dem Wüstenboden herum –, und Brian und ich stopften uns die Taschen damit voll, bis uns vom Gewicht fast die Hose herunterrutschte. Wir entdeckten auch Pfeilspitzen oder Fossilien oder alte Flaschen, die in den Jahren unter der sengenden Sonne dunkellila geworden waren. Manchmal fanden wir sonnengebleichte Kojotenschädel und leere Schildkrötenpanzer, die Klappern und abgestreiften Häute von Klapperschlangen oder große, fette Ochsenfrösche, die sich zu lange in der Sonne aufgehalten hatten und total ausgetrocknet waren und sich so leicht anfühlten wie Papier.

Wenn Dad Geld hatte, gingen wir sonntagabends zum Essen in den Owl Club. Der Owl Club war »weltberühmt«, so stand es draußen auf dem Schild, auf dem auch eine große, fette Schreieule mit Kochmütze Richtung Eingang zeigte. Auf einer Seite war ein Raum mit langen Reihen Glücksspielautomaten, die unentwegt klickten und tickten und blinkten. Mom sagte, die Spieler an den Automaten würden hypnotisiert. Dad sagte, sie wären blöde Trottel. »Spielt nie an Automaten«, mahnte Dad uns. »Das machen nur Volltrottel, die sich auf ihr Glück verlassen.« Dad kannte sich mit Statistiken aus, und er erklärte uns, wie die Kasinos dafür sorgten, dass die Automatenspieler das Nachsehen hatten. Wenn Dad spielte, dann lieber Poker oder Poolbillard – wo es auf die eigenen Fähigkeiten ankam, nicht aufs Glück. »Wer den Ausspruch geprägt hat: ›Ein Mann muss das Blatt spielen, das man ihm gibt‹, der war ganz sicher ein beschissener Bluffer«, sagte Dad.

Der Owl Club hatte eine Bar, wo Männer mit sonnenverbrannten Nacken Bier trinkend und rauchend zusammenhockten. Alle kannten sie Dad, und immer wenn er hereinkam, riefen sie ihm lachend Beleidigungen zu, die aber freundlich gemeint waren. »Der Laden hier geht wirklich den Bach runter, wenn sie jetzt schon so jämmerliche Schlappschwänze wie dich reinlassen!«, grölten sie.

»Von wegen, im Vergleich zu euch räudigen Kojoten heb ich das Niveau an«, rief Dad dann zurück. Und prompt warfen sie den Kopf in den Nacken und lachten und schlugen sich gegenseitig klatschend zwischen die Schulterblätter.

Wir setzten uns immer an einen der Tische mit den roten Bänken. »Was für gute Manieren«, staunte die Kellnerin, weil Mom und Dad immer darauf achteten, dass wir Kinder »Sir« und »Ma'am« und »bitte« und »danke« sagten.

»Und ein helles Köpfchen haben sie obendrein!«, verkündete Dad. »Die besten Bälger, die es je gegeben hat.« Und wir lächelten einander an und bestellten Hamburger und Hot Dogs mit Chili und Milchshakes und große Teller mit frittierten Zwiebelringen, die vor Fett glänzten. Die Kellnerin brachte das Essen und goss die Milchshakes aus einem schwitzenden Metallcontainer in unsere Gläser. Es blieb immer noch ein Rest drin, und sie ließ den Container auf dem Tisch stehen, damit wir ihn leer machen konnten. »Sieht aus, als hättet ihr den Jackpot geknackt und noch was dazuge-kriegt«, sagte sie mit einem Augenzwinkern. Wenn wir den Owl Club verließen, war unser Bauch immer so voll, dass wir kaum noch laufen konnten. »Kommt, Kinder, wir watscheln nach Hause«, sagte Dad dann.

Die Silbermine, in der Dad arbeitete, hatte einen eigenen Lebensmittelladen, und der Betrag, den wir dort hatten an-schreiben lassen, wie auch die Miete für den Bahnhof wurden Dad jeden Monat direkt vom Gehalt abgezogen. Deshalb deckten wir uns am Anfang jeder Woche in dem Laden mit Lebensmitteln ein und schleppten zahllose Einkaufstüten nach Hause. Mom meinte, nur Leute, die auf die blöde Wer-bung reinfielen, würden Fertiggerichte und so ein Zeug kau-fen. Sie dagegen kaufte nur Grundnahrungsmittel: Großpa-ckungen Weizen- oder Maismehl, Milchpulver, Zwiebeln, Kartoffeln, 10-Kilo-Säcke Reis oder Bohnen, Salz, Zucker, Hefe zum Brotbacken, Räuchermakrele in Dosen, einen ein-gelegten Schinken oder ein dickes Stück Mortadella und zum Nachtisch Büchsen mit eingemachten Pfirsichen.

Mom kochte nicht besonders gern – »Warum soll ich den ganzen Nachmittag in der Küche stehen und etwas zuberei-ten, das innerhalb von einer Stunde wieder weg ist«, sagte sie manchmal, »wenn ich in derselben Zeit ein Bild für die Ewig-keit malen kann?« –, deshalb nahm sie einmal in der Woche einen riesigen gusseisernen Topf und kochte darin Eintopf mit Fisch und Reis oder meistens Bohnen. Alle zusammen sortierten wir die Steinchen aus den Bohnen, dann weichte Mom sie über Nacht ein und kochte sie den ganzen nächsten Tag lang mit einem alten Schinkenknochen, damit sie Ge-schmack bekamen. Die Woche über gab es dann Bohnen zum Frühstück, Mittagessen und Abendessen. Wenn die Bohnen allmählich schlecht wurden, taten wir einfach ein bisschen mehr Gewürze hinein, so wie die Mexikaner in den LBJ Apartments das gemacht hatten.

Wir kauften so viele Lebensmittel ein, dass das Geld nie bis zum nächsten Zahltag reichte. An einem der Zahltage schuldete Dad seinem Arbeitgeber sogar noch elf Cent. Er fand das lustig und sagte, sie sollten es auf seinen Deckel schreiben. Dad ging abends fast gar nicht mehr in Kneipen. Stattdessen blieb er zu Hause bei uns. Nach dem Abendessen machten es sich alle auf den Bänken und dem Fußboden des Bahnhofs gemütlich und lasen. Mitten im Raum lag ein Wörterbuch, damit wir Kinder die Wörter nachschlagen konnten, die wir nicht kannten. Manchmal diskutierte ich mit Dad über die Worterklärungen, und wenn wir anderer Meinung waren als die Wörterbuchschreiber, setzten wir uns hin und schrieben einen Brief an den Verlag. Oft antworteten sie uns und verteidigten ihre Position, was einen noch längeren Brief von Dad zur Folge hatte, und wenn wieder eine Antwort kam, schrieb er noch einmal, bis wir irgendwann nichts mehr von den Wörterbuchleuten hörten.

Mom las alles, was sie in die Finger bekam: Charles Dickens, William Faulkner, Henry Miller, Pearl S. Buck. Sie las sogar James Michener – mit schlechtem Gewissen, wie sie sagte, weil sie wusste, dass es keine große Literatur war, aber sie konnte es einfach nicht lassen. Dad las lieber naturwissenschaftliche und mathematische Bücher, Biographien und Geschichte. Wir Kinder verschlangen alles, was Mom von ihrer wöchentlichen Fahrt zur Bücherei mitbrachte.

Brian las dicke Abenteuerromane, solche, die von Typen wie Zane Grey geschrieben wurden. Lori war ganz vernarrt in das clevere Schwein Freddy Findig und in sämtliche Bücher aus der Oz-Reihe. Mir gefielen die Geschichten von Laura Ingalls Wilder und die »Wir-waren-dabei«-Reihe über Kinder, die wichtige historische Momente miterlebten, aber mein allerliebstes Buch war *Black Beauty*. An diesen Abenden, wenn wir alle gemeinsam lasen, donnerte immer mal wieder direkt vor unserer Haustür ein Zug vorbei, ließ das Haus erbeben und die Fenster klirren. Das Geräusch war beängstigend, aber nachdem wir eine Weile dort gewohnt hatten, hörten wir es gar nicht mehr.

Mom und Dad meldeten uns an der Mary-S.-Black-Grundschule an: ein lang gezogenes Gebäude mit einem asphaltierten Schulhof, der in der heißen Sonne klebrig wurde. In meiner Klasse waren Kinder von Bergarbeitern und Glücksspielern. Sie hatten aufgeschürfte Knie, waren staubig vom Spielen in der Wüste und trugen schiefe Ponyfrisuren Marke Eigenschnitt. Unsere Lehrerin, Miss Rice, war eine kleine, verkniffene Frau, die zu Wutanfällen und heftigen Attacken mit ihrem Lineal neigte.

Mom und Dad hatten mir schon so ziemlich alles beigebracht, was Miss Rice unterrichtete. Da ich von den anderen Kindern gemocht werden wollte, hob ich nicht ständig die Hand, wie ich das in Blythe getan hatte. Dad warf mir vor, ich würde mich nicht anstrengen. Manchmal zwang er mich, meine Rechenhausaufgaben in binären Zahlen zu machen, weil ich gefordert werden müsste, wie er sagte. Vor dem Unterricht musste ich sie dann wieder in Dezimalzahlen umschreiben, aber eines Tages fand ich nicht mehr die Zeit dazu – also gab ich die Hausaufgaben in der binären Fassung ab.

»Was ist denn das?«, fragte Miss Rice. Sie presste die Lippen aufeinander, während sie die Nullen und Einsen auf meinem Blatt studierte, dann musterte sie mich argwöhnisch. »Soll das ein Witz sein?«

Ich versuchte ihr das mit den binären Zahlen zu erklären, dass sie das System bildeten, mit dem Computer arbeiteten, und dass mein Dad meinte, sie wären anderen numerischen Systemen weit überlegen. Miss Rice starrte mich an.

»Die Aufgabe lautete anders«, sagte sie ungeduldig. Sie ließ mich nachsitzen und die Hausaufgaben neu machen. Ich erzählte Dad nichts davon, weil ich wusste, dass er in die Schule gehen und mit Miss Rice über die Vorzüge verschiedener Zahlensysteme diskutieren würde.

In unserem Viertel, das Gleisviertel genannt wurde, wohnten viele Kinder, und nach der Schule spielten wir manchmal alle zusammen. Wir spielten »Wer hat Angst vorm schwarzen Mann«, Fangen, Football, »Räuber und Gendarm« oder einfach irgendwelche anderen namenlosen Spiele, bei denen man viel laufen musste, mit seiner Bande herumstromerte und nicht weinen durfte, wenn man hinfiel. Alle Familien im Gleisviertel waren knapp bei Kasse. Manche knapper als andere, aber wir Kinder waren alle mager und sonnenverbrannt und trugen verwaschene kurze Hosen und zerlumpte T-Shirts und Turnschuhe mit Löchern drin oder gar keine Schuhe. Unsere Fußsohlen waren so schwielig, dass wir ohne mit der Wimper zu zucken über den heißen Sand gehen oder auf spitze Steine treten konnten.

Am wichtigsten war für uns, wer am schnellsten laufen konnte und wessen Daddy kein Schwächling war. Mein Dad war nicht nur kein Schwächling, sondern er kam sogar nach draußen, um mit unserer Bande zu spielen, rannte mit uns mit, warf uns in die Luft und machte Ringkämpfe gegen uns alle gleichzeitig, ohne sich wehzutun. Manchmal klopften Kinder vom Gleisviertel an unsere Tür, und wenn ich aufmachte, fragten sie: »Kann dein Dad rauskommen und mit uns spielen?«

Lori, Brian und ich und sogar Maureen konnten so ziemlich alles tun und lassen, was wir wollten. Mom fand, dass Kinder nicht mit zu vielen Regeln und Vorschriften belastet werden sollten. Dad schlug uns mit seinem Gürtel, aber niemals aus Wut und nur dann, wenn wir Widerworte gaben oder nicht gehorchten, was selten vorkam. Zu Erwachsenen mussten wir Ma'am und Sir sagen, ansonsten galt für uns nur die Regel, dass wir nach Hause kommen mussten, wenn die Straßenlampen angingen. »Und benutzt euren gesunden Menschenverstand«, sagte Mom. Ihrer Meinung nach war es gut für Kinder, wenn sie machen konnten, was sie wollten, weil sie auf diese Weise viel lernten. Mom gehörte nicht zu den überbesorgten Müttern, die sich aufregten, wenn man schmutzig nach Hause kam oder im Dreck spielte oder hinfiel und sich die Knie aufschlug. Sie sagte, die Menschen sollten sich austoben, wenn sie jung sind. Einmal, als ich bei meiner Freundin Carla spielte und wir über einen Zaun kletterten, riss ich mir an einem alten Nagel den Oberschenkel auf. Carlas Mutter meinte, die Wunde sollte im Krankenhaus genäht werden und ich bräuchte eine Tetanusspritze. »Bloß eine kleine Fleischwunde«, erklärte Mom, nachdem sie den tiefen Riss inspiziert hatte. »Heutzutage rennen die Leute gleich mit jedem Kratzer ins Krankenhaus«, fügte sie hinzu. »Wir werden allmählich ein Volk von Weichlingen.« Und damit schickte sie mich wieder raus zum Spielen.

Manche von den Steinen, die ich auf unseren Streifzügen durch die Wüste fand, waren so schön, dass ich es nicht übers Herz brachte, sie einfach liegen zu lassen. Also fing ich an, sie zu sammeln. Brian half mir, und zusammen suchten wir Granate und Granitsteine und Obsidian und Crazy-Lace-Achate und immer wieder Türkise. Aus den vielen Türkisen, die wir mit nach Hause brachten, bastelte Dad Halsketten für Mom. Wir entdeckten große Flächen aus Glimmer, den man zu Pulver zerstoßen und dann auf dem ganzen Körper verreiben konnte, sodass man unter der Nevadasonne glitzerte, als wäre man mit Diamanten bestäubt. Oftmals glaubten Brian und ich, wir hätten Gold gefunden, und dann schleppten wir ganze Eimer voll mit schimmernden Nuggets nach Hause, aber es war immer bloß Eisenkies – Narrengold. Einen Teil davon sollten wir behalten, sagte Dad, weil es Narrengold von besonders guter Qualität war.

Meine Lieblingssteine waren Geoden, die, wie Mom erklärte, aus den Vulkanen stammten, die vor Millionen von Jahren in der Zeit des Miozäns ausgebrochen waren und die

Tuscarora Mountains gebildet hatten. Von außen sahen Geoden wie ganz gewöhnliche runde Steine aus, aber wenn man sie mit Hammer und Meißel aufknackte, war das Innere hohl, eine Art Höhle, und die Wände waren mit glitzrigen Quarzkristallen oder funkelnden roten Amethysten bedeckt.

Ich verwahrte meine Steinsammlung hinterm Haus, neben Moms Klavier, das allmählich ein bisschen verwittert aussah, und manchmal nahmen Lori und Brian und ich welche davon, um die Gräber unserer verstorbenen Haustiere oder von Tieren zu schmücken, die wir in der Wüste fanden und die, wie wir meinten, auch eine ordentliche Beerdigung verdient hatten. An manchen Tagen bot ich meine Steine auch zum Verkauf an. Viele Kunden hatte ich allerdings nicht, weil ich für ein Stück Feuerstein mehrere hundert Dollar verlangte. Ehrlich gesagt, war der Einzige, der mir je einen Stein abkaufte, mein Dad. Er kam eines Tages zu mir hinters Haus, die Hosentasche voller Kleingeld, und staunte über die Preisschildchen, die ich an die Steine geheftet hatte.

»Schätzchen, du könntest ein bisschen mehr Umsatz machen, wenn du mit den Preisen runtergehst«, sagte er.

Ich erwiderte, dass alle meine Steine unglaublich wertvoll seien und dass ich sie lieber behalten würde als unter Wert verkaufen.

Dad setzte sein schiefes Grinsen auf. »Hört sich an, als hättest du dir das gut überlegt«, sagte er. Er gestand, dass er für sein Leben gern ein ganz bestimmtes Stück Rosenquarz kaufen würde, aber nicht die sechshundert Dollar hatte, die ich dafür verlangte, also ging ich auf fünfhundert Dollar runter und gewährte ihm Ratenzahlung.

Brian und ich trieben uns furchtbar gern auf der Müllhalde herum. Zwischen den weggeworfenen Öfen und Klimageräten, den zerbrochenen Möbeln und Stapeln abgefahrener Reifen machten wir uns auf die Suche nach Kostbarkeiten. Wir jagten die Wüstenratten, die in den ausrangierten Autos hausten, oder fingen Kaulquappen und Frösche in dem verdreckten Tümpel. Über unseren Köpfen kreisten Bussarde, und in der Luft wimmelte es von Libellen, die so groß waren wie kleine Vögel. In Battle Mountain gab es praktisch keine Bäume, aber in einer Ecke der Müllhalde lagen riesige Haufen Eisenbahnschwellen und vermodernde Baubretter, wo man herrlich herumklettern und seine Initialen in das Holz ritzen konnte. Für uns war das der »Wald«.

Auf der Müllhalde gab es auch eine Stelle, wo giftige und gefährliche Abfälle wie alte Batterien, Öltonnen, Farbdosen und Flaschen mit Totenkopf drauf gelagert waren. Brian und ich fanden, dass ein paar von den Sachen sich prima für ein wissenschaftliches Experiment eignen würden. Wir füllten also zwei Kisten mit allerlei Flaschen und Dosen und brachten sie in eine verlassene Hütte, die unser Labor wurde. Zuerst mischten wir Verschiedenes zusammen und hofften, dass es explodieren würde, aber nichts geschah. Also schlug ich ein Experiment vor, um festzustellen, ob irgendwas von dem Zeug überhaupt brennbar war.

Am nächsten Tag kamen wir nach der Schule mit einer Packung von Dads Streichhölzern zurück. Wir schraubten die Deckel von einigen Behältern ab und warfen Streichhölzer hinein, aber es tat sich noch immer nichts. Also mixten wir uns »Atombenzin« zusammen, wie Brian es nannte, indem wir verschiedene Flüssigkeiten in eine Dose kippten. Als wir ein Streichholz hineinwarfen, zischte es, und eine Stichflamme wie aus einem Düsentriebwerk schoss hoch.

Es riss Brian und mich von den Beinen. Als wir wieder aufstanden, sahen wir, dass eine Wand brannte. Ich schrie, wir müssten raus aus der Hütte, aber Brian sagte, wir würden Ärger kriegen, wenn wir den Brand nicht löschten, und warf Sand auf das Feuer. Funken wirbelten durch den Raum. Die Flammen loderten schon bis zur Tür, fraßen sich in Windeseile durch das trockene alte Holz. Ich trat ein Brett aus der hinteren Wand heraus und kroch nach draußen. Als Brian nicht hinterherkam, rannte ich die Straße hinunter und schrie um Hilfe. Da sah ich Dad zu Fuß von der Arbeit kommen. Wir rannten zusammen zu dem Schuppen. Dad trat noch weitere Bretter aus der Wand und zog den hustenden Brian heraus.

Ich dachte, Dad würde wütend sein, aber das war er nicht. Er war ziemlich ruhig. Wir blieben auf der Straße stehen und sahen zu, wie die Flammen die Hütte verschlangen. Dad hatte die Arme um uns gelegt. Er sagte, es wäre ein unglaublicher Zufall, dass er gerade vorbeigekommen war. Dann zeigte er auf eine Stelle oberhalb des Feuers, wo die züngelnden gelben Flammen sich in eine unsichtbare, flimmernde Hitze auflösten. Die Wüste dahinter sah aus, als würde sie zittern, wie eine Fata Morgana. Dad erklärte uns, dass die Physik den Bereich als die Grenze zwischen Turbulenz und Ordnung bezeichnete. »Dort gelten keine Regeln, oder zumindest haben sie noch keine entdeckt«, sagte er. »Ihr beide seid ihr heute ein bisschen zu nah gekommen.«

Taschengeld kriegten wir Kinder keins. Wenn Brian und ich Geld haben wollten, suchten wir den Straßenrand nach leeren Bierdosen und Flaschen ab, für die man jeweils zwei Cent Pfand bekam. Wir sammelten auch Altmetall, das einem der Schrotthändler für einen Penny das halbe Kilo – drei Cent für ein halbes Kilo Kupfer – abkaufte. Wenn wir das Flaschenpfand eingelöst oder den Schrott verkauft hatten, gingen wir in den Drugstore gleich neben dem Owl Club. Das Angebot an köstlichen Süßigkeiten war so groß, dass wir eine geschlagene Stunde brauchten, um zu überlegen, wofür wir die zehn Cent ausgeben sollten, die jeder von uns verdient hatte. Wenn wir uns für etwas entschieden hatten und bezahlen wollten, änderten wir plötzlich unsere Meinung und suchten uns etwas anderes aus, bis es dem Mann, dem der Laden gehörte, zu bunt wurde und er uns aufforderte, nicht alles anzufassen, sondern endlich etwas zu kaufen und zu verschwinden.

Brian mochte am liebsten SweeTart-Lutscher, die es in allen möglichen Formen gab und an denen er so lange herumlutschte, bis seine Zunge wund war und blutete. Ich liebte Schokolade, aber die hatte ich immer im Nu verputzt, also nahm ich meistens einen Sugar Daddy, einen Lutscher mit Karamellgeschmack, der fast den halben Tag lang hielt und auf dem Stiel immer einen ulkigen Spruch in rosa Schrift stehen hatte. Zum Beispiel: *Sind deine Füße eingeschlafen und schwach, trag schrille Socken, die halten sie wach.*

Auf dem Rückweg vom Drugstore machten Brian und ich manchmal Station am Green Lantern – einem großen dunkelgrünen Haus mit einer durchhängenden Veranda direkt an der Hauptstraße. Mom sagte, es wäre ein Freudenhaus, aber es ging dort eigentlich nie besonders lustig zu. Das einzig Spaßige war, dass die Frauen, die da auf der Veranda saßen oder sich rekelten, Badeanzüge oder ganz kurze Kleidchen anhatten und den vorbeifahrenden Autos zuwinkten. Über der Tür brannte das ganze Jahr hindurch Weihnachtsbeleuchtung, und Mom sagte, daran könnte man erkennen, dass es ein Freudenhaus war. Manchmal hielten Autos davor, und Männer stiegen aus und eilten mit gesenktem Kopf hinein. Ich kam nicht dahinter, was im Green Lantern vor sich ging, und Mom wollte es mir auch nicht erklären. Sie sagte immer nur, dass dort schlimme Dinge passierten, und das verlieh dem Green Lantern eine unwiderstehliche Faszination.

Brian und ich versteckten uns oft hinter den Beifußbüschen auf der anderen Straßenseite und versuchten einen Blick durch die Haustür zu werfen, wenn jemand kam oder ging, aber wir konnten nie sehen, was sie drinnen machten. Zwei Mal schlichen wir uns ganz nah ran und wollten durch die Fenster spähen, aber die waren schwarz angemalt. Manchmal sah uns eine von den Frauen auf der Veranda und winkte, dann liefen wir kreischend davon.

Einmal, als Brian und ich uns mal wieder im Gebüsch versteckt hatten und die Leute beobachteten, die ins Green Lantern gingen oder herauskamen, sagte ich, Brian würde sich nicht trauen, hinüberzugehen und mit der Frau zu sprechen, die da auf der Veranda lag. Brian war inzwischen fast sechs, ein Jahr jünger als ich, und er hatte vor nichts auf der Welt Angst. Er zog seine Hose richtig hoch, reichte mir vertrauensvoll seinen halb aufgelutschten Lutscher zur Aufbewahrung, überquerte die Straße und marschierte geradewegs auf die Frau zu. Sie hatte langes schwarzes Haar, ihre Augen waren mit schwarzem Mascara-Stift umrandet, dick wie Teer, und sie trug ein knappes blaues Kleid mit schwarzen Blumen drauf. Sie lag auf dem Verandaboden, und als Brian sich näherte, rollte sie sich von der Seite auf den Bauch und stützte das Kinn in die Hand.

Aus meinem Versteck sah ich, dass Brian mit ihr sprach, aber ich konnte nicht verstehen, was sie sagten. Dann streckte sie die Hand nach Brian aus. Ich hielt den Atem an, gespannt, was die Frau, die im Green Lantern schlimme Dinge tat, mit ihm machen würde. Sie legte ihm die Hand auf den Kopf und zerzauste ihm die Haare. Erwachsene Frauen machten das dauernd mit Brian, weil er rotes Haar und Sommersprossen hat. Es ärgerte ihn immer, und meistens schlug er ihnen die Hand weg. Aber diesmal nicht. Stattdessen blieb er stehen und unterhielt sich noch eine Weile mit der Frau. Und als er zurück über die Straße kam, sah er überhaupt nicht verängstigt aus.

»Was war los?«, fragte ich.

»Nix Besonderes«, sagte Brian.

»Worüber habt ihr geredet?«

»Ich hab sie gefragt, was sie im Green Lantern machen«, sagte er.

»Im Ernst?« Das imponierte mir. »Was hat sie gesagt?«

»Nicht viel«, sagte er. »Sie hat bloß gesagt, dass Männer da reingehen und dass die Frauen dann nett zu ihnen sind.«

»Ach so«, sagte ich. »Sonst noch was?«

»Nee«, sagte Brian. Er fing an, mit dem Fuß auf dem Boden herumzuscharren, als wollte er nicht mehr darüber reden. »Sie war ganz nett«, sagte er.

Danach winkte Brian den Frauen auf der Veranda vom Green Lantern immer zu, und sie lächelten richtig freundlich und winkten zurück, aber ich hatte noch immer ein bisschen Angst vor ihnen.

In unserem Haus in Battle Mountain wimmelte es von Tieren. Sie kamen und gingen, streunende Hunde und Katzen, ihre Welpen und Kätzchen, ungiftige Schlangen und Eidechsen und Schildkröten, die wir in der Wüste gefangen hatten. Ein Kojote, der anscheinend ziemlich zahm war, lebte eine Weile bei uns, und einmal brachte Dad einen verletzten Bussard mit nach Hause, den wir Buster tauften. Er war das hässlichste Haustier, das wir je hatten. Immer wenn man Buster mit Fleischresten fütterte, drehte er den Kopf zur Seite und starrte einen aus einem zornigen gelben Auge an. Dann schrie er und schlug hektisch mit seinem gesunden Flügel. Insgeheim war ich froh, als sein verletzter Flügel wieder geheilt war und er davonflog. Jedes Mal, wenn wir Bussarde am Himmel kreisen sahen, sagte Dad, einer davon wäre Buster, er habe ihn wiedererkannt, und dass er gekommen sei, um sich bei uns zu bedanken. Aber ich wusste, dass Buster nicht mal im Traum dran dachte, sich zu bedanken. Der Bussard hatte nicht einen Funken Dankbarkeit im Leib.

Wir konnten uns keine extra Tiernahrung leisten, deshalb mussten die Tiere unsere Reste fressen, und übrig blieb meistens nicht viel. »Wenn ihnen das nicht passt, können sie ja gehen«, sagte Mom. »Dass sie hier wohnen, heißt noch lange nicht, dass ich sie durchfüttere.« Mom erklärte, dass wir den Tieren sogar einen Gefallen damit täten, wenn wir nicht zuließen, dass sie von uns abhängig wurden. So würden sie dann auch allein zurechtkommen, falls wir mal wieder weitermüssten. Mom legte bei allen Lebewesen immer großen Wert auf Unabhängigkeit.

Mom war auch der festen Überzeugung, dass man der Natur

ihren Lauf lassen sollte. Sie weigerte sich, die Fliegen zu töten, die sich in Scharen bei uns im Haus tummelten, weil Fliegen, wie sie sagte, die natürliche Nahrung für Vögel und Eidechsen wären. Und Vögel und Eidechsen waren die Nahrung für die Katzen. »Wer Fliegen tötet, bringt Katzen in Not«, sagte sie. Die Fliegen am Leben zu lassen war ihrer Meinung nach so ziemlich dasselbe wie Katzenfutter kaufen. Bloß billiger.

Einmal, als ich bei meiner Freundin Carla war, fiel mir auf, dass es bei ihr zu Hause keine Fliegen gab. Ich fragte ihre Mutter, wieso.

Sie zeigte auf ein goldglänzendes Ding, das von der Decke baumelte und das sie stolz als Insektenabwehrstreifen bezeichnete. Sie sagte, die gäbe es an jeder Tankstelle zu kaufen und sie hätten in jedem Zimmer einen hängen. Diese Insektenabwehrstreifen, so erklärte sie, setzten einen Giftstoff frei, der die Fliegen tötete.

»Und was fressen dann eure Eidechsen?«, fragte ich.

»Wir haben auch keine Eidechsen«, antwortete sie.

Ich ging nach Hause und sagte zu meiner Mutter, wir müssten uns einen Insektenabwehrstreifen anschaffen, so wie Carlas Familie, aber sie lehnte ab. »Wenn es die Fliegen umbringt«, sagte sie, »kann es auch für uns nicht gesund sein.«

Im Winter kaufte Dad einen frisierten alten Ford Fairlane, und als es kälter wurde, verkündete er an einem Wochenende, dass wir zum Hot Pot fahren würden, zum Schwimmen. Der Hot Pot war eine natürliche Schwefelquelle in einer von zerklüfteten Felsen und Treibsand umgebenen Grube nördlich der Stadt in der Wüste. Das Wasser fühlte sich warm an und roch nach faulen Eiern. Es war voller Mineralien, sodass sich am ganzen Rand entlang eine raue, kalkige Kruste gebildet hatte, die blau-grün-weiß gestreift war, das reinste Korallenriff. Dad sagte immer, wir sollten den Hot Pot kaufen und einen Kurort draus machen.

Je tiefer man ins Wasser ging, desto wärmer wurde es. In der Mitte war es sehr tief. Manche Leute in Battle Mountain sagten, der Hot Pot hätte keinen Boden, sondern ginge direkt durch bis zum Mittelpunkt der Erde. Ein paar Mal waren Betrunkene oder wilde Teenager dort beim Baden ertrunken, und im Owl Club erzählte man sich, dass die Leichen regelrecht gekocht gewesen wären, als sie an die Wasseroberfläche trieben.

Brian und Lori konnten beide schwimmen, aber ich noch nicht. Größere Gewässer machten mir Angst. Sie kamen mir unnatürlich vor, Absonderlichkeiten in den Wüstenstädten, in denen wir bisher gelebt hatten. Einmal hatten wir in einem Motel mit Swimmingpool übernachtet, und ich hatte meinen ganzen Mut zusammengenommen und mich um den ganzen Pool herumgearbeitet, wobei ich mich immer schön am Rand festhielt. Aber der Hot Pot hatte keine ordentlichen Ränder wie der Swimmingpool. Ich konnte mich nirgends festhalten.

Ich watete bis zu den Schultern hinein. Das Wasser um meinen Körper war warm, und die Steine, auf denen ich stand, fühlten sich so heiß an, dass ich weitergehen wollte. Ich blickte mich zu Dad um, der mir zusah, ohne zu lächeln. Ich wollte weiter ins tiefere Wasser gehen, aber irgendetwas hielt mich zurück. Dad hechtete ins Wasser und kam zu mir geplatscht. »Du wirst heute schwimmen lernen«, sagte er.

Er legte einen Arm um mich, und wir bewegten uns durch den Teich. Dad zog mich mit. Ich hatte panische Angst und klammerte mich so fest an seinen Hals, dass seine Haut weiß wurde. »Na bitte, das war doch gar nicht so schlimm, oder?«, fragte Dad, als wir auf der anderen Seite ankamen.

Wir schwammen wieder zurück, aber als wir in der Mitte des Teichs waren, löste Dad mit Gewalt meine Finger von seinem Hals und stieß mich weg. Ich schlug mit den Armen und versank in dem heißen, stinkenden Wasser. Instinktiv atmete ich ein. Wasser drang mir in Nase, Mund und Hals. Meine Lunge schmerzte. Ich hatte die Augen geöffnet, sie brannten von dem Schwefel, aber das Wasser war dunkel, und meine Haare hatten sich mir ums Gesicht geschlungen, und ich konnte nichts sehen. Ein Händepaar fasste mich um die Taille. Dad zog mich ins flache Wasser. Ich spuckte und hustete und schnappte würgend nach Luft. Schleim strömte mir aus der Nase.

»Alles in Ordnung«, sagte Dad. »Tief durchatmen.«

Als ich mich wieder erholt hatte, hob Dad mich hoch und trug mich wieder in die Mitte des Hot Pot. »Wer nicht wagt, der nicht gewinnt!«, rief er. Zum zweiten Mal ging ich unter. Wieder drang mir Wasser in Nase und Lunge. Ich strampelte und schlug um mich und kämpfte mich wieder zur Oberfläche hoch, schnappte gierig nach Luft und griff nach Dad. Aber er wich zurück, und ich merkte erst, dass seine Hände mich packten, als ich ein weiteres Mal untergegangen war.

Er machte es noch mal und noch mal, bis ich schließlich begriff, dass er mich nur rettete, um mich gleich wieder ins Wasser zu stoßen, und auf einmal griff ich nicht mehr nach Dads Händen, sondern versuchte von ihnen wegzukommen. Ich trat nach ihm und kämpfte mich mit den Armen durchs Wasser von ihm weg, bis es mir schließlich gelang, mich seiner Reichweite zu entziehen.

»Du hast es geschafft, Kleines!«, schrie Dad. »Du schwimmst!«

Ich taumelte aus dem Wasser und setzte mich nach Atem ringend auf die verkalkten Felsen. Auch Dad kam aus dem Wasser und wollte mich in den Arm nehmen, aber ich mochte nichts mehr mit ihm zu tun haben, auch nicht mit Mom, die sich die ganze Zeit über auf dem Rücken hatte treiben lassen, als ob nichts los wäre, oder mit Brian und Lori, die bei mir standen und mich beglückwünschten. Dad sagte immer wieder, dass er mich lieb habe, dass er mich niemals hätte ertrinken lassen, aber dass man sich nun mal nicht sein Leben lang am Rand festhalten kann und es die Aufgabe von Eltern ist, ihren Kindern begreiflich zu machen, dass sie schwimmen lernen müssen, wenn sie nicht untergehen wollen. Was für einen anderen Grund, so fragte er, hätte er denn sonst haben können?

Nachdem ich wieder zu Atem gekommen war, sagte ich mir, dass er bestimmt Recht hatte. Eine andere Erklärung gab es einfach nicht.

SCHLECHTE NACHRICHTEN«, sagte Lori eines Tages zu mir, als ich von einem Streifzug zurückkehrte. »Dad hat seinen Job verloren.«

Dad hatte diesen Job seit fast sechs Monaten – länger als jeden anderen. Mir war klar, dass das Kapitel Battle Mountain damit für uns abgeschlossen war und wir in wenigen Tagen wieder unterwegs sein würden.

»Wo wir wohl als Nächstes wohnen?«, sagte ich.

Lori schüttelte den Kopf. »Wir bleiben hier«, sagte sie. Dad hatte seinen Job eigentlich nicht richtig verloren, erklärte sie. Er hatte dafür gesorgt, dass er rausgeschmissen wurde, weil er mehr Zeit für die Goldsuche haben wollte. Er hatte alle möglichen Pläne, um Geld zu verdienen, fügte sie hinzu, Erfindungen, an denen er arbeitete, alle möglichen Gelegenheitsjobs. Aber vorübergehend könnte es in der Haushaltskasse etwas knapp werden. »Da müssen wir alle mithelfen«, sagte Lori.

Ich überlegte, was ich außer Flaschen- und Altmetallsammeln sonst noch tun könnte. »Ich geh mit den Preisen für meine Steine runter«, sagte ich.

Lori stockte und senkte den Blick, als würde sie etwas im Kopf ausrechnen. »Ich glaub nicht, dass das reicht«, sagte sie.

»Wir können ja weniger essen«, sagte ich.

»Ist nicht das erste Mal«, sagte Lori.

Wir aßen tatsächlich weniger. Kaum hatten wir den Kredit im Lebensmittelladen der Silbermine verloren, waren unsere Vorräte auch schon bald aufgebraucht. Manchmal klappte es mit einem von Dads Gelegenheitsjobs, oder er gewann etwas

Geld beim Pokern, und wir hatten ein paar Tage was zu essen. Aber das Geld war schnell weg und der Kühlschrank wieder leer.

Wenn wir früher nichts mehr zu essen gehabt hatten, war Dad immer zur Stelle gewesen, voller Ideen und Einfallsreichtum. Dann fand er beispielsweise noch eine Dose Tomaten ganz hinten im Schrank, die wir anderen übersehen hatten, oder er verschwand für eine Stunde und kam mit einem ganzen Arm voll Gemüse zurück – ohne uns zu verraten, wo er es herhatte –, und dann zauberte er uns im Handumdrehen einen Eintopf auf den Tisch. Aber jetzt verschwand Dad immer öfter.

»Wo Dad?«, fragte Maureen andauernd. Sie war anderthalb Jahre alt, und das waren praktisch ihre ersten Worte.

»Er ist unterwegs und besorgt uns was zu essen und sucht Arbeit«, sagte ich dann. Aber manchmal dachte ich, dass er nicht gern bei uns war, weil er nicht für uns sorgen konnte. Ich versuchte, mich nicht zu beklagen.

Wenn wir Mom nach etwas zu essen fragten – ganz beiläufig, weil wir keinen Ärger machen wollten –, zuckte sie bloß mit den Achseln und sagte, sie könnte nichts aus der Luft herbeizaubern. Wir Kinder sprachen meistens nicht darüber, dass wir Hunger hatten, aber wir dachten immer nur ans Essen und wie wir an irgendwas Essbares rankommen könnten. In den Schulpausen schlich ich mich oft zurück ins Klassenzimmer und klaute den anderen Kindern von ihren Mittagssnacks irgendwas, das sie nicht vermissen würden – eine Packung Kräcker, einen Apfel –, und schlang es so schnell in mich hinein, dass ich kaum etwas schmeckte. Wenn ich bei einer Freundin hinterm Haus spielte, fragte ich, ob ich mal auf die Toilette dürfte, und wenn keiner in der Küche war, grabschte ich mir irgendwas aus dem Kühlschrank oder vom Küchenregal, nahm es mit aufs Klo und aß es dort, wobei ich stets darauf achtete, anschließend die Spülung zu betätigen.

Auch Brian war ständig auf Nahrungssuche. Einmal ertappte ich ihn dabei, wie er sich hinter unserem Haus übergeben musste. Ich wollte wissen, wieso er so kotzen konnte, wo er doch seit Tagen nichts mehr gegessen hatte. Er beichtete mir, dass er in ein Haus in der Nachbarschaft eingebrochen war und ein großes Glas saure Gurken geklaut hatte. Der Nachbar hatte ihn erwischt, doch anstatt die Polizei zu rufen, hatte er Brian gezwungen, zur Strafe das ganze große Glas Gurken aufzuessen. Ich musste schwören, Dad nichts zu erzählen.

Zwei Monate nachdem Dad seinen Job verloren hatte, kam er mit einer Einkaufstüte voller Lebensmittel nach Hause: eine Dose Mais, zwei Liter Milch, ein Brot, zwei Büchsen gewürzter Schinken und ein Päckchen Margarine. Die Dose Mais verschwand im Handumdrehen. Irgendeiner von uns hatte sie gestohlen, und außer dem Dieb wusste keiner, wer es gewesen war. Aber Dad war zu sehr damit beschäftigt, für uns alle Sandwiches mit gewürztem Schinken zu machen, um der Sache auf den Grund zu gehen. An dem Abend aßen wir uns richtig satt, spülten die Sandwiches mit reichlich Milch herunter. Als ich am nächsten Tag aus der Schule kam, saß Lori allein in der Küche und löffelte etwas aus einer Tasse. Ich schaute in den Kühlschrank. Er war leer bis auf das halb aufgebrauchte Päckchen Margarine.

»Lori, was isst du da?«

»Margarine«, sagte sie.

Ich rümpfte die Nase. »Ehrlich?«

»Ja«, sagte sie. »Du musst Zucker reintun«, sagte sie. »Dann schmeckt es wie Zuckerguss.«

Ich machte mir eine Portion. Es schmeckte nicht wie Zuckerguss. Es war irgendwie knusprig, weil sich der Zucker nicht auflöste, und es war fettig und hinterließ einen dünnen Belag auf der Zunge. Trotzdem aß ich alles auf.

Als Mom abends in die Küche kam, schaute sie in den Kühlschrank. »Wo ist denn die Margarine geblieben?«, fragte sie.

»Haben wir gegessen«, sagte ich.

Mom wurde wütend. Die hätte sie verwahrt, sagte sie, um sie aufs Brot zu schmieren. Das Brot haben wir doch schon aufgegessen, sagte ich. Mom sagte, sie habe vorgehabt, Brot zu backen, falls uns eine Nachbarin mit etwas Mehl aushelfen würde. Ich wies sie darauf hin, dass die Stadtwerke uns das Gas abgedreht hatten.

»Trotzdem«, sagte Mom. »Wir hätten die Margarine auf jeden Fall verwahren sollen, es könnte ja schließlich sein, dass das Gas wieder angestellt wird. Manchmal geschehen nämlich Wunder.« Nur weil ich so selbstsüchtig war, so warf sie mir vor, müssten wir jetzt das Brot, das wir vielleicht backen könnten, ohne Butter essen.

Ich fand, Mom redete Unsinn. Ich fragte mich, ob sie nicht sogar selbst vorgehabt hatte, die Margarine zu essen. Plötzlich hatte ich den Verdacht, dass sie es vielleicht gewesen war, die am Abend zuvor die Dose Mais stibitzt hatte, was mich auch ein bisschen wütend machte. »Es war das einzige Essbare im ganzen Haus«, sagte ich. Und mit erhobener Stimme fügte ich hinzu: »Ich hatte Hunger.«

Mom starrte mich erschrocken an. Ich hatte gegen eine unserer stillschweigenden Regeln verstoßen: Es wurde von uns erwartet, dass wir stets so taten, als wäre unser Leben ein einziges langes, unglaublich lustiges Abenteuer. Sie hob die Hand, und ich dachte, sie wollte mich schlagen, doch stattdessen setzte sie sich an den Spülentisch und ließ den Kopf auf die Arme sinken. Ihre Schultern begannen zu beben. Ich ging zu ihr und berührte sie am Arm. »Mom?«, sagte ich.

Aber sie stieß meine Hand weg, und als sie den Kopf hob, war ihr Gesicht verquollen und rot. »Es ist nicht meine Schuld, dass du Hunger hast!«, rief sie. »Mach mir keine Vorwürfe. Glaubst du denn, es macht mir Spaß, so zu leben? Glaubst du das etwa?«

Als Dad abends nach Hause kam, gerieten er und Mom in heftigen Streit. Mom schrie, dass sie es satt habe, immer für alles, was falsch lief, verantwortlich gemacht zu werden. »Wieso ist das überhaupt mein Problem?«, brüllte sie. »Wieso kümmerst du dich um nichts? Den lieben langen Tag hängst du im Owl Club herum. Du tust so, als ginge dich das alles nicht das Geringste an.«

Dad erklärte, dass er tagsüber unterwegs sei, um Geld zu verdienen. Er habe alle möglichen Pläne, die er in allernächster Zukunft realisieren würde. In Battle Mountain wäre jede Menge Gold, sagte er, aber es wäre in Erz eingeschlossen. Da lägen nicht einfach Goldnuggets herum, die der Goldsucher bloß noch aussortieren müsse. Er sei dabei, eine Technik zu entwickeln, mit der das Gold mittels einer Zyanidlösung aus dem Fels geschwemmt werden könne. Aber dazu brauche er Geld, und er bedrängte Mom, ihre Mutter anzupumpen.

»Ich soll bei meiner Mutter schon wieder um Geld betteln?«, fragte Mom.

»Himmelherrgott, Rose Mary! Wir bitten doch nicht um eine Spende«, tobte er. »Das wäre für sie eine Investition.«

Grandma würde uns andauernd Geld leihen, sagte Mom, und sie wäre es leid. Mom erzählte Dad, dass Grandma gesagt hatte, wenn wir nicht klarkämen, könnten wir nach Phoenix kommen und bei ihr im Haus wohnen.

»Vielleicht sollten wir das tun«, sagte Mom.

Dad wurde richtig wütend. »Willst du damit sagen, dass ich nicht für meine eigene Familie sorgen kann?«, brüllte er.

»Frag sie doch«, zischte Mom.

Wir Kinder saßen auf den alten Wartesaalbänken. Dad drehte sich zu mir um. Ich studierte die Schleifspuren auf dem Boden.

Ihr Streit ging auch am nächsten Morgen weiter. Wir Kinder lagen unten in unseren Pappkartons und lauschten, während sie oben stritten. Mom schrie und jammerte, unsere Situation sei inzwischen so verzweifelt, dass wir gestern nur noch Margarine zu essen hatten, und selbst die sei jetzt weg. Sie habe Dads lächerliche Träume und seine törichten Pläne und leeren Versprechungen satt.

Ich wandte mich an Lori, die ein Buch las. »Sag ihnen, dass wir gern Margarine essen«, sagte sich. »Vielleicht hören sie dann auf zu zanken.«

Lori schüttelte den Kopf. »Dann denkt Mom, wir ergreifen Partei für Dad«, sagte sie. »Das würde alles nur noch schlimmer machen. Die beiden kriegen sich schon wieder ein.«

Ich wusste, dass Lori Recht hatte. Wenn Mom und Dad Streit hatten, tat man am besten so, als wäre nichts oder als wäre es völlig unwichtig. Und dann waren sie bald wieder ein Herz und eine Seele, küssten sich und tanzten eng umschlungen. Aber diesmal nahm die Auseinandersetzung einfach kein Ende. Nachdem sie sich wegen der Margarine angeschrien hatten, ging es darum, ob ein bestimmtes Bild, das Mom gemalt hatte, hässlich war oder nicht. Dann stritten sie darüber, wessen Schuld es war, dass wir so lebten, wie wir lebten. Mom sagte zu Dad, er solle sich wieder einen Job suchen. Dad sagte, wenn Mom unbedingt wolle, dass jemand in der Familie nach der Stempeluhr lebte, dann solle sie sich selbst einen Job suchen. Sie sei immerhin ausgebildete Lehrerin. Sie könne ja arbeiten gehen, anstatt den ganzen Tag auf dem Hintern zu hocken und Bilder zu malen, die kein Mensch kaufen wollte.

»Van Gogh hat auch nie ein Bild verkauft«, sagte Mom. »Ich bin Künstlerin!«

»Schön«, sagte Dad. »Dann hör auf mit der verdammten Meckerei. Oder zieh los und verkauf deinen Arsch im Green Lantern.«

Mom und Dad brüllten sich so laut an, dass man es in der ganzen Nachbarschaft hören konnte. Lori, Brian und ich wechselten Blicke. Brian zeigte auf die Haustür, nickte, und wir gingen nach draußen und fingen an, vor dem Haus Sandburgen für Skorpione zu bauen. Wir dachten uns, wenn wir alle draußen waren und so taten, als wäre der Streit ganz normal, dann würden die Nachbarn das auch so sehen.

Aber die Schreierei ging weiter, und allmählich sammelten sich die Nachbarn auf der Straße. Manche waren einfach bloß neugierig. In Battle Mountain lagen sich dauernd irgendwelche Moms und Dads in den Haaren, deshalb war das an und für sich wirklich nichts Besonderes, aber dieser Streit war selbst für hiesige Verhältnisse ziemlich heftig, und einige meinten, es wäre besser, sich einzuschalten und dazwischenzugehen. »Quatsch, lasst die mal ihre Probleme selbst klären«, sagte einer von den Männern. »Da hat keiner das Recht, sich einzumischen.« Also blieben sie weiter an ihre Autokotflügel und Zaunpfähle gelehnt stehen oder auf den Ladeflächen ihrer Pick-ups sitzen, als wären sie auf einem Rodeo.

Plötzlich flog eins von Moms Ölbildern oben aus dem Fenster. Als Nächstes kam ihre Staffelei. Die Menge unten stob auseinander, um nicht getroffen zu werden. Dann erschienen Moms Füße im Fenster, gefolgt von ihrem übrigen Körper. Sie hing da oben am Fenster, mit wild strampelnden Beinen. Dad hielt sie an den Armen fest, während sie versuchte, ihm ins Gesicht zu schlagen.

»Hilfe!«, kreischte Mom. »Er will mich umbringen!«

»Verdammt noch mal, Rose Mary, komm wieder rein!«, sagte Dad.

»Tu ihr nichts!«, schrie Lori.

Mom baumelte hin und her. Ihr gelbes Baumwollkleid war ihr hoch über die Taille gerutscht, und die Leute unten konnten ihre weiße Unterhose sehen. Die war schon alt und ausgeleiert, und ich hatte Angst, sie könnte ganz runterfallen. Ein paar von den Erwachsenen riefen irgendwas, aus Angst, dass Mom abstürzen könnte, aber eine Gruppe von Kindern fand, dass Mom aussah wie ein Schimpanse, der am Baum hängt, und sie fingen lachend an, Affengeräusche zu machen und sich unter den Achseln zu kratzen. Brians Gesicht lief dunkel an, und er ballte die Fäuste. Ich hätte sie auch am liebsten geschlagen, aber ich hielt Brian zurück.

Mom strampelte so heftig, dass ihre Schuhe runterfielen, und es schien, als könnte Dad sie nicht mehr lange halten oder sogar selbst aus dem Fenster gezogen werden. Lori sah Brian und mich an. »Kommt.« Wir rannten ins Haus und nach oben und hielten Dad an den Beinen fest, damit Mom ihn mit ihrem Gewicht nicht mitriss. Schließlich zog er Mom wieder ins Zimmer, und sie sank auf den Boden.

»Er wollte mich umbringen«, schluchzte Mom. »Euer Vater will mich sterben sehen.«

»Ich hab sie nicht gestoßen«, widersprach Dad. »Ich schwöre bei Gott, das hab ich nicht. Sie ist gesprungen.« Er stand über Mom, hatte die Arme gehoben, die Hände geöffnet und beteuerte seine Unschuld.

Lori streichelte Mom das Haar und trocknete ihr die Tränen. Brian lehnte sich gegen die Wand und schüttelte den Kopf.

»Jetzt ist ja alles gut«, sagte ich immer und immer wieder.

Am nächsten Morgen stand Mom, die sonst immer lange schlief, schon mit uns Kindern auf und ging zur Mittelschule von Battle Mountain, die direkt gegenüber der Grundschule Mary S. Black lag. Sie bewarb sich um eine Anstellung und wurde vom Fleck weg genommen, weil sie einen Abschluss als Lehrerin hatte und weil in Battle Mountain immer Lehrermangel herrschte. Die wenigen Lehrer im Ort waren nicht gerade das Gelbe vom Ei, wie Dad oft sagte, und trotz der Personalknappheit wurde hin und wieder noch einer entlassen. Meine eigene Lehrerin, Miss Rice, flog erst raus, als die Schulleiterin sie eines Tages mit einer geladenen Flinte in der Schule erwischte. Miss Rice sagte, sie habe ihre Schüler nur dazu anhalten wollen, die Hausaufgaben zu machen.

Ungefähr zur selben Zeit, als Miss Rice gefeuert wurde, erschien Loris Lehrerin einfach nicht mehr zum Unterricht, und Mom bekam Loris Klasse zugewiesen. Moms Schüler fanden sie richtig nett. Sie hatte die gleiche Haltung zur schulischen Erziehung wie zur Erziehung ihrer eigenen Kinder. Sie fand, Regeln und Disziplin engten die Menschen ein und Kinder könnten ihr Potenzial am besten entfalten, wenn man ihnen möglichst viel Freiheit ließ. Es kümmerte sie nicht, wenn Schüler zu spät kamen oder ihre Hausaufgaben nicht machten. Und wenn sie sich austoben wollten, hatte sie auch nichts dagegen, vorausgesetzt, es wurde niemand dabei verletzt.

Ständig nahm Mom ihre Schüler in den Arm und versicherte ihnen, wie wunderbar und toll sie sie fand. Sie schärfte den mexikanischen Kindern ein, sie sollten sich von niemandem sagen lassen, sie wären weniger wert als weiße Kinder. Den

Navajo- und Apachenkindern sagte sie, sie sollten stolz sein auf ihre edle indianische Herkunft. Schüler, die als Problemkinder oder als langsam galten, wurden bei Mom richtig gut in der Schule. Manche liefen ihr nach wie herrenlose Hunde.

Doch so beliebt sie bei ihren Schülern auch war, Mom war nicht gern Lehrerin. Sie musste Maureen, die noch keine zwei war, von einer Frau beaufsichtigen lassen, deren Mann wegen Drogenhandel im Gefängnis saß. Doch der eigentliche Grund für ihre Unzufriedenheit war der, dass Grandma Smith, die selbst Lehrerin gewesen war, Mom zu der Lehrerausbildung gedrängt hatte, damit sie einen richtigen Beruf hätte, falls es mit ihren Träumen von einem Leben als Künstlerin nichts würde. Jetzt hatte Mom das Gefühl, einzugestehen, dass ihre Mutter, die nie an das künstlerische Talent ihrer Tochter geglaubt hatte, Recht behalten hatte. Abends war sie mürrisch und murmelte halblaut vor sich hin. Morgens blieb sie einfach liegen und stellte sich krank, rieb sich heimlich die Stirn heiß, damit sie uns vormachen konnte, sie hätte Fieber. Lori, Brian und ich mussten dafür sorgen, dass sie aufstand, sich anzog und rechtzeitig zur Schule ging.

»Ich bin eine erwachsene Frau«, sagte Mom fast jeden Morgen. »Wieso kann ich nicht machen, was ich will?«

»Unterrichten ist was Sinnvolles und macht Spaß«, sagte Lori. »Du wirst noch auf den Geschmack kommen.«

Erschwerend hinzu kam, dass die anderen Lehrer und die Schulleiterin, Miss Beatty, Mom für eine schlechte Lehrerin hielten. Sie steckten während des Unterrichts öfter mal den Kopf zur Tür herein, und dann sahen sie die Schüler Fangen spielen und mit Radiergummis um sich werfen, während Mom sich vor der Klasse wie ein Kreisel drehte und Kreidestücke aus den Händen fliegen ließ, um die Zentrifugalkraft zu demonstrieren.

Miss Beatty, die ihre Brille an einer Kette um den Hals trug und sich einmal pro Woche in einem Schönheitssalon in Winnemucca frisieren ließ, hielt Mom an, ihre Schüler zu disziplinieren. Miss Beatty verlangte von Mom auch, jede Woche einen Unterrichtsplan vorzulegen, Ordnung im Klassenraum zu halten und die Hausaufgaben unverzüglich zu korrigieren. Aber Mom war desorganisiert, schrieb die falschen Daten in die Unterrichtspläne oder verlor die Hausaufgaben.

Als Miss Beatty Mom mit Kündigung drohte, sahen Lori, Brian und ich keine andere Möglichkeit, als Mom unter die Arme zu greifen. Nach Schulschluss ging ich in ihren Klassenraum und wischte die Tafel, staubte den Tafellappen aus und hob Papier vom Boden auf. Abends halfen Lori, Brian und ich ihr, die Hausaufgaben und Klassenarbeiten zu korrigieren. Mom ließ uns aber nur die Tests benoten, bei denen die Schüler »richtig« oder »falsch« ankreuzen oder Antworten in ein leeres Feld schreiben mussten – die Aufsätze korrigierte sie selbst, weil es da nicht nur eine richtige Antwort gab. Mir machte das Korrigieren Spaß. Mir gefiel das Gefühl, etwas zu können, womit Erwachsene ihr Geld verdienten. Lori half Mom auch bei den Unterrichtsplänen. Sie achtete darauf, dass Mom sie richtig ausfüllte, und verbesserte Moms Rechtschreib- und Mathefehler.

»Mom, Halloween wird mit zwei l, Doppel-e und am Ende ohne e geschrieben«, sagte Lori, radierte dann das Wort aus und schrieb es neu.

Mom staunte, wie intelligent Lori war.

»Lori hat lauter Einsen«, sagte sie einmal zu mir.

»Ich auch«, sagte ich.

»Ja, aber du musst dich dafür anstrengen.«

Und Mom hatte Recht, Lori war wirklich sehr intelligent. Ich glaube, Lori half Mom für ihr Leben gern. Lori war nicht besonders sportlich, und sie streifte auch nicht so gern wie Brian und ich durch die Gegend, aber sie fand alles toll, was mit Stiften und Papier zu tun hatte. Wenn Mom und Lori mit den Unterrichtsplänen fertig waren, blieben sie oft noch an dem Spülentisch sitzen, zeichneten sich gegenseitig oder schnitten Fotos von Tieren, Landschaften und Menschen mit runzligen Gesichtern aus Illustrierten aus, die dann in Moms Ordner für potenzielle Gemäldemotive kamen.

Lori verstand Mom besser als sonst irgendeiner. Es machte ihr nichts aus, dass Mom sie anschrie, wenn Miss Beatty in die Klasse kam, um sich Moms Unterricht anzuschauen, nur um der Schulleiterin zu beweisen, dass sie imstande war, ihre Schüler zur Ordnung zu rufen. Einmal ließ Mom Lori sogar nach vorn kommen und schlug sie mit einem Holzstock.

»Hast du denn Unsinn gemacht?«, fragte ich Lori, als ich davon erfuhr.

»Nein«, sagte Lori.

»Und wieso hat Mom dich dann geschlagen?«

»Einen von uns musste sie bestrafen, und sie wollte den anderen Kindern keine Angst einjagen«, sagte Lori.

ALS MOM ZU UNTERRICHTEN ANFING, dachte ich, wir könnten uns jetzt vielleicht neue Anziehsachen leisten, in der Schulcafeteria zu Mittag essen und uns sogar ab und zu einen kleinen Luxus erlauben wie die Klassenfotos, die einmal im Jahr in der Schule gemacht wurden. Mom und Dad hatten noch nie das Geld für ein Klassenfoto gehabt, obwohl Mom ein paar Mal heimlich einen Schnappschuss aus dem Packen stibitzt hatte, ehe sie ihn zurückgab. Trotz Moms Gehalt kauften wir die Klassenfotos in diesem Jahr nicht – wir klauten sie nicht mal, was wahrscheinlich besser so war. Mom hatte irgendwo gelesen, Mayonnaise wäre gut für die Haare, und an dem Morgen, als der Fotograf in die Schule kam, schmierte sie mir ein paar Löffel voll ins Haar. Sie hatte jedoch nicht gewusst, dass die Mayonnaise danach wieder ausgewaschen werden sollte, also ließ sie sie einfach drin, weshalb ich auf dem Foto in dem Jahr unter einer steifen Haarplatte hervorlugte.

Doch insgesamt wurde die Lage besser. Obwohl Dad seinen Job in der Silbermine verloren hatte, konnten wir in dem Bahnhof wohnen bleiben, weil wir der Bergwerksgesellschaft Miete zahlten und es nicht viele andere Familien gab, die sich um das Haus rissen. Wir hatten jetzt einen gut gefüllten Kühlschrank, zumindest bis kurz vor Monatsende, dann ging uns meistens das Geld aus, weil weder Mom noch Dad die Kunst der Haushaltsplanung beherrschten.

Aber Moms Gehalt führte auch zu ganz neuen Problemen. Dad gefiel es zwar, dass Mom einen Gehaltsscheck nach Hause brachte, aber da er sich als Oberhaupt der Familie sah, bestand er darauf, dass ihm das Geld übergeben wurde. Es sei seine Aufgabe, so sagte er, sich um die Familienfinanzen zu kümmern. Und er brauchte Geld, um das Goldausschwemmverfahren weiterzuentwickeln.

»Das Einzige, was du weiterentwickelst, ist das Fassungsvermögen deiner Säuferleber«, sagte Mom. Trotzdem konnte sie Dad nicht die Stirn bieten. Aus irgendeinem Grund tat sie sich schwer, einfach Nein zu sagen. Wenn sie sich mal dazu durchrang, argumentierte er und schmeichelte und schmollte und drohte, bis ihr Widerstand schließlich erlahmte. Also verlegte sie sich auf Ausweichtaktiken. So erzählte sie Dad, sie hätte den Gehaltsscheck noch nicht eingelöst oder in der Schule liegen lassen, und versteckte ihn dann so lange, bis sie heimlich selbst zur Bank gehen konnte. Danach behauptete sie, sie hätte das ganze Geld verloren.

Es dauerte nicht lange, und Dad ging dazu über, Mom am Zahltag vor der Schule abzupassen. Dann fuhr er mit uns allen schnurstracks nach Winnemucca, wo die Bank war, damit Mom ihren Gehaltsscheck sofort einlösen konnte. Dad bestand darauf, mit in die Bank zu gehen, und Mom, dass wir Kinder mitkamen, damit sie zumindest versuchen konnte, uns heimlich ein bisschen Bares zuzustecken. Sobald wir wieder im Auto saßen, nahm Dad sofort das Geld aus Moms Portemonnaie.

Einmal ging Mom allein in die Bank, weil Dad keinen Parkplatz finden konnte. Als sie wieder herauskam, hatte sie nur noch einen Socken an. »Jeannette, ich schenke dir einen Socken, den du sicher aufbewahren solltest«, sagte Mom, als sie wieder einstieg. Sie zwinkerte mir übertrieben zu, dann griff sie in ihren BH und zog den Socken heraus. Er war in der Mitte geknotet und beulte sich an der Spitze aus. »Versteck ihn irgendwo, wo niemand ihn findet, du weißt ja, wie knapp *Socken* in unserem Haus manchmal sind.«

»Himmelherrgott, Rose Mary«, fuhr Dad sie an. »Hältst du mich eigentlich für bescheuert?«

»Wieso?«, fragte Mom und warf die Hände in die Luft. »Darf ich meiner Tochter nicht mal einen Socken schenken?« Und dann zwinkerte sie mir noch einmal zu, nur für den Fall, dass ich es noch nicht kapiert hatte.

Zurück in Battle Mountain, wollte Dad unbedingt mit uns in den Owl Club, um den Zahltag zu feiern, und er bestellte für uns alle Steaks. Sie schmeckten köstlich, und wir dachten gar nicht mehr daran, dass wir von dem Geld für eine ganze Woche Lebensmittel hätten kaufen können. »He, Bergziege«, sagte Dad nach dem Essen, während Mom damit beschäftigt war, die Reste in ihre Tasche zu stopfen. »Leihst du mir mal kurz deinen Socken?«

Ich sah mich am Tisch um. Keiner schaute mir in die Augen, nur Dad, der grinste wie ein Krokodil. Ich reichte ihm den Socken. Mom gab sich mit einem dramatischen Seufzer geschlagen und ließ den Kopf auf den Tisch sinken. Um zu demonstrieren, dass er das Sagen hatte, legte Dad noch zehn Dollar Trinkgeld für die Kellnerin auf den Tisch, aber als wir gingen, ließ Mom das Geld heimlich in ihrer Handtasche verschwinden.

Schon bald waren wir wieder pleite. Als Dad einmal Brian und mich zur Schule brachte, fiel ihm auf, dass wir nichts zu essen dabeihatten.

»Wo habt ihr denn eure Pausensnacks?«, fragte er.

Wir sahen uns an und zuckten die Achseln.

»Der Kühlschrank war leer«, sagte Brian.

Daraufhin tat Dad sehr empört, als hätte er zum ersten Mal gehört, dass seine Kinder hungrig zur Schule gingen.

»Verdammt, eure Mutter gibt einfach zu viel Geld für ihren Kunstkram aus!«, brummte er, als würde er zu sich selbst sprechen. Dann verkündete er mit lauterer Stimme: »Meine Kinder müssen keinen Hunger schieben!« Als wir ausstiegen, rief er uns hinterher: »Macht euch keine Sorgen, Kinder!«

In der Mittagspause saßen Brian und ich zusammen in der Cafeteria. Ich tat so, als würde ich ihm bei den Schulaufgaben helfen, damit uns keiner fragte, warum wir denn nichts aßen, da erschien Dad mit einer großen Einkaufstüte im Arm in der Tür. Ich sah, wie er den Raum absuchte, bis er uns entdeckte. »Meine Kleinen haben ihr Mittagessen zu Hause vergessen«, erklärte er dem Lehrer, der in der Cafeteria Aufsicht führte, als er auf uns zuging. Er stellte die Einkaufstüte vor Brian und mir ab und nahm einen ganzen Laib Brot, eine Packung Mortadella, ein Glas Mayonnaise, eine große Flasche Orangensaft, zwei Äpfel, ein Glas Essiggurken und zwei Schokoriegel heraus.

»Hab ich euch je im Stich gelassen?«, fragte er Brian und mich, drehte sich um und ging.

So leise, dass Dad ihn nicht hören konnte, sagte Brian: »Ja.«

»Dad muss endlich vernünftig für uns sorgen«, sagte Lori, die in den leeren Kühlschrank starrte.

»Tut er doch!«, sagte ich. »Er verdient Geld mit Gelegenheitsjobs.«

»Für Schnaps gibt er mehr aus, als er verdient«, sagte Brian. Er spitzte gerade einen Stock an und ließ die Späne direkt vor sich auf den Boden fallen. Brian hatte immer ein Taschenmesser dabei, und oft raspelte er an irgendeinem Stück Holz herum, wenn er über etwas nachdachte.

»Nicht bloß für Schnaps«, sagte ich. »Das meiste ist für seine Tüfteleien an dem Zyanidschwemmverfahren.«

»Dafür muss Dad nicht mehr tüfteln«, sagte Brian. »Er ist doch Experte.« Er und Lori prusteten los. Ich blickte sie nur wütend an. Ich wusste mehr über Dads Situation als die beiden, weil er mit mir mehr redete als mit irgendwem sonst in der Familie. Wir gingen noch immer ab und zu Dämonen jagen in der Wüste, nur um der alten Zeiten willen, denn inzwischen war ich sieben und schon zu groß, um noch an Dämonen zu glauben. Dad erzählte mir alles über seine Pläne, und er zeigte mir seine Blätter mit Graphiken und Berechnungen und geologischen Karten, auf denen die Sedimentschichten verzeichnet waren, die Gold enthielten.

Und er sagte mir, dass ich sein Lieblingskind war, aber ich musste versprechen, das nicht Lori oder Brian oder Maureen zu verraten. Es war unser Geheimnis. »Ich schwöre dir, Schätzchen, manchmal hab ich das Gefühl, du bist hier die Einzige, die noch an mich glaubt«, sagte er. »Ich weiß wirklich nicht, was ich tun sollte, wenn du je den Glauben an mich verlieren würdest.« Ich lächelte und beteuerte ihm, dass ich den Glauben an ihn nie verlieren würde. Und ich gelobte mir selbst, das nie zu tun.

Als Mom schon einige Monate als Lehrerin arbeitete, kamen Brian und ich einmal am Green Lantern vorbei. Die Wolken über der untergehenden Sonne hatten scharlachrote und lila Streifen. Die Temperatur fiel innerhalb weniger Minuten von sengend heiß auf frostig kühl, wie immer, wenn es in der Wüste dämmerte. Eine Frau mit einem Fransenschal um die Schultern rauchte auf der Veranda des Green Lantern eine Zigarette. Sie winkte Brian zu, doch er winkte nicht zurück.

»Ju-hu! Brian, Süßer, ich bin's! Ginger!«, rief sie.

Brian achtete nicht auf sie.

»Wer ist das?«, wollte ich wissen.

»Eine Freundin von Dad«, sagte er. »Die ist blöd.«

»Wieso blöd?«

»Sie kennt nicht mal alle Wörter in einem *Sad-Sack*-Heftchen«, sagte Brian.

Er erzählte mir, dass Dad vor einiger Zeit mit ihm an seinem Geburtstag ausgegangen war. Im Drugstore durfte Brian sich irgendwas aussuchen, und er entschied sich für ein *Sad-Sack*-Comic-Heft. Anschließend gingen sie ins Nevada Hotel, das gleich neben dem Owl Club lag und draußen ein Schild hatte mit der Aufschrift »BAR – GRILL – SAUBER – MODERN«. Sie aßen was zusammen mit Ginger, die viel lachte und furchtbar laut redete und Dad und Brian andauernd anfasste. Dann gingen sie alle drei nach oben in ein Hotelzimmer. Es war eine Suite, mit einem kleinen Wohnzimmer und separatem Schlafzimmer. Dad und Ginger gingen ins Schlafzimmer, während Brian im Wohnzimmer blieb und sein neues Comic-Heft las. Später, als Dad und Ginger wieder herauskamen, setzte sie sich neben Brian. Brian blickte nicht hoch. Er starrte auf das Comic-Heft, obwohl er es inzwischen schon zweimal gelesen hatte. Ginger sagte, wie toll sie Sad Sack fand. Und Dad bestand darauf, dass Brian Ginger das Comic-Heft schenkte, weil ein Gentleman so was nun mal tut.

»Es war meins!«, sagte Brian. »Und dauernd sollte ich ihr die längeren Wörter vorlesen. Die ist erwachsen und kann nicht mal ein Comic-Heft lesen.«

Brians heftige Abneigung gegen Ginger konnte nicht allein daher rühren, dass sie ihm das Comic-Heft abgeluchst hatte. Ich fragte mich, ob er irgendwas über Ginger und die anderen Ladys im Green Lantern herausgefunden hatte. Vielleicht wusste er, warum Mom meinte, sie wären schlecht. Vielleicht war er ja deshalb wütend. »Hast du rausgekriegt, was die im Green Lantern machen?«, fragte ich.

Brian starrte geradeaus. Neugierig folgte ich seinem Blick, aber da war nichts außer den Tuscarora Mountains, die sich dem dunkler werdenden Himmel entgegenreckten. »Die verdient 'ne Menge Geld«, sagte er, »da hätte sie sich ihr dämliches Comic-Heft doch selbst kaufen können.«

Manche Leute machten sich gern über Battle Mountain lustig. Einmal veranstaltete eine große Zeitung an der Ostküste einen Wettbewerb um den hässlichsten, trostlosesten, gottverlassensten Ort im ganzen Land und kürte Battle Mountain zum Sieger. Die Leute, die dort wohnten, schätzten es selbst nicht besonders. Sie zeigten gern auf das große gelb-rote Leuchtschild oben an einem Pfosten an der Shell-Tankstelle – das »S« war kaputt, und es stand nur noch »HELL« da –, und dann sagten sie mit einer Art perversem Stolz: »Stimmt genau, da wohnen wir, in der Hölle!«

Aber ich war glücklich in Battle Mountain. Wir waren schon fast ein Jahr dort, und für mich war es mein Zuhause – das erste richtige Zuhause, das ich kannte. Dad war kurz vor der Fertigstellung seines Zyanid-Gold-Verfahrens, Brian und ich hatten die Wüste, und Maureen, die seidenweiches weißblondes Haar und eine ganze Bande imaginärer Freunde hatte, lief glücklich und ohne Windel durch die Gegend. Ich dachte, die Zeiten, in denen wir Hals über Kopf unsere sieben Sachen packten und mitten in der Nacht weiterzogen, wären vorüber.

Kurz nach meinem achten Geburtstag zogen Billy Deel und sein Dad ins Gleisviertel. Billy war drei Jahre älter als ich, groß und mager, mit rotblondem Bürstenhaar und blauen Augen. Aber er sah nicht gut aus, denn er hatte einen schiefen Kopf. Bertha Whitefoot, eine Halbindianerin, die nicht weit von uns in einem Schuppen wohnte und in ihrem umzäunten Garten an die fünfzig Hunde hielt, sagte, das käme daher, dass Billy als Baby nie von seiner Mom umgedreht worden wäre. Sie hätte ihn einfach tagaus, tagein in derselben Position liegen lassen, wodurch sich die eine Seite seines Kopfes auf der Matratze ein bisschen platt gedrückt hätte. Es fiel einem nur dann auf, wenn man ihn direkt von vorn anschaute, und das taten nicht viele Leute, weil Billy immer in Bewegung war, als hätte er Hummeln im Hintern. Seine Marlboros hatte er in seinem hochgerollten T-Shirt-Ärmel stecken, und er zündete sich seine Zigaretten mit einem Zippo-Feuerzeug an, auf dem eine nackte Frau zu sehen war, die sich gerade bückte.

Billy wohnte mit seinem Dad ein Stück weiter die Schienen hinunter in einem Haus aus Teerpappe und Wellblech. Er sprach nie von seiner Mom, und er machte unmissverständlich klar, dass keiner das Thema anschneiden sollte, deshalb erfuhr ich auch nie, ob sie davongelaufen oder gestorben war, und sein Dad hockte fast den lieben langen Tag im Owl Club herum.

Bertha Whitefoot nannte Billy irgendwann nur noch »den Teufel mit Bürstenschnitt« und »den Schrecken des Gleisviertels«. Sie behauptete, er habe ein paar von ihren Hunden angezündet und Katzen aus der Nachbarschaft das Fell abgezogen und die nackten rosa Körper an einer Wäscheleine aufgehängt, um Dörrfleisch daraus zu machen. Billy sagte, Bertha wäre ein verlogenes Miststück. Ich wusste nicht, wem ich glauben sollte. Schließlich war Billy vorbestraft. Er hatte uns erzählt, dass er mal in Reno wegen Ladendiebstahl und Beschädigung von Autos in einer Jugendstrafanstalt gesessen hatte. Kurz nachdem er ins Gleisviertel gezogen war, fing Billy an, mir nachzulaufen. Dauernd kuckte er mich an und erzählte den anderen Kindern, er wäre jetzt mein Freund und wir würden zusammen gehen.

»Nein, das stimmt nicht«, beteuerte ich oft, obwohl mir insgeheim der Gedanke gefiel, dass er sich das wünschte.

Als er schon ein paar Monate bei uns in der Nachbarschaft wohnte, sagte Billy zu mir, er wolle mir etwas richtig Lustiges zeigen.

»Falls es eine gehäutete Katze ist, will ich es nicht sehen«, sagte ich.

»Nee, so was doch nicht«, sagte er. »Es ist richtig lustig. Du lachst dich weg. Versprochen. Außer du hast Angst.«

»Warum sollte ich Angst haben?«, sagte ich.

Die lustige Sache, die Billy mir zeigen wollte, war bei ihm zu Hause, und dort war es dunkel, und es roch nach Pipi, und es war sogar noch unaufgeräumter als bei uns, aber anders. Bei uns war immer alles voll mit allem möglichen Kram: Zeitungen, Bücher, Werkzeug, Holz, Gemälde, Kunstutensilien und Statuen von der Venus von Milo, die in verschiedenen Farben bemalt waren. Bei Billy zu Hause war praktisch nichts. Keine Möbel. Nicht mal Holzspulentische. Es gab nur einen Raum mit zwei Matratzen auf dem Boden neben dem Fernseher. Es hing auch nichts an den Wänden – kein einziges Gemälde, keine Zeichnung. Eine nackte Glühbirne baumelte von der Decke, direkt neben drei oder vier Fliegenfängern, die so dick mit Fliegen bedeckt waren, dass die klebrige gelbe Oberfläche darunter nicht mehr zu sehen war. Leere Bierdosen und Whiskeyflaschen und ein paar angebrochene Wiener-Würstchen-Dosen lagen verteilt auf dem Boden herum. Auf einer Matratze schnarchte Billys Vater ungleichmäßig vor sich hin. Sein Mund stand offen, und in seinem Stoppelbart hatten sich Fliegen gesammelt. Ein nasser Fleck, der bis zu den Knien reichte, zeichnete sich dunkel auf seiner Hose ab. Der Reißverschluss war offen, und sein ekliger Penis hing seitlich heraus.

»Wo ist denn die lustige Sache?«, fragte ich.

»Hast du nicht gesehen?«, sagte Billy und zeigte auf seinen Dad. »Er hat sich vollgepinkelt!« Billy fing an zu lachen.

Ich spürte, wie mein Gesicht heiß wurde. »Man darf nicht über seinen Vater lachen«, sagte ich zu ihm. »Niemals.«

»Ach komm, tu doch nicht so fein«, sagte Billy. »Du bist auch nichts Besseres als ich. Ich weiß nämlich, dass dein Dad genauso ein Säufer ist wie meiner.«

In dem Moment hasste ich Billy aus tiefstem Herzen. Ich hätte ihm am liebsten von den binären Zahlen und dem

Schloss aus Glas und der Venus und all den Dingen erzählt, weswegen mein Dad etwas Besonderes war und ganz anders als sein Dad, aber ich wusste, dass Billy das nicht verstehen würde. Ich wollte nur noch wegrennen, aber dann blieb ich stehen und drehte mich um.

»Mein Daddy ist ganz anders als dein Daddy!«, schrie ich. »Wenn mein Daddy umkippt, bepinkelt er sich nie!«

Am selben Abend beim Essen erzählte ich den anderen von Billy Deels widerlichem Dad und von der hässlichen Hütte, in der sie wohnten.

Mom ließ ihre Gabel sinken. »Jeannette, du enttäuschst mich«, sagte sie. »Du könntest etwas mehr Mitgefühl zeigen.«

»Wieso denn?«, fragte ich. »Er ist böse. Er ist ein Verbrecher.«

»Kein Kind wird als Verbrecher geboren«, sagte Mom. Nur wer als Kind nicht geliebt wurde, so erklärte sie, laufe Gefahr, kriminell zu werden. Aus ungeliebten Kindern würden als Erwachsene Serienkiller oder Alkoholiker. Mom warf Dad einen bedeutungsvollen Blick zu, dann sah sie mich wieder an. Sie sagte, ich solle versuchen, netter zu Billy zu sein. »Er hat nicht so viele Vorteile wie ihr hier«, sagte sie.

Als ich Billy das nächste Mal sah, sagte ich ihm, dass ich mit ihm befreundet sein könnte – aber nicht mit ihm gehen wollte –, wenn er versprach, sich nicht mehr über seinen Dad lustig zu machen. Billy versprach es, wollte jedoch unbedingt mein richtiger Freund sein. Er sagte, wenn ich mit ihm gehen würde, dann würde er mich immer beschützen und dafür sorgen, dass mir nichts Schlimmes passierte, und er würde mir teure Geschenke kaufen. Aber wenn ich Nein sagte, würde mir das noch Leid tun. Ich erwiderte, wenn er nicht einfach nur mit mir befreundet sein wollte, dann eben nicht, ich hätte keine Angst vor ihm.

Etwa eine Woche später verbrannte ich mit einigen anderen Kindern aus dem Gleisviertel Abfall in einer großen, rostigen Mülltonne. Um das Feuer in Gang zu halten, warfen wir immer wieder trockenes Reisig und Stücke von alten Autoreifen hinein, und wir jubelten, wenn der Qualm, der uns in der Nase brannte, in dichten schwarzen Schwaden in die Luft stieg. Billy kam zu mir, fasste meinen Arm und zog mich von den anderen Kindern weg.

Er kramte in seiner Hosentasche und zog schließlich einen silbernen Türkisring hervor. »Der ist für dich«, sagte er.

Ich nahm den Ring und betrachtete ihn von allen Seiten. Mom hatte eine Sammlung mit indianischem Türkis- und Silberschmuck, den sie in Grandmas Haus verwahrte, damit Dad ihn nicht versetzte. Das meiste davon war schon alt und sehr wertvoll – irgendein Mann aus einem Museum in Phoenix bedrängte sie immer wieder, ihm ein paar Stücke zu verkaufen –, und wenn wir Grandma besuchten, durften Lori und ich mit Moms Erlaubnis die schweren Halsketten und Armbänder und Concha-Gürtel anlegen. Billys Ring sah genauso aus wie einer von Moms. Ich fuhr mit den Zähnen und der Zunge darüber, wie Mom es mir beigebracht hatte. Der leicht bittere Geschmack verriet mir, dass es echtes Silber war.

»Wo hast du den her?«, fragte ich.

»Der hat meiner Mom gehört«, sagte Billy.

Der Ring war wirklich schön, ein schlichter, dünner Reif mit einem ovalen, dunklen Türkis in einer Fassung aus verschlungenen Silbersträngen. Ich hatte überhaupt keinen Schmuck, und es war lange her, dass mir jemand was geschenkt hatte, abgesehen von Venus.

Ich probierte den Ring an. Er war viel zu groß für meinen Finger, aber ich konnte Garn darumwickeln, so wie die Mädchen in der Highschool das machten, wenn sie den Ring ihres Freundes trugen. Allerdings fürchtete ich, dass Billy denken könnte, ich würde jetzt mit ihm gehen, wenn ich den Ring annahm. Er würde es den anderen Kindern erzählen, und wenn ich es dann abstritt, würde er auf den Ring zeigen. Andererseits dachte ich mir, dass Mom das wahrscheinlich gut fand, weil es Billy freuen würde, wenn ich den Ring annahm. Ich entschied mich für einen Kompromiss.

»Ich behalte ihn«, sagte ich. »Aber ich werde ihn nicht tragen.«

Billy lächelte übers ganze Gesicht, und einen Moment lang vergaß ich seinen schiefen Kopf.

»Aber denk bloß nicht, dass wir jetzt miteinander gehen«, sagte ich. »Und bild dir bloß nicht ein, dass du mich küssen darfst.«

Ich erzählte keinem von dem Ring, nicht mal Brian. Tagsüber verwahrte ich ihn in der Hosentasche, und abends versteckte ich ihn ganz unten in dem Pappkarton mit meinen Anziehsachen.

Aber Billy Deel hatte nichts Besseres zu tun, als überall damit anzugeben, dass er mir den Ring geschenkt hatte, und er erzählte den anderen Kindern auch noch, wir würden heiraten, sobald wir alt genug wären. Als ich davon erfuhr, wusste ich, dass es ein Fehler gewesen war, den Ring anzunehmen. Ich wusste auch, dass ich ihn zurückgeben sollte. Aber ich tat es nicht. Ich wollte es tun, und jeden Morgen, wenn ich ihn mir in die Tasche steckte, nahm ich mir fest vor, ihn Billy zurückzugeben, aber ich brachte es nicht übers Herz. Der verflixte Ring war einfach zu schön.

Eine Woche später spielte ich mit ein paar Nachbarskindern an den Gleisen Verstecken. Ich hatte das perfekte Versteck gefunden, einen kleinen Geräteschuppen hinter einem großen Beifußbusch, wo sich noch keiner versteckt hatte. Aber noch bevor der Junge, der mit Suchen dran war, zu Ende gezählt hatte, ging die Tür auf, und es wollte noch jemand herein. Es war Billy. Dabei spielte er nicht mal mit.

»Das ist mein Versteck«, zischte ich ihm zu. »Such dir selbst eins.«

»Geht nicht mehr«, sagte er. »Der ist gleich mit Zählen fertig.«

Billy kam hereingekrochen. Der Schuppen war winzig, schon für mich allein reichte der Platz nur, wenn ich mich ganz klein machte. Ich wollte es zwar nicht zugeben, aber es machte mir Angst, Billy so nahe zu sein. »Es ist zu eng!«, wisperte ich. »Du musst raus.«

»Nein«, sagte Billy. »Das geht schon.« Er sortierte seine Beine so, dass sie gegen meine drückten, und ich konnte seinen Atem spüren.

»Es ist zu eng«, wiederholte ich.

Er tat so, als hätte er mich nicht gehört. »Du weißt doch, was sie im Green Lantern machen, oder?«

Ich konnte die gedämpften Rufe der anderen Kinder hören, die von dem Jungen, der dran war, gejagt wurden. Hätte ich mir bloß nicht so ein tolles Versteck ausgesucht. »Klar«, sagte ich.

»Was denn?«

»Die Frauen sind nett zu den Männern.«

»Ja, aber was machen sie genau?« Er wartete. »Siehst du, du weißt es nicht.«

»Weiß ich doch«, sagte ich.

»Soll ich's dir verraten?«

»Du sollst dir ein anderes Versteck suchen.«

»Sie fangen mit Küssen an«, sagte er. »Schon mal jemanden geküsst?«

In den schmalen Lichtstreifen, die durch die Ritzen in den Seitenwänden des Schuppens fielen, konnte ich die Schmutzringe an seinem mageren Hals sehen. »Klar. Schon oft.«

»Wen denn?«

»Meinen Dad.«

»Dein Dad zählt nicht. Einen, mit dem du nicht verwandt bist. Und du musst die Augen zuhaben. Es zählt nicht, wenn du die Augen nicht zuhast.«

Ich erwiderte, das wäre so ziemlich das Blödeste, was ich je gehört hätte. Wenn man die Augen zuhätte, könnte man ja gar nicht sehen, wen man küsste.

Billy sagte, es gäbe zwischen Männern und Frauen so einiges, was ich nicht wüsste. Er sagte, manche Männer würden Frauen mit dem Messer erstechen, während sie sie küssen, besonders, wenn die Frauen gemein wären und nicht geküsst werden wollten. Aber das, so sagte er, würde er niemals mit mir machen. Er schob sein Gesicht dicht an meins.

»Mach die Augen zu«, sagte er.

»Ich denk nicht dran«, sagte ich.

Billy quetschte sein Gesicht gegen meins, packte mich an den Haaren, zog meinen Kopf zur Seite und steckte seine Zunge in meinen Mund. Sie war schleimig und widerlich, aber als ich zurückweichen wollte, schob er sie noch tiefer hinein. Je mehr ich mich sträubte, desto fester drückte er sich gegen mich, bis er schließlich auf mir lag und ich spürte, wie seine Finger an meinen Shorts zerrten. Mit der anderen Hand machte er sich die Hose auf. Um ihn aufzuhalten, schob ich meine Hand nach unten, und als ich dort etwas berührte, wusste ich, was es war, obwohl ich noch nie einen berührt hatte.

Ich konnte ihm nicht mein Knie in den Schritt rammen, wie Dad es mir eingeschärft hatte, falls ein Mann mich angriff, weil seine Beine zwischen meinen Knien waren, also biss ich ihm ganz fest ins Ohr. Es musste wehgetan haben, denn er schrie auf und schlug mir ins Gesicht. Blut quoll mir aus der Nase.

Die anderen Kinder hörten den Lärm und kamen angerannt. Die Schuppentür ging auf, Billy und ich krabbelten raus und zupften unsere Kleidung zurecht.

»Ich hab Jeannette geküsst!«, rief Billy.

»Stimmt ja gar nicht!«, sagte ich. »Er ist ein Lügner! Wir haben uns nur gezankt, mehr nicht.«

Er war wirklich ein Lügner, sagte ich mir den Rest des Tages. Ich hatte ihn nicht richtig geküsst, oder zumindest zählte es nicht. Ich hatte die ganze Zeit die Augen aufgehabt.

Am nächsten Tag ging ich mit dem Ring zu Billy Deel nach Hause. Ich fand ihn in einem ausrangierten Auto hinter der Hütte. Der rote Lack war in der Wüstensonne ausgebleicht und hatte sich entlang der verrosteten Zierleisten orange verfärbt. Die Reifen waren schon lange platt, und das schwarze Stoffdach war verschlissen. Billy saß auf dem Fahrersitz, machte brummende Motorgeräusche und tat so, als betätigte er einen imaginären Schaltknüppel.

Ich stellte mich daneben und wartete einen Moment darauf, dass er mich zur Kenntnis nahm. Er tat es nicht, deshalb sprach ich als Erste. »Ich will nicht deine Freundin sein«, sagte ich. »Und deinen Ring will ich auch nicht mehr.«

»Mir egal«, sagte er. »Ich will ihn auch nicht.« Er starrte stur geradeaus durch die gesprungene Windschutzscheibe. Ich schob den Arm durch das offene Fenster, ließ den Ring in seinen Schoß fallen, drehte mich um und ging. Ich hörte, wie sich hinter mir die Autotür mit einem Klicken öffnete und wieder zufiel. Ich ging weiter. Dann spürte ich einen spitzen Schmerz am Hinterkopf, als ob mich ein kleiner Stein getroffen hätte. Billy hatte mir den Ring hinterhergeworfen. Ich ging trotzdem weiter.

»Weißt du was?«, brüllte Billy. »Ich hab dich vergewaltigt.«

Ich drehte mich um und sah ihn neben dem Auto stehen. Er wirkte gekränkt und wütend, aber nicht so groß wie sonst. Ich suchte nach einer passenden Antwort, aber da ich nicht wusste, was »vergewaltigen« bedeutete, fiel mir bloß ein: »Na und?«

Zu Hause schlug ich das Wort »vergewaltigen« nach. Dann schlug ich die Wörter nach, mit denen es erklärt wurde, verstand die Bedeutung aber noch immer nicht richtig, nur dass es nichts Gutes war. Normalerweise fragte ich Dad, wenn ich ein Wort nicht verstand, und wir lasen uns dann die Definition durch und sprachen darüber. Diesmal tat ich das nicht. Ich hatte so das Gefühl, dass es Probleme geben würde.

Am nächsten Tag waren Lori, Brian und ich zu Hause. Wir saßen an einem der Spulentische, spielten Poker und passten auf Maureen auf, während Mom und Dad sich ein bisschen im Owl Club amüsierten. Wir hörten, wie Billy Deel draußen meinen Namen rief. Lori sah mich an, und ich schüttelte den Kopf. Wir wandten uns wieder unseren Karten zu, doch Billy schrie immer wieder, sodass Lori schließlich auf die Veranda ging, den ehemaligen Bahnsteig, wo die Leute früher in den Zug gestiegen waren, und Billy aufforderte zu verschwinden. Sie kam wieder rein und sagte: »Er hat ein Gewehr.«

Lori nahm Maureen auf den Arm. Eine Fensterscheibe zersplitterte, und Billy erschien im Fensterrahmen und schlug mit dem Gewehrkolben die restlichen Scherben heraus. Dann zielte er in den Raum.

»Das ist bloß ein Luftgewehr«, sagte Brian.

»Ich hab dir gesagt, es wird dir noch Leid tun«, sagte Billy und drückte ab. Es fühlte sich an, als hätte mich eine Wespe in die Rippen gestochen. Billy fing an, auf uns alle zu schießen, und lud vor jedem Schuss schnell durch. Er traf jeden von uns ein paar Mal, dann kippte Brian den Spulentisch um, und wir versteckten uns dahinter.

Die Kügelchen prallten mit einem Pling von der Tischplatte ab. Maureen brüllte. Ich sah Lori an. Sie war die Älteste und hatte deshalb auch die Verantwortung. Sie kaute auf der Unterlippe und überlegte. Auf einmal drückte sie mir Maureen in die Arme und rannte los, Brian sprang auf, um Billy von ihr abzulenken, aber Billy erwischte sie noch zwei Mal, dann schaffte sie es die Treppe hinauf in den ersten Stock. Als sie wieder herunterkam, hielt sie Dads Revolver in der Hand und zielte damit direkt auf Billy.

»Das ist bloß ein Spielzeug«, sagte Billy, aber seine Stimme war ein bisschen zittrig.

»Nein, der ist echt!«, rief ich. »Das ist der Revolver von meinem Dad!«

»Mir doch egal«, sagte er, »sie hat ja doch nicht die Traute zu schießen.«

»Das wirst du schon sehen«, sagte Lori.

»Na los«, sagte Billy. »Schieß doch.«

Lori war im Schießen nicht so gut wie ich, aber sie richtete die Waffe so ungefähr in Billys Richtung und drückte ab. Bei dem Knall kniff ich die Augen fest zusammen, und als ich sie wieder öffnete, war Billy verschwunden.

Wir rannten alle nach draußen, rechneten schon fast damit, Billys blutüberströmte Leiche dort liegen zu sehen, aber er hatte sich bloß unter das Fenster geduckt. Als er uns sah, flitzte er an den Gleisen entlang die Straße hinunter. Er kam ungefähr fünfzig Meter weit, dann fing er wieder an, uns mit dem Luftgewehr zu beschießen. Ich riss Lori den Revolver aus der Hand, zielte niedrig und schoss. Ich war zu aufgeregt, um die Waffe so zu halten, wie Dad es mir beigebracht hatte, und der Rückschlag kugelte mir fast die Schulter aus. Kurz vor Billy spritzte Staub auf. Er machte einen Riesensatz in die Luft und stürmte dann weiter.

Wir mussten alle lachen, aber es kam uns nur wenige Sekunden lustig vor, dann standen wir einfach nur da und starrten uns schweigend an. Ich merkte, dass meine Hand so heftig zitterte, dass ich den Revolver kaum noch halten konnte.

Kurz darauf hielt ein Streifenwagen vor dem Bahnhof, und Mom und Dad stiegen aus. Ihre Gesichter waren ernst. Außerdem stieg ein Officer aus und kam mit ihnen zusammen zur Haustür. Wir Kinder saßen auf den Bänken und hatten eine höfliche, respektvolle Miene aufgesetzt. Der Officer sah uns nacheinander an, als würde er uns zählen. Ich faltete die Hände im Schoß, damit er sah, wie gut erzogen ich war.

Dad hockte sich vor uns hin, ein Knie auf dem Boden, die Hände über dem anderen Knie gefaltet, wie ein Cowboy. »Also, was war hier los?«, fragte er.

»Es war Notwehr«, erklärte ich. Dad hatte immer gesagt, Notwehr sei ein berechtigter Grund, auf jemanden zu schießen.

»Verstehe«, sagte Dad.

Der Polizist sagte, ein paar Nachbarn hätten gemeldet, dass Kinder mit Waffen aufeinander schossen, und er wollte wissen, was passiert war. Wir erzählten, dass Billy angefangen hatte, dass wir provoziert worden waren und uns nur verteidigt und noch nicht mal richtig gezielt hatten, aber die Einzelheiten interessierten ihn nicht. Er sagte Dad, dass die ganze Familie am nächsten Morgen vor Gericht erscheinen müsse. Billy Deel und sein Vater würden auch da sein. Der Richter würde der Sache auf den Grund gehen und über entsprechende Maßnahmen entscheiden.

»Werden wir weggeschickt?«, fragte Brian den Officer.

»Das muss der Richter entscheiden«, sagte der.

Am Abend flüsterten Mom und Dad oben lange miteinander, während wir Kinder in unseren Kartons lagen. Schließlich kamen sie mitten in der Nacht herunter, und ihre Gesichter waren noch immer ernst.

»Wir fahren nach Phoenix«, sagte Dad.

»Wann?«, fragte ich.

»Heute Nacht.«

Dad erlaubte jedem von uns, ein Teil mit nach Phoenix zu nehmen. Ich rannte mit einer Papiertüte nach draußen, um meine Lieblingssteine einzupacken. Als ich zurückkam, schob ich meine Hand unter die schwere Tüte, damit sie nicht riss. Dad und Brian stritten sich wegen des Halloween-Kürbisses aus Plastik mit den grünen Plastiksoldaten drin, den Brian mitnehmen wollte.

»Du willst Spielsachen mitnehmen?«, fragte Dad.

»Du hast gesagt, dass ich ein Teil mitnehmen darf, und das ist mein Teil«, sagte Brian.

»Das hier ist mein Teil«, sagte ich und hielt die Tüte hoch. Lori, die den *Zauberer von Oz* mitnehmen wollte, wandte ein, dass eine Steinsammlung nicht ein Teil, sondern viele Teile wäre, so, als würde sie eine ganze Büchersammlung mitnehmen. Ich wies darauf hin, dass Brians Soldaten auch eine Sammlung waren. »Und außerdem ist es gar nicht die ganze Sammlung«, widersprach ich. »Bloß die besten Steine.«

Obwohl Dad normalerweise gern über solche Dinge redete wie, ob eine Tüte mit Sachen ein Teil ist, war er diesmal nicht in der richtigen Stimmung, und er sagte zu mir, die Steine wären zu schwer. »Du kannst einen mitnehmen«, sagte Dad.

»In Phoenix gibt es ganz viele Steine«, fügte Mom hinzu.

Ich suchte mir eine Geode aus, die innen mit winzigen weißen Kristallen überzuckert war, und hielt sie mit beiden Händen fest. Als wir losfuhren, schaute ich durch das Rückfenster, um einen letzten Blick vom Bahnhof zu erhaschen. Dad hatte das Licht im ersten Stock brennen lassen, und das kleine Fenster leuchtete. Ich dachte an all die anderen Familien von Bergleuten und Goldsuchern, die in der Hoffnung, Gold zu finden, nach Battle Mountain gekommen waren, und wie wir die Stadt verlassen mussten, als das Glück sie im Stich ließ. Dad sagte, er glaubte nicht an Glück, aber ich glaubte daran. In Battle Mountain hatten wir eine Glückssträhne gehabt, und ich hätte mir gewünscht, sie hätte etwas länger angehalten.

Wir kamen am Green Lantern vorbei, wo die Weihnachtslämpchen über der Tür blinkten, und am Owl Club mit der blinzelnden Neoneule unter der Kochmütze, und dann waren wir draußen in der Wüste, und die Lichter von Battle Mountain verschwanden hinter uns. In der pechschwarzen Nacht gab es nichts zu sehen außer der Straße vor uns, die von den Scheinwerfern erhellt wurde.

Das grosse weisse Haus von Grandma Smith hatte hohe Verandatüren, grüne Fensterläden und war von Eukalyptusbäumen umstanden. Drinnen gab es Perserteppiche und einen riesigen Flügel, der regelrecht tanzte, wenn Grandma auf ihm ihre Kneipenmusik in die Tasten schlug. Immer wenn wir bei Grandma Smith wohnten, ging sie mit mir in ihr Schlafzimmer und setzte mich vor den Frisiertisch, auf dem eine Unmenge kleiner pastellfarbener Parfümfläschchen und Puderdosen stand. Während ich die Fläschchen öffnete und daran roch, versuchte sie sich mit ihrem langen Metallkamm durch meine Haare zu arbeiten. Dabei fluchte sie gepresst, weil es so verfilzt war. »Kämmt dir deine stinkfaule Mutter denn nie die Haare?«, fragte sie einmal. Ich erklärte ihr, dass Mom der Überzeugung sei, Kinder sollten sich allein um ihre Körperpflege kümmern. Grandma sagte, mein Haar wäre ohnehin zu lang. Sie stülpte mir eine Schüssel über den Kopf, schnitt alle Haare ab, die darunter hervorschauten, und sagte dann, ich sähe aus wie ein »Flapper«, wie die wilden Frauen der zwanziger Jahre.

Genau wie Grandma früher. Bevor sie Grandpa heiratete, war sie ein Flapper. Als sie dann zwei Kinder bekommen hatte, Mom und Onkel Jim, wurde sie Lehrerin, weil sie die Erziehung der Kinder niemand anders anvertrauen wollte. Sie unterrichtete an einer Zwergschule in einem Ort namens Yampi. Mom war todunglücklich darüber, die Tochter der Lehrerin zu sein. Sie war auch todunglücklich darüber, dass ihre Mutter dauernd an ihr herumkritisierte, sowohl zu Hause als auch in der Schule. Grandma Smith hatte ganz klare Vorstellungen, wie etwas getan werden musste – wie man sich anzog, wie man redete, wie man seine Zeit einteilte, wie man kochte und den Haushalt machte, wie man seine Finanzen regelte –, und sie und Mom bekämpften einander von Anfang an. Mom fand, dass Grandma Smith an ihr herumnörgelte und sie schikanierte, die Regeln festlegte und die Strafen für Verstöße gegen diese Regeln bestimmte. Es machte Mom wahnsinnig, wie sie sagte, und es war der Grund, warum sie für uns nie irgendwelche Regeln festlegte.

Aber ich liebte Grandma Smith. Sie war eine große, ledrige, breitschultrige Frau mit grünen Augen und kräftigem Kinn. Sie sagte mir, ich wäre ihre Lieblingsenkelin und dass aus mir mal etwas ganz Besonderes werden würde. Ich mochte sogar all ihre Regeln. Es gefiel mir, wenn sie uns jeden Morgen bei Sonnenaufgang mit dem Ruf »Raus aus den Federn, alle Mann!« weckte und darauf bestand, dass wir uns vor dem Frühstück die Hände wuschen und uns kämmten. Sie kochte uns Grießbrei mit richtiger Butter und überwachte, wie wir den Tisch abräumten und den Abwasch machten. Hinterher kaufte sie für uns alle neue Sachen zum Anziehen und ging mit uns ins Kino, in Filme wie *Mary Poppins*.

Jetzt, auf dem Weg nach Phoenix, stand ich hinten im Auto und lehnte mich zwischen die Vordersitze, wo Mom und Dad saßen.

»Fahren wir zu Grandma?«, fragte ich.

»Nein«, sagte Mom. Sie schaute einen Moment aus dem Fenster, aber ohne etwas Bestimmtes anzusehen. Dann sagte sie: »Grandma ist tot.«

»Was?«, fragte ich. Ich hatte sie verstanden, aber ich war so verdattert, dass ich meinte, mich verhört zu haben.

Mom wiederholte den Satz, wobei sie noch immer zum Fenster hinausblickte. Ich schaute nach hinten zu Lori und Brian, aber die beiden schliefen. Dad rauchte, die Augen auf die Straße gerichtet. Ich konnte einfach nicht glauben, dass ich hier gesessen und an Grandma Smith gedacht hatte, an ihren Grießbrei und daran, wie sie mir schimpfend die Haare gekämmt hatte, und dabei war sie die ganze Zeit über schon tot gewesen. Ich schlug Mom auf die Schulter, richtig fest, und fragte immer wieder, warum sie uns nichts gesagt hatte. Schließlich hielt Dad meine Fäuste mit der freien Hand fest, in der anderen die Zigarette und das Lenkrad, und sagte: »Das reicht jetzt, Bergziege.«

Mom schien verblüfft, dass ich so aufgewühlt war.

»Wieso habt ihr uns nichts gesagt?«, fragte ich.

»Was hätte das geändert?«, sagte sie.

»Woran ist sie gestorben?« Grandma war erst Mitte sechzig, und in ihrer Familie wurden die meisten fast hundert Jahre alt.

Die Ärzte hatten gesagt, sie sei an Leukämie gestorben, aber Mom glaubte, dass sie in Wirklichkeit radioaktiv vergiftet worden war. Die Regierung ließ dauernd Atombomben in der Wüste nicht weit von der Ranch testen, sagte Mom, und sie und ihr Bruder waren früher oft mit einem Geigerzähler losgezogen und hatten Steine gesucht, die tickten. Sie verwahrten sie im Keller und machten Schmuck für Grandma daraus.

»Es gibt keinen Grund zu trauern«, sagte Mom. »Irgendwann müssen wir alle gehen, und Grandma hat ein längeres und erfüllteres Leben gehabt als die meisten.« Sie hielt inne. »Und wir haben jetzt ein Zuhause.«

Mom erklärte, dass Grandma Smith zwei Häuser besessen hatte, das, in dem sie wohnte, mit den grünen Fensterläden und den hohen Verandatüren, und ein älteres Adobe-Haus mitten in Phoenix. Da Mom das ältere der beiden Kinder war, hatte Grandma Smith sie gefragt, welches Haus sie erben wollte. Das Haus mit den grünen Fensterläden war mehr wert, aber Mom entschied sich für das Adobe-Haus. Es lag in der Nähe des Geschäftsviertels von Phoenix und war in Moms Augen ideal, um darin eine Kunstgalerie zu eröffnen. Außerdem hatte sie von Grandma Smith noch etwas Geld geerbt, sagte sie, sodass sie mit dem Unterrichten aufhören und sich nach Herzenslust mit Malutensilien eindecken konnte.

Sie hatte schon seit Grandmas Tod vor einigen Monaten mit dem Gedanken gespielt, nach Phoenix zu ziehen, fügte sie hinzu, doch Dad hatte aus Battle Mountain nicht wegge- wollt, weil er angeblich ganz dicht vor einem Durchbruch mit seinem Zyanidschwemmverfahren stand.

»Das stimmt auch«, sagte Dad.

Mom stieß ein kurzes, schnaubendes Lachen aus. »Des- halb war der Ärger, den ihr Kinder mit Billy Deel hattet, im Grunde ein Segen«, sagte sie. »In Phoenix werde ich als Künstlerin den Durchbruch schaffen. Das habe ich im Ge- fühl.« Sie drehte sich um und sah mich an. »Wir brechen zu einem neuen Abenteuer auf, Jeannettielein. Ist das nicht herrlich?« Moms Augen strahlten. »Ich könnte platzen vor Aufregung.«

ALS WIR VOR DEM HAUS auf der North Third Street hielten, konnte ich es nicht fassen, dass wir tatsächlich hier leben würden. Es war eine richtige Villa, so groß, dass Grandma Smith es an zwei Familien gleichzeitig vermietet hatte. Wir hatten jetzt das ganze Haus für uns. Mom sagte, es wäre vor fast hundert Jahren als Fort gebaut worden. Die weißen verputzten Außenmauern mit den eingebetteten winzigen Stückchen Glimmer, die in der Sonne funkelten, waren fast einen Meter dick. »Da kam todsicher kein Indianerpfeil durch«, sagte ich zu Brian.

Wir Kinder rannten durchs Haus und zählten vierzehn Räume, wenn man die Küchen und Bäder mitrechnete. Sie waren voll mit den Sachen, die Mom von Grandma Smith geerbt hatte: einem dunklen spanischen Esstisch mit acht passenden Stühlen, einem Klavier mit Schnitzereien, Anrichten mit silbernen Servierbestecken und Glasschränken mit Grandmas feinstem Porzellan, dessen erlesene Qualität Mom uns demonstrierte, indem sie einen Teller gegen das Licht hielt und uns die deutlich durchschimmernde Silhouette ihrer Hand zeigte.

Im Vorgarten stand eine Palme, und hinterm Haus wuchsen Orangenbäume mit richtigen Orangen dran. Wir hatten noch nie in einem Haus mit Bäumen gewohnt. Die Palme mochte ich besonders, weil sie mir das Gefühl gab, in einer Art Oase angekommen zu sein. Es gab auch Stockrosen und Oleanderbüsche mit rosa und weißen Blüten. Am Ende des Gartens stand ein Schuppen, der so groß war wie manche der Häuser, in denen wir gelebt hatten, und neben dem Schuppen war ein Parkplatz, auf den zwei Autos passten. Es ging eindeutig bergauf mit uns.

Die Menschen, die an der North Third Street lebten, waren überwiegend Mexikaner und Indianer, die sich hier angesiedelt hatten, nachdem die Weißen in die Vorstädte gezogen waren und die großen alten Villen in Apartmenthäuser umgebaut hatten. In jedem dieser Häuser wohnten unglaublich viele Menschen: Männer, die Bier aus in Papiertüten versteckten Flaschen tranken, junge Mütter, die ihre Babys stillten, alte Ladys, die sich auf schiefen, verwitterten Veranden sonnten, und Scharen von Kindern.

Alle Kinder aus dieser Gegend gingen auf die katholische Schule der St.-Mary's-Kirche, etwa fünf Querstraßen weiter. Mom meinte jedoch, Nonnen wären Spielverderber, die einem glatt den Spaß an der Religion vermiesen konnten. Sie wollte uns auf eine staatliche Schule namens Emerson schicken. Wir wohnten zwar außerhalb des Einzugsbereichs, aber Mom beschwatzte den Schulleiter so lange, bis er schließlich nachgab und uns aufnahm.

Der Schulbus kam nicht bei uns vorbei, und zur Schule war es ein ordentliches Stück zu Fuß, aber das machte uns nichts aus. Emerson lag in einer schicken Gegend, wo die Straßen von Eukalyptusbäumen beschattet wurden, und das Schulgebäude mit dem roten Terracottadach sah aus wie eine spanische Hazienda. Drum herum standen Palmen und Bananenbäume, und zwei Mal im Jahr, wenn die Bananen reif waren, bekamen alle Schüler zum Lunch welche umsonst. Der Pausenhof von Emerson hatte keinen Asphalt- oder Sandboden, sondern war mit sattem grünem Gras bedeckt, das von einer Sprinkleranlage bewässert wurde, und mit allem ausgestattet, was das Herz begehrte: Wippen, Schaukeln, einem Karussell, einem Klettergerüst, einem Völkerballfeld und einer Laufbahn.

Miss Shaw, die Lehrerin der dritten Klasse, in die ich ging, hatte stahlgraues Haar, eine ovale Brille und einen strengen Mund. Als ich ihr sagte, dass ich alle Bücher von Laura Ingalls Wilder gelesen hatte, zog sie skeptisch die Augenbrauen hoch, aber nachdem ich ihr aus einem vorgelesen hatte, steckte sie mich in die Lesegruppe für besonders begabte Kinder.

Auch Lori und Brian wurden von ihren Lehrerinnen in die Begabtengruppe versetzt. Brian passte das gar nicht, weil die anderen Kinder alle älter waren und er auf einmal der Kleinste in der Klasse war, aber Lori und ich waren insgeheim begeistert, als etwas Besonderes behandelt zu werden. Aber statt zuzugeben, dass wir uns freuten, spielten wir es herunter. Als wir Mom und Dad von unseren Lesegruppen erzählten, machten wir vor dem Wort »begabt« eine Kunstpause, verschränkten die Hände unterm Kinn, klimperten mit den Wimpern und setzten eine brave Miene auf.

»Macht euch nicht darüber lustig«, sagte Dad. »Natürlich seid ihr was Besonderes. Das hab ich doch schon immer gesagt.«

Brian warf Dad einen schrägen Blick zu. »Wenn wir so was Besonderes sind«, sagte er langsam, »warum hast du dann …« Er sprach den Satz nicht zu Ende.

»Was denn?«, fragte Dad. »Was?«

Brian schüttelte den Kopf. »Nichts«, sagte er.

Emerson hatte sogar eine eigene Krankenschwester, die mit uns dreien einen Seh- und Hörtest machte, die ersten in unserem Leben. Ich bestand die Tests mit Spitzenergebnissen – »Adleraugen und Elefantenohren«, sagte die Krankenschwester –, aber Lori hatte Probleme beim Sehtest. Die Schwester stellte bei ihr eine starke Kurzsichtigkeit fest und teilte Mom schriftlich mit, dass Lori eine Brille brauche.

»Kommt nicht in Frage«, sagte Mom. Sie hielt nämlich nichts von Brillen. Wer schwache Augen hatte, musste sie ihrer Meinung nach trainieren, damit sie besser wurden. Für sie waren Brillen das Gleiche wie Krücken. Sie verhinderten, dass Menschen mit schlechten Augen lernten, die Welt ohne fremde Hilfe zu sehen. Jahrelang hätte man sie dazu bringen wollen, eine Brille zu tragen, und sie hätte sich standhaft geweigert. Aber die Krankenschwester schickte noch einen

Brief, in dem sie schrieb, dass Lori die Emerson-Schule nur besuchen dürfe, wenn sie eine Brille trug, und dass die Schule die Kosten übernehmen würde, also gab Mom nach.

Als die Brille fertig war, gingen wir alle zusammen zum Optiker. Die Gläser waren so dick, dass Loris Augen dahinter viel zu groß aussahen, wie die Glubschaugen eines Fisches. Sie bewegte unablässig den Kopf hin und her und rauf und runter.

»Was hast du?«, fragte ich. Anstatt zu antworten, rannte Lori nach draußen. Ich hinterher. Sie stand auf dem Parkplatz und starrte ehrfürchtig die Bäume, die Wohnhäuser und die Bürogebäude dahinter an.

»Siehst du den Baum da?«, sagte sie und deutete auf eine Platane in etwa dreißig Meter Entfernung. Ich nickte.

»Ich kann aber nicht nur den Baum sehen, ich kann sogar die einzelnen Blätter sehen.« Sie schaute mich triumphierend an. »Kannst du das auch?«, fragte sie.

Ich nickte.

Sie schien mir nicht zu glauben. »Die einzelnen Blätter? Ich meine, nicht bloß die Äste, sondern jedes kleine Blättchen?«

Ich nickte. Lori blickte mich einen Moment lang an und brach dann in Tränen aus.

Auf dem Nachhauseweg nahm Lori ständig all die Dinge zum ersten Mal wahr, die von den meisten Menschen schon nicht mehr registriert wurden, weil sie sie tagtäglich sahen. Sie las Straßenschilder und Reklametafeln vor. Sie freute sich über die Spatzen, die auf den Telefonleitungen hockten. Wir gingen in eine Bank, und sie bestaunte das Deckengewölbe und beschrieb die achteckigen Muster.

Zu Hause wollte Lori unbedingt, dass ich ihre Brille ausprobierte. Dann wüsste ich, wie die Welt mit ihren Augen bisher ausgesehen hatte, denn mit Brille würde ich alles so unscharf sehen wie sie ohne. Ich setzte die Brille auf, und alles verschwamm zu unscharfen Klecksen und Formen. Ich machte ein paar Schritte und stieß mir das Schienbein am

Couchtisch. Da begriff ich plötzlich, warum Lori nicht so gern Streifzüge unternommen hatte wie Brian und ich. Sie hatte nichts sehen können.

Lori wollte, dass auch Mom ihre Brille ausprobierte. Mom setzte sie auf und schaute sich blinzelnd im Zimmer um. Sie studierte wortlos eines ihrer Gemälde und gab Lori dann die Brille zurück.

»Hast du besser sehen können?«, fragte ich.

»Ich würde nicht sagen, besser«, entgegnete Mom. »Ich würde sagen, anders.«

»Vielleicht solltest du auch eine tragen, Mom.«

»Mir gefällt die Welt so, wie ich sie sehe«, sagte sie.

Aber Lori war glücklich darüber, die Welt zum ersten Mal klar und deutlich sehen zu können. Sie fing an, wie besessen all die herrlichen Dinge zu malen und zu zeichnen, die sie neu entdeckte, zum Beispiel den geschwungenen Schatten, den jede einzelne Dachpfanne des Schulgebäudes auf die Dachpfanne darunter warf, oder die Wolken, die von der untergehenden Sonne unten rosa gefärbt wurden, oben dagegen, wo sie bauschig waren, dunkelrot.

Kurz nachdem Lori ihre Brille hatte, beschloss sie, Künstlerin zu werden, wie Mom.

Sobald wir uns in dem Haus auf der North Third Street eingelebt hatten, machte sich Mom voller Elan an ihre Künstlerkarriere. Vor dem Haus stellte sie ein großes weißes Schild auf, worauf sie sorgfältig mit schwarzen, goldumrandeten Lettern »R. M. Walls Art Studio« gemalt hatte. Die beiden vorderen Räume des Hauses verwandelte sie in ein Atelier und eine Galerie, und die beiden hinteren Schlafzimmer benutzte sie als Lager für ihre gesammelten Werke. Der Künstlerbedarfsladen Utrecht Art Supplies lag nur drei Häuserblocks weiter auf der North First Street, und dank des Geldes, das wir von Grandma geerbt hatten, konnten wir dort regelmäßig einkaufen. Wir brachten dicke Rollen Leinwand nach Hause, die Dad auf Holzrahmen spannte. Wir kauften auch Ölfarben, Wasserfarben, Acrylfarben, Grundierung, einen Siebdruckrahmen, Tusche, Pinsel und Schreibfedern, Kohlestifte, Pastellfarben, edles Hadernpapier für Pastellzeichnungen und sogar eine Holzpuppe mit beweglichen Gelenken, die wir Edward nannten und die, wie Mom sagte, ihr Modell stehen würde, wenn wir Kinder in der Schule waren.

Mom meinte, dass sie eine umfangreiche Kunstmotiv-Handbibliothek zusammenstellen müsse, ehe sie ernsthaft mit dem Malen anfangen könne. Sie kaufte Dutzende von großen Ordnern und stapelweise liniertes Papier. Jedes Motiv bekam einen eigenen Ordner: Hunde, Katzen, Pferde, Farmtiere, Waldtiere, Blumen, Früchte und Gemüse, Naturlandschaften, Stadtlandschaften, Männergesichter, Frauengesichter, Männerkörper, Frauenkörper und Hände, Füße, Hintern und diverse andere Körperteile. Stundenlang durchforsteten wir alte Illustrierte nach interessanten Bildern, und wenn wir eins fanden, das sich unserer Meinung nach als Motiv für ein Gemälde eignete, hielten wir es hoch, damit Mom es begutachten konnte. Mom studierte es kurz und segnete es dann entweder ab oder verwarf es. Falls das Foto den Test bestand, schnitten wir es aus, klebten es auf ein Blatt liniertes Papier und versahen die Löcher im Blatt mit selbstklebenden Lochverstärkern, damit die Seite nicht rausriss. Dann holten wir den entsprechenden Ordner, hefteten das neue Foto ein und ließen den Hebelverschluss zuklappen. Als Dank für unsere Mithilfe bei ihrer Handbibliothek erteilte Mom uns Kunstunterricht.

Mom arbeitete außerdem eifrig an ihrer Schriftstellerkarriere. Sie kaufte mehrere Schreibmaschinen – mechanische und elektrische –, damit sie Ersatz hatte, falls ihre Lieblingsmaschine kaputtging. Sie stellte sie alle in ihr Atelier. Sie verkaufte nie was von dem, was sie geschrieben hatte, aber hin und wieder bekam sie ein ermutigendes Ablehnungsschreiben, und das heftete sie an die Wand. Wenn wir Kinder aus der Schule kamen, war sie meistens im Atelier und arbeitete. Falls es still war, wussten wir, dass sie malte oder mögliche

Motive betrachtete. Falls die Schreibmaschine klapperte, wussten wir, dass sie mal wieder einen Roman, ein Gedicht, ein Theaterstück, eine Shortstory in Arbeit hatte oder an ihrer illustrierten Sammlung von Merksprüchen arbeitete – einer lautete:»Das Leben ist wie eine Schale Kirschen, in die man eine Hand voll Nüsse geworfen hat« –, die den Titel trug:»Die Lebensweisheiten der R. M. Walls«.

Dad trat der Elektrikergewerkschaft von Phoenix bei. Die Stadt sei im Aufschwung, erklärte er uns, und er fand rasch einen Job. Wenn er morgens aus dem Haus ging, trug er einen gelben Schutzhelm und schwere Stahlkappenschuhe, und ich fand, dass er darin besonders gut aussah. Mit Hilfe der Gewerkschaft verdiente er regelmäßiger Geld als je zuvor, und an seinem ersten Zahltag kam er nach Hause und rief uns alle ins Wohnzimmer. Wir Kinder hätten unsere Spielsachen im Vorgarten liegen lassen, verkündete er.

»Nein, haben wir nicht«, sagte ich.

»Ich glaube doch«, sagte er. »Geht raus und seht nach.«

Wir rannten nach draußen. Und da standen in einer Reihe nebeneinander drei funkelnagelneue Fahrräder – ein großes rotes und zwei kleinere, ein blaues Jungenrad und ein lila Mädchenrad.

Zuerst dachte ich, irgendwelche Kinder hätten sie dort stehen gelassen. Und als Lori sagte, Dad hätte sie offensichtlich für uns gekauft, glaubte ich ihr nicht. Wir hatten noch nie Fahrräder gehabt – Fahrradfahren hatten wir auf den Rädern anderer Kinder gelernt –, und mir wäre nie in den Sinn gekommen, dass ich selbst mal eins besitzen könnte. Schon gar kein neues.

Ich drehte mich um. Dad stand an der Tür, die Arme verschränkt und ein hintersinniges Grinsen im Gesicht. »Die Fahrräder sind doch nicht für uns, oder?«, fragte ich.

»Na, für eure Mutter und mich sind sie ja wohl zu klein«, sagte er.

Lori und Brian stiegen auf ihre Räder und fuhren auf dem Bürgersteig hin und her. Ich starrte meins an. Es war glänzend lila und hatte einen weißen Bananensattel, rechts und links einen Drahtkorb, einen geschwungenen Chromlenker in der Form von Kuhhörnern, an dem weiße Plastikgriffe mit silbernen Quasten waren. Dad kniete sich neben mich. »Gefällt's dir?«, fragte er.

Ich nickte.

»Ach, weißt du, Bergziege, es tut mir noch immer Leid, dass ich dich gezwungen habe, deine Steinsammlung in Battle Mountain zu lassen«, sagte er, »aber wir konnten einfach nicht viel mitnehmen.«

»Weiß ich doch«, sagte ich. »Außerdem war es sowieso mehr als ein Teil.«

»Da bin ich mir nicht so sicher«, sagte Dad. »Jedes dämliche Teil im Universum lässt sich in kleinere Teile unterteilen, sogar Atome, sogar Protonen, deshalb hast du wahrscheinlich rein theoretisch Recht gehabt. Eine Sammlung von Teilen sollte als ein Teil betrachtet werden. Aber leider setzt sich die Theorie nicht immer durch.«

Wir fuhren mit unseren Fahrrädern überallhin. Manchmal befestigten wir Spielkarten mit Wäscheklammern an der Gabel, und wenn die Räder sich drehten, klatschten die Karten laut gegen die Speichen. Jetzt, wo Lori sehen konnte, war sie unsere Navigatorin. Sie besorgte an einer Tankstelle einen Stadtplan und legte im Voraus unsere Routen fest. Wir radelten am Westward Ho Hotel vorbei, die Central Avenue hinunter, wo Indianerinnen mit kantigen Gesichtern auf regenbogenfarbenen Umhängen, die sie auf dem Bürgersteig ausgebreitet hatten, Perlenhalsbänder und Mokassins verkauften. Wir radelten zu Woolworth's, das größer war als sämtliche Geschäfte in Battle Mountain zusammengenommen, und spielten zwischen den Regalen Fangen, bis uns der Geschäftsführer verscheuchte. Wir kramten Grandma Smith' alte Holztennisschläger hervor und radelten zur Phoenix University, wo wir versuchten, mit den alten Bällen, die andere liegen gelassen hatten, Tennis zu spielen. Wir radelten zum Civic Center, wo es eine Bücherei gab, in der uns die Bibliothekarinnen schon kannten, weil wir so oft kamen. Sie empfahlen uns Bücher, und wir verstauten sie in den Drahtkörben an unseren Rädern und fuhren dann mitten auf dem Bürgersteig nach Hause, als würde uns die Welt gehören.

Da Mom und Dad nun so viel Geld hatten, bekamen wir auch ein Telefon. Wir hatten noch nie ein Telefon gehabt, und immer wenn es klingelte, rasten wir Kinder alle hin. Wer von uns als Erster da war, hob ab und sagte mit einem hochnäsigen englischen Akzent: »Villa Walls, der Butler am Apparat, was kann ich für Sie tun?«, während wir anderen uns im Hintergrund vor Lachen bogen.

Wir hatten auch einen großen Plattenspieler in einem Holzschrank, der Grandma gehört hatte. Man konnte einen ganzen Stapel Schallplatten auflegen, und wenn eine abgespielt war, schwang der Tonarm automatisch nach außen, und die nächste Scheibe fiel mit einem fröhlichen Platsch nach unten. Mom und Dad liebten Musik, vor allem schwungvolle Stücke, bei denen man Lust kriegte, zu tanzen oder wenigstens mit dem Kopf oder dem Fuß zu wippen. Mom stöberte gern in Trödelläden herum und brachte dann alte LPs mit Polkamusik, Spirituals, deutschen Märschen, italienischen Opern und Western-Songs mit nach Hause. Sie kaufte auch Kartons mit gebrauchten Pumps, die sie als ihre Tanzschuhe bezeichnete. Manchmal schlüpfte sie in ein Paar Tanzschuhe, legte einen Stapel Schallplatten auf und drehte die Lautstärke hoch. Wenn Dad da war, tanzte er mit ihr, ansonsten tanzte sie allein, Walzer oder Jitterbug oder den Texas Two-Step, von Zimmer zu Zimmer, während die Klänge von Mario Lanza oder Humtata-Tubas durchs Haus schallten oder irgendein wehmütiger Cowboy »The Streets of Laredo« sang.

Mom und Dad kauften auch eine Waschmaschine, die wir draußen auf die Terrasse stellten. Sie sah aus wie eine weiße Emailwanne auf Beinen und wurde mit Wasser aus dem Gartenschlauch gefüllt. Ein großer Rührarm drehte sich hin und her und ließ die ganze Maschine über die Zementterrasse tänzeln. Es gab keine Waschgänge. Man wartete einfach ab, bis das Wasser schmutzig wurde, dann kam die Wäsche in die Wringmaschine – zwei von einem Motor gedrehte Gummiwalzen über der Wanne. Zum Ausspülen der Wäsche wiederholte man den Vorgang ohne Waschpulver und ließ das Wasser anschließend in den Garten laufen, damit das Gras besser wuchs.

Trotz unserer wunderbaren Geräte war das Leben in Phoenix nicht nur purer Luxus. Wir hatten Unmengen von Kakerlaken im Haus, große, kräftige Biester mit glänzenden Flügeln. Zu Anfang waren es nur ein paar, aber da Mom es mit dem Saubermachen nicht so genau nahm, waren sie fruchtbar und mehrten sich. Nach einer Weile huschten ganze Armeen von ihnen über die Wände und den Boden und die Arbeitsplatten in der Küche. In Battle Mountain hatten wir Eidechsen gehabt, die die Fliegen fraßen, und Katzen, die die Eidechsen fraßen. Uns fiel kein Tier ein, das gern Kakerlaken fraß, deshalb schlug ich vor, Kakerlakenspray zu kaufen, wie all unsere Nachbarn auch, aber Mom war gegen chemische Kriegsführung. Das war das Gleiche wie mit den Insektenabwehrstreifen, sagte sie, am Ende vergiftete man sich damit auch selbst.

Mom hielt den Nahkampf für die beste Taktik. Abends richteten wir in der Küche Kakerlakenmassaker an, denn dann kamen sie massenweise aus ihren Verstecken. Wir bewaffneten uns mit aufgerollten Illustrierten oder mit Schuhen – ich war zwar erst neun, hatte aber schon Größe 40, weshalb Brian meine Schuhe »Kakerlakenkiller« nannte – und schlichen in die Küche. Mom knipste das Licht an, und wir Kinder gingen zum Sturmangriff über. Man musste nicht mal zielen. Wir hatten so viele Kakerlaken, dass man mit jedem Schlag auf eine glatte Fläche ganz sicher ein paar erwischte.

Im Haus gab es außerdem Termiten. Das stellten wir einige Monate nach unserem Einzug fest, als Lori mit dem Fuß durch den porösen Holzboden im Wohnzimmer brach. Dad nahm das ganze Haus unter die Lupe und kam zu dem

Schluss, dass wir gegen den Termitenbefall nichts mehr ausrichten konnten, er war schon zu weit fortgeschritten. Wir würden uns mit den Viechern abfinden müssen. Also gingen wir einfach um das Loch im Wohnzimmerboden herum.

Aber das Holz war schon überall angefressen. Immer wieder traten wir auf morsche Stellen in den Dielenbrettern, brachen durch und hinterließen neue Löcher. »Der verdammte Boden sieht ja allmählich aus wie ein Schweizer Käse«, sagte Dad eines Tages. Er bat mich, ihm seine Drahtschere, einen Hammer und ein paar Nägel zu holen. Er leerte die Bierdose, die er gerade trank, schnitt sie mit der Drahtschere auf, hämmerte sie platt und nagelte sie über das Loch. Er brauchte mehr Abdeckmaterial, sagte er, und deshalb musste er sich ein neues Sechserpack Bier besorgen. Jedes Mal, wenn er ein Bier gekippt hatte, reparierte er mit der leeren Dose eins von den Löchern. Und immer wenn sich ein neues Loch auftat, holte er seinen Hammer, trank ein Bier und flickte die Stelle.

VIELE VON UNSEREN NACHBARN auf der North Third Street waren irgendwie seltsam. Eine Querstraße weiter wohnte ein Zigeunerclan in einem großen, baufälligen Haus, dessen Veranda mit Sperrholz vernagelt war, um noch mehr Wohnraum zu schaffen. Die beklauten uns am laufenden Band, und einmal, nachdem Brians Pogostab verschwunden war, sah er eine alte Zigeunerin damit über den Bürgersteig hüpfen. Sie wollte ihn nicht zurückgeben, und Mom bekam deshalb mächtig Streit mit dem Oberhaupt des Clans. Am nächsten Tag fanden wir ein Huhn mit durchgeschnittener Kehle vor unserer Tür. Es war irgendeine Zigeunerhexerei. Mom beschloss, Zauberei mit Zauberei zu bekämpfen. Sie nahm einen Schinkenknochen aus dem Bohnentopf, ging zum Haus der Zigeuner und fuchtelte damit in der Luft herum. Sie blieb auf dem Bürgersteig stehen, hielt den Knochen hoch wie ein Kruzifix bei einer Teufelsaustreibung und verfluchte den gesamten Zigeunerclan mitsamt seinem Haus. Sie schwor, dass es ihnen über dem Kopf zusammenbrechen würde und dass sich das Innerste der Erde auftun und sie für alle Zeit verschlingen würde, wenn sie uns je wieder belästigten. Am nächsten Morgen lag Brians Pogostab bei uns im Vorgarten.

In unserer Nachbarschaft lebten auch ein paar Perverse. Die meisten von ihnen waren heruntergekommene, gebeugte Männer mit süßlichen Stimmen, die an den Straßenecken herumlungerten und uns auf dem Schul- und Nachhauseweg folgten, die uns Hilfestellung geben wollten, wenn wir über Zäune kletterten, die uns Süßigkeiten und Kleingeld anboten, wenn wir mitkämen und mit ihnen spielten. Wir nannten sie Fieslinge und brüllten sie an, sie sollten uns in Ruhe lassen, aber manchmal hatte ich Angst, ihre Gefühle zu verletzen, weil ich mich unwillkürlich fragte, ob sie vielleicht doch die Wahrheit sagten und tatsächlich bloß unsere Freunde sein wollten.

Nachts ließen Mom und Dad immer die Haustür und die Hintertür und sämtliche Fenster offen stehen. Da wir keine Klimaanlage hatten, so erklärten sie, müssten wir die Luft zirkulieren lassen. Ab und zu kam nachts ein Obdachloser oder Betrunkener zur Vordertür hereinspaziert, weil er glaubte, das Haus stünde leer. Wenn wir morgens aufwachten, entdeckten wir sie dann schlafend in einem der Wohnzimmer. Sobald wir sie weckten, schlurften sie kleinlaut davon, und Mom versicherte uns immer, sie wären bloß harmlose Trinker.

Maureen war vier Jahre alt und hatte furchtbare Angst vor bösen Männern. Sie träumte regelmäßig, dass Eindringlinge mit Halloween-Masken durch die offenen Türen kamen, um uns zu holen. Und eines Nachts, als ich fast zehn war, wurde ich davon wach, dass jemand mich zwischen den Beinen streichelte. Zuerst war ich unsicher. Lori und ich schliefen im selben Bett, und ich dachte, dass sie sich vielleicht im Schlaf bewegte. Müde stieß ich die Hand weg.

»Ich will nur ein bisschen mit dir spielen«, sagte eine Männerstimme.

Ich erkannte die Stimme. Sie gehörte einem hageren Kerl mit eingefallenen Wangen, der sich in letzter Zeit öfters auf der North Third Street herumgetrieben hatte. Einmal hatte er uns von der Schule nach Hause begleiten wollen, und er hatte Brian ein Heft geschenkt, das *Farmkinder* hieß und in dem Jungen und Mädchen abgelichtet waren, die bloß Unterhosen anhatten.

»Du Perverser!«, schrie ich und trat nach der Hand des Mannes. Brian kam mit einem Beil ins Zimmer gestürmt, das er immer neben seinem Bett liegen hatte, und der Mann suchte schleunigst das Weite. Dad war an dem Abend nicht zu Hause, und Mom war nicht wach zu kriegen, wenn sie tief und fest schlief, also nahmen Brian und ich allein die Verfolgung auf. Als wir auf dem Bürgersteig ankamen, der vom rötlichen Schein der Straßenlampen erhellt wurde, verschwand der Mann gerade um die Ecke. Wir suchten eine Weile die Gegend nach ihm ab, und Brian hackte mit seinem Beil auf die Büsche ein, aber wir fanden ihn nicht mehr. Auf dem Weg nach Hause schlugen wir klatschend die Hände gegeneinander und reckten die Fäuste in die Luft, als hätten wir einen Boxkampf gewonnen. Wir nannten das, was wir gerade getan hatten, Perverse jagen, was so ähnlich war wie Dämonen jagen, nur dass der Feind nicht bloß das Fantasieprodukt eines Kindes war, sondern real und gefährlich.

Als Dad am nächsten Tag nach Hause kam und wir ihm erzählten, was passiert war, sagte er, er würde diesen widerlichen Drecksack umbringen, und er und Brian und ich gingen ernsthaft auf Perversenjagd. Mit Herzklopfen suchten wir stundenlang die Straßen ab, aber wir sahen den Kerl nicht wieder. Am Abend fragte ich Mom und Dad, ob wir nicht die Türen und Fenster schließen sollten, bevor wir schlafen gingen. Sie waren strikt dagegen. Wir bräuchten die frische Luft, sagten sie, und dass es wichtig für uns sei, unserer Angst nicht nachzugeben.

Also blieben die Fenster offen. Maureen hatte weiterhin Albträume von Männern mit Halloween-Masken. Und manchmal, wenn Brian und ich aufgedreht waren, nahm er sich eine Machete und ich mir einen Baseballschläger, und wir gingen auf Perversenjagd, befreiten die Straßen von Unholden, die es auf Kinder abgesehen hatten.

Mom und Dad schwangen gern große Reden darüber, dass man seiner Angst, seinen Vorurteilen oder auch den kleinkarierten Scheißreaktionären, die allen anderen vorschreiben wollten, was sich gehört, die Stirn bieten müsse. Wir sollten diese rückständigen Schafe, wie Dad sie nannte, ignorieren. Eines Tages ging Mom mit uns Kindern in die Bücherei im Civic Center. Es war brütend heiß, und sie schlug vor, dass wir uns in dem Brunnen vor dem Gebäude abkühlen. Das

Wasser war zu flach, um richtig drin zu schwimmen, aber wir planschten herum und spielten Krokodil, bis wir eine kleine Menschenmenge angelockt hatten, die Mom belehrte, dass das Schwimmen im Brunnen verboten sei.

»Kümmert euch um euren eigenen Kram«, entgegnete Mom. Mir war das alles peinlich, und ich wollte rausklettern. »Hör nicht auf die Spießer!«, sagte Mom zu mir, und um deutlich zu machen, dass sie sich nicht um solche Leute und deren Meinung scherte, ließ sie sich klatschend neben uns ins Wasser plumpsen, wobei eine Welle über den Brunnenrand schwappte.

Mom störte sich nie daran, wenn die Leute sich umdrehten und sie anstarrten, nicht mal in der Kirche. Obwohl Nonnen für Mom Miesmacher waren und sie sich nicht gerade streng an kirchliche Regeln hielt – sie behandelte die Zehn Gebote eher wie Zehn Vorschläge –, sah sie sich als fromme Katholikin und ging mit uns fast jeden Sonntag in die Messe in der St.-Mary's-Kirche, fünf Querstraßen von unserem Haus entfernt. St. Mary's war die größte und schönste Kirche, die ich je gesehen hatte. Sie war aus sandfarbenen Adobe-Ziegeln und hatte zwei hohe Türme, ein riesiges, kreisrundes Bleiglasfenster und zwei geschwungene Treppen, die zu den beiden Haupteingängen hinaufführten und stets ein Tummelplatz für Tauben waren. Die anderen Mütter machten sich für die Messe fein, umhüllten ihren Kopf mit Mantillas aus schwarzer Spitze und trugen, passend zu ihren Schuhen, grüne oder rote oder gelbe Handtaschen. Mom fand es oberflächlich, sich Gedanken über sein Aussehen zu machen, und sagte, Gott sehe das genauso. Also ging sie in zerrissener oder mit Farbe bespritzter Kleidung in die Kirche. Die innere Haltung war entscheidend, nicht die äußere Erscheinung, sagte sie, und wenn dann die ersten Kirchenlieder gesungen wurden, zeigte sie der versammelten Gemeinde ihre innere Haltung, indem sie die Worte mit so lauter Stimme hinausschmetterte, dass sich die Leute in den Bankreihen vor uns umdrehten und sie anstarrten.

Die Kirchenbesuche waren besonders peinlich, wenn Dad mitkam. Dad war als Baptist erzogen worden, aber er hatte keine Beziehung zur Religion und glaubte nicht an Gott. Er glaube an Wissenschaft und Vernunft, sagte er, nicht an Aberglaube und Voodoo. Aber als Mom Dad kennen lernte, hatte sie sich ausbedungen, dass ihre gemeinsamen Kinder katholisch erzogen wurden und er an hohen kirchlichen Feiertagen höchstpersönlich mit in die Kirche kam.

Dad saß wütend und unruhig in der Kirchenbank und musste sich auf die Zunge beißen, während der Geistliche erzählte, wie Jesus Lazarus von den Toten auferweckt hatte, und die Gläubigen sich zur heiligen Kommunion anstellten, um den Leib Christi zu essen und sein Blut zu trinken. Wenn Dad es dann gar nicht mehr aushalten konnte, rief er irgendwas, um den Priester zu provozieren. Dad war dabei nicht aggressiv. Er äußerte seine Argumente zwar lautstark, aber eigentlich ganz freundlich, und er nannte den Priester Padre. »He, Padre«, fing er an. Meistens achtete der Priester nicht auf Dad und versuchte seine Predigt fortzusetzen, doch Dad ließ nicht locker. Er hielt dem Priester entgegen, dass Wunder aus wissenschaftlicher Sicht unmöglich seien, und wenn der Priester ihn dann immer noch ignorierte, wurde er wütend und schrie irgendwas über den unehelichen Sohn von Papst Pius X. oder über die Bestechungsskandale von Papst Leo oder über die Simonie von Papst Nikolaus III. oder über die Morde, die während der spanischen Inquisition im Namen der Kirche begangen worden waren. Aber, so sagte er, was konnte man von einer Institution, die von ledigen, Kleider tragenden Männern geführt wurde, schon anderes erwarten. An dieser Stelle wurden wir dann vom Küster aufgefordert zu gehen.

»Keine Sorge, Gott versteht das«, sagte Mom. »Er weiß, dass euer Vater ein Kreuz ist, das wir tragen müssen.«

ALLMÄHLICH GING DAD DAS STADTLEBEN AUF DIE NERVEN. »Ich fühle mich langsam wie eine Ratte im Labyrinth«, sagte er zu mir. Er hasste es, wie durchorganisiert alles in Phoenix war, mit Stechkarten, Bankkonten, Telefonrechnungen, Parkuhren, Steuerformularen, Weckern, Elternsprechtagen, Volkszählern und Meinungsforschern, die an die Tür klopften und neugierige Fragen stellten. Er hasste alle Menschen, die in klimatisierten Häusern mit fest verschlossenen Fenstern wohnten und in klimatisierten Autos zu ihren Achtstundenjobs in klimatisierten Bürogebäuden fuhren, die wiederum in seinen Augen nichts anderes als aufgetakelte Gefängnisse waren. Er brauchte diese Leute nur auf dem Weg zur Arbeit zu sehen, und schon wurde er richtig nervös und fühlte sich eingesperrt. Immer häufiger klagte er, dass wir alle verweichlichten, die Bequemlichkeiten des Stadtlebens uns viel zu abhängig machten und dass wir die Nähe zur natürlichen Ordnung der Welt verlören.

Dad hatte einfach Sehnsucht nach der Natur. Er brauchte es, unter freiem Himmel herumzuziehen und inmitten ungezähmter Tiere zu leben. Er fand, dass die Nähe zu Bussarden und Kojoten und Schlangen der Seele gut tat. Das sei die richtige Lebensweise, sagte er, in Harmonie mit der Natur, wie die Indianer, nicht dieser Macht-euch-die-Erde-untertan-Scheiß, ein Wahnsinn sei das, den ganzen verdammten Planeten beherrschen zu wollen, die Wälder abzuholzen und jedes Lebewesen zu töten, das sich nicht dressieren lässt.

Eines Tages hörten wir im Radio, dass eine Frau in einer Stadtrandsiedlung einen Berglöwen hinter ihrem Haus entdeckt und prompt die Polizei verständigt hatte, die das Tier erschoss. Dad wurde so wütend, dass er mit der Faust durch eine Wand schlug. »Der Berglöwe hatte genauso ein Recht auf Leben wie diese frustrierte Zimtziege«, sagte er. »Man darf nicht einfach etwas töten, bloß weil es wild ist.«

Dad kochte eine Weile vor sich hin, trank ein Bier, und dann forderte er uns alle auf, ins Auto zu steigen.

»Wo fahren wir hin?«, fragte ich. Wir hatten keinen einzigen Ausflug gemacht, seit wir nach Phoenix gezogen waren, und das fehlte mir.

»Ich werde euch zeigen«, sagte er, »dass kein Tier, wie groß und wild es auch sein mag, wirklich gefährlich für uns ist, solange wir uns richtig verhalten.«

Wir kletterten alle ins Auto, und während Dad fuhr und sich dabei ein weiteres Bier genehmigte, schimpfte er leise vor sich hin über diese Hosenscheißerin von Vorstadtschickse. Schließlich hielten wir vor dem städtischen Zoo. Keins von uns Kindern war schon mal in einem Zoo gewesen, und ich hatte keine Ahnung, was mich erwartete. Lori sagte, ihrer Meinung nach sollten Zoos verboten werden. Mom, die Maureen auf dem Arm hatte und in der anderen Hand ihren Zeichenblock hielt, meinte, dass die Tiere ihre Freiheit gegen Sicherheit eingetauscht hatten. Sie sagte, wenn sie die Tiere anschaute, würde sie so tun, als wären die Gitterstäbe nicht da.

Am Eingang kaufte Dad die Eintrittskarten und knurrte, wie schwachsinnig es doch sei, Geld dafür bezahlen zu müssen, dass man sich Tiere ansah. Dann führte er uns auf das Gelände. Die meisten Käfige waren bloß ein Stück Sandboden, umgeben von Eisenstangen, mit unglücklichen Gorillas oder ruhelosen Bären oder aggressiven Affen oder verängstigten Gazellen darin, die sich in eine Ecke drängten. Viele von den Kindern im Zoo amüsierten sich prächtig. Sie glotzten und lachten und bewarfen die Tiere mit Erdnüssen, ich dagegen bekam beim Anblick der armen Kreaturen einen Kloß im Hals.

»Ich hätte nicht übel Lust, mich hier nachts reinzuschleichen und diese armen Biester freizulassen«, sagte Dad.

»Darf ich mitkommen?«, fragte ich.

Er zerzauste mir die Haare. »Ich und du, Bergziege«, sagte er. »Wir planen ganz für uns einen Tiergefängnisausbruch.«

Wir blieben auf einer Brücke stehen. Darunter sonnten sich in einer tiefen Grube Alligatoren auf Felsen, die um einen Teich herum angeordnet waren. »Die Schreckschraube, die den Berglöwen hat erschießen lassen, hatte keine Ahnung von Tierpsychologie«, sagte Dad. »Wenn du ihnen klar machst, dass du keine Angst hast, lassen sie dich in Ruhe.«

Dad zeigte auf den größten, schuppigsten Alligator. »Ich und der Mistkerl da unten, der so fies aus der Wäsche kuckt, wir testen jetzt aus, wer von uns als Erster wegsieht.« Dad stand auf der Brücke und starrte den Alligator an. Das Tier schien zu schlafen, aber dann blinzelte es und sah zu Dad hoch. Dad stierte es weiter an, die Augen zu kleinen Schlitzen zusammengepresst. Nach einer Minute schlug der Alligator mit dem Schwanz, sah weg und glitt ins Wasser. »Seht ihr, ihr müsst einfach nur eure Haltung vermitteln«, sagte Dad.

»Vielleicht wollte der sowieso gerade schwimmen gehen«, flüsterte Brian.

»Wie kommst du denn darauf?«, fragte ich. »Hast du nicht gesehen, wie nervös der geworden ist? Dad hat ihn dazu gezwungen.«

Wir folgten Dad bis zum Löwengehege – aber die Löwen schliefen, also meinte Dad, wir sollten sie in Ruhe lassen. Das Erdferkel war dabei, Ameisen aufzusaugen, und Dad sagte, man solle Tiere nicht beim Fressen stören, also gingen wir weiter zum Gepardenkäfig. Er war ungefähr so groß wie unser Wohnzimmer und von einem Maschendrahtzaun umgeben. Der einsame Gepard lief immer hin und her, wobei sich die Muskeln in seinen Schultern bei jedem Schritt bewegten. Dad verschränkte die Arme vor der Brust und musterte den Geparden. »Ein gutes Tier – das schnellste vierbeinige Wesen auf unserem Planeten«, erklärte er. »Nicht gerade glücklich darüber, in diesem verdammten Käfig zu hocken, aber er hat es akzeptiert und ist nicht mehr wütend. Mal sehen, ob er Hunger hat.«

Dad ging mit mir zu einer Imbissbude. Er erzählte der Verkäuferin, er hätte eine seltene Krankheit und dürfte kein gebratenes Fleisch essen, deshalb würde er gern einen rohen Hamburger kaufen. »Tut mir Leid«, erwiderte sie und erklärte ihm, dass der Zoo den Verkauf von rohem Fleisch verboten habe, weil es schon vorgekommen sei, dass törichte Menschen versucht hatten, die Tiere damit zu füttern.

»Die sollte man samt ihrem Speckhintern selbst an die Tiere verfüttern«, knurrte Dad. Er kaufte mir eine Tüte Popcorn, und wir gingen zurück zum Gepardenkäfig. Dad ging vor dem Zaun direkt gegenüber dem Geparden in die Hocke. Das Tier kam näher an das Gitter heran und studierte ihn neugierig. Dad sah ihn unverwandt an, aber nicht so finster, wie er den Alligator angestarrt hatte. Der Gepard erwiderte seinen Blick. Schließlich setzte er sich. Dad stieg über den Maschendrahtzaun und kniete sich direkt vor das Gitter, wo der Gepard saß. Die Katze rührte sich nicht, sah Dad weiter an.

Langsam hob Dad die rechte Hand und legte sie an den Käfig. Der Gepard betrachtete Dads Hand, rührte sich aber nicht. Dad schob die Hand behutsam durch die Gitterstäbe und legte sie auf den Hals des Geparden. Der drückte seinen Kopf seitlich gegen Dads Hand, als wollte er gestreichelt werden. Dad kraulte den Geparden so kräftig und energisch, wie man einen großen Hund streicheln würde.

»Alles unter Kontrolle«, sagte Dad und winkte uns zu sich. Wir stiegen über den Zaun und knieten uns rechts und links von Dad hin, während er weiter den Geparden kraulte. Inzwischen waren einige Leute dazugekommen. Ein Mann rief, wir sollten zurück hinter den Zaun kommen. Wir achteten nicht auf ihn. Ich kniete ganz dicht vor dem Geparden. Mein Herz raste, aber nicht vor Angst, sondern vor Aufregung. Ich konnte den warmen Atem des Geparden auf meinem Gesicht spüren. Er sah mich direkt an. Seine bernsteinfarbenen Augen blickten ruhig, aber traurig, als wüsste er, dass er die Weiten Afrikas nie wiedersehen würde.

»Darf ich ihn streicheln, bitte?«, fragte ich Dad.

Dad nahm meine Hand und führte sie langsam seitlich an den Gepardenhals. Er fühlte sich weich an, aber auch borstig. Der Gepard wandte den Kopf und drückte seine feuchte Nase gegen meine Hand. Und dann kam seine große rosa Zunge aus seinem Maul, und er leckte mir die Hand. Ich hielt die Luft an. Dad öffnete meine Hand und hielt meine Finger gestreckt. Der Gepard leckte über meine Handinnenfläche, und seine Zunge war warm und rau, wie Schmirgelpapier, das in heißes Wasser getaucht worden war. Es kitzelte.

»Ich glaube, er mag mich«, sagte ich.

»Tut er auch«, sagte Dad. »Und er mag das Salz und die Butter von dem Popcorn in deiner Hand.«

Inzwischen hatte sich eine kleine Menschenmenge vor dem Käfig versammelt, und eine besonders verängstigte Frau packte mein T-Shirt und versuchte mich zurück über den Zaun zu ziehen. »Keine Bange«, sagte ich zu ihr. »Mein Dad macht so was andauernd.«

»Der gehört verhaftet!«, rief sie.

»So, Kinder«, sagte Dad. »Die Bürger revoltieren. Wir sollten türmen.«

Wir kletterten über den Zaun. Als ich mich umsah, folgte uns der Gepard am Käfiggitter entlang. Ehe wir uns durch die Menschenmenge hindurchgeschoben hatten, kam ein massiger Mann in marineblauer Uniform angerannt. Beim Laufen hielt er seine Pistole und den Gummiknüppel an seinem Gürtel fest, sodass es aussah, als hätte er die Hände in die Hüften gestemmt, und er schrie irgendwas von Vorschriften und dass schon manche Idioten ums Leben gekommen seien, weil sie in Käfige geklettert waren, und dass wir alle sofort das Zoogelände verlassen müssten. Er hielt Dad an der Schulter fest, aber Dad stieß ihn weg und ging in Kampfhaltung. Dann packten ein paar von den Umstehenden Dads Arme, und Mom bat Dad, doch bitte zu tun, was der Wachmann verlangte.

Dad nickte und hob kapitulierend die Hände. Dann führte er uns durch die Menge zum Ausgang, leise lachend und kopfschüttelnd, um uns Kindern deutlich zu machen, dass es Zeitvergeudung wäre, sich mit diesen Dummköpfen anzulegen. Ich hörte die Leute um uns herum über den irren Trunkenbold und seine verdreckten kleinen Bälger tuscheln, aber wen interessierte schon, was sie dachten? Von denen hatte sich noch keiner von einem Geparden die Hand lecken lassen.

Etwa um diese Zeit verlor Dad seine Arbeit. Er sagte, das wäre kein Grund zur Beunruhigung, weil Phoenix so groß sei und so schnell wachse, dass er problemlos einen neuen Job finden könnte, irgendwo, wo man noch keine Lügen über ihn verbreitete. Dann wurde er wieder gefeuert und danach zum dritten Mal, und schließlich wurde er aus der Elektrikergewerkschaft ausgeschlossen und verdingte sich wieder als Hilfsarbeiter oder Tagelöhner. Das ganze Geld, das Mom von Grandma Smith geerbt hatte, war aufgebraucht, und wir mussten uns erneut irgendwie durchschlagen.

Diesmal brauchte ich nicht hungern. Das warme Mittagessen in der Schule kostete fünfundzwanzig Cent, und die konnten wir uns meistens noch leisten. Wenn auch das nicht drin war, sagte ich zu Mrs. Ellis, meiner Lehrerin in der vierten Klasse, ich hätte meine fünfundzwanzig Cent vergessen, und sie erwiderte dann, in ihren Unterlagen stünde, dass schon jemand für mich bezahlt habe. Diese Zufälle kamen mir zwar ziemlich merkwürdig vor, aber ich wollte mein Glück nicht herausfordern, indem ich zu hartnäckig bei Mrs. Ellis nachfragte, wer denn dieser Jemand sei. Ich aß das warme Mittagessen. Manchmal war es das Einzige, was ich den ganzen Tag in den Magen bekam, aber mit einer Mahlzeit am Tag kam ich zurecht.

Eines Nachmittags, als Brian und ich von der Schule nach Hause kamen und einen leeren Kühlschrank vorfanden, gingen wir in die enge Gasse hinter dem Haus und suchten nach Pfandflaschen. Am Ende der Gasse war die Lieferantenenifahrt eines Lagerhauses. Auf dem Parkplatz stand ein großer grüner Müllcontainer. Als keiner in der Nähe war, schoben

Brian und ich den Deckel auf und kletterten in den Container, um nach Flaschen zu suchen. Ich hatte schon befürchtet, dass wir in ekligem Müll herumwühlen müssten, doch stattdessen entdeckten wir einen erstaunlichen Schatz: Schachteln voller Pralinen. Manche waren weiß angelaufen, als wären sie eingetrocknet, und andere waren mit einer rätselhaften grüne Paste überzogen, aber die meisten waren essbar. Wir schlugen uns den Bauch mit Pralinen voll, und von da an gingen wir immer, wenn Mom zu beschäftigt war, um uns was zu kochen, oder wenn wir nichts mehr zu essen im Haus hatten, zu dem Container und schauten nach, ob wieder frische Pralinen dort auf uns warteten. Von Zeit zu Zeit hatten wir Glück.

Aus irgendeinem Grund wohnten auf der North Third Street keine Kinder in Maureens Alter. Sie war noch zu klein, um mit Brian und mir herumzustromern, deshalb vertrieb sie sich meistens die Zeit damit, auf ihrem roten Dreirad herumzufahren, das Dad ihr gekauft hatte, kurz nachdem er uns die Fahrräder geschenkt hatte, und mit irgendwelchen imaginären Freunden zu spielen. Sie hatte allen Namen gegeben und sprach stundenlang mit ihnen. Sie lachten zusammen, führten ausführliche Gespräche und stritten sich sogar. Einmal kam sie in Tränen aufgelöst nach Hause, und als ich sie fragte, warum sie weinte, sagte sie, sie hätte Streit mit Suzie Q. gehabt, einer von ihren Fantasiefreundinnen.

Maureen war fünf Jahre jünger als Brian, und weil sie keine Verbündeten gleichen Alters in unserer Familie hatte, glaubte Mom ihr etwas Gutes tun zu müssen. Sie entschloss sich, Maureen in die Vorschule zu schicken, aber sie wollte nicht, dass ihre jüngste Tochter in Flohmarktklamotten herumlief wie wir. Daher eröffnete sie uns, dass wir Ladendiebstahl begehen müssten.

»Ist das denn keine Sünde?«, fragte ich.

»Nicht direkt«, sagte Mom. »Gott hat nichts dagegen, wenn wir die Regeln ein bisschen großzügig auslegen, solange ein guter Grund vorliegt. Praktisch wie bei Mord aus Notwehr. Und das hier ist sozusagen Klauen aus Notwehr.«

Moms Plan war, dass sie und Maureen mit einem ganzen Arm voll neuer Sachen für Maureen in die Umkleidekabine eines Ladens gehen würden. Wenn sie dann wieder rauskämen, würde Mom der Verkäuferin erklären, dass ihr nichts davon gefiel. Im selben Augenblick sollten Lori, Brian und ich ordentlich Radau machen, um die Verkäuferin abzulenken, und Mom würde rasch ein Kleid unter dem Regenmantel verstecken, den sie über dem Arm trug.

Auf diese Weise ergatterten wir drei, vier hübsche Kleider für Maureen. Doch bei einem unserer Ausflüge, als Brian und ich gerade so taten, als würden wir uns prügeln, und Mom ein Kleid unter ihren Mantel schieben wollte, drehte sich die Verkäuferin zu ihr um und fragte, ob sie das Kleid kaufen wolle, das sie da in der Hand hatte. Mom blieb nichts anderes übrig, als es zu bezahlen. »Vierzehn Dollar für ein Kinderkleidchen!«, sagte sie, als wir das Geschäft verließen. »Das ist doch der reinste Nepp!«

Auch Dad dachte sich eine raffinierte Methode aus, um zusätzlich an Geld zu kommen. Wenn man nämlich am Drive-in-Schalter der Bank Geld abhob, dauerte es, so hatte er festgestellt, ein paar Minuten, bis der Computer die Transaktion registriert hatte. Also eröffnete Dad ein Konto und hob das ganze Geld eine Woche später in bar beim Kassierer in der Bank ab, während Mom sich gleichzeitig denselben Betrag am Drive-in-Schalter auszahlen ließ. Lori meinte, das höre sich regelrecht kriminell an, aber Dad sagte, er trickse doch nur die stinkreichen Bankbesitzer aus, die den kleinen Mann übers Ohr hauten, indem sie ihm Wucherzinsen abknöpften.

»Kuckt ganz unschuldig«, befahl Mom uns Kindern, als wir Dad das erste Mal vor der Bank absetzten.

»Müssen wir in die Besserungsanstalt, wenn wir erwischt werden?«, fragte ich.

Mom versicherte mir, dass alles vollkommen legal sei. »Viele Menschen überziehen ihr Konto«, sagte sie. »Wenn wir erwischt werden, müssen wir nur eine Überziehungsgebühr bezahlen.« Sie erklärte, es wäre praktisch so, als würden wir einen Kredit aufnehmen, nur ohne den üblichen Papierkram. Aber als wir an dem Drive-in-Schalter hielten, schien Mom ein bisschen unruhig zu werden, und sie kicherte nervös, als sie den Auszahlungszettel unter der kugelsicheren Scheibe hindurchschob. Ich glaube, sie genoss das prickelnde Gefühl, die Reichen zu bestehlen.

Nachdem die Frau am Schalter ihr das Geld ausgezahlt hatte, fuhr Mom wieder zum Haupteingang der Bank, und eine Minute später kam Dad herausgeschlendert. Er stieg vorn ein, drehte sich zu uns Kindern um, hielt mit einem hämischen Grinsen einen Packen Banknoten hoch und fächerte ihn mit dem Daumen auf.

Dass Dad Probleme hatte, einen festen Job zu finden, lag, wie er uns immer wieder klar zu machen versuchte, daran, dass die Elektrikergewerkschaft in Phoenix korrupt war. Sie wurde von Banditen geleitet, sagte er, die sämtliche Bauprojekte in der Stadt kontrollierten, deshalb würde er erst dann einen anständigen Job bekommen, wenn er die Stadt von dem organisierten Verbrechen befreit hätte. Um das zu bewerkstelligen, sei sehr viel Undercover-Arbeit erforderlich, sagte er, und die entsprechenden Informationen ließen sich am besten in den Bars dieser Banditen beschaffen. Fortan hielt sich Dad überwiegend in deren Lokalen auf.

Mom verdrehte jedes Mal die Augen, wenn Dad von seiner Informationsbeschaffung anfing, und allmählich beschlichen auch mich Zweifel, was er eigentlich vorhatte. Oft kam er betrunken nach Hause und war in einer so wütenden Stimmung, dass Mom sich versteckte, während wir Kinder versuchten, ihn zu beruhigen. Er zerdepperte Fensterscheiben und zerschlug Geschirr und Möbel, bis er sich abreagiert hatte, und dann blickte er sich in dem Chaos um und sah uns Kinder da stehen. Sobald ihm klar wurde, was er angerichtet hatte, ließ er vor lauter Erschöpfung und Scham den Kopf hängen. Oft sank er auf die Knie und ließ sich mit dem Gesicht voran auf den Boden fallen.

Wenn Dad zusammengebrochen war, wollte ich das Tohuwabohu wieder aufräumen, aber Mom hielt mich stets davon ab. Sie hatte Bücher darüber gelesen, wie mit Alkoholikern umzugehen sei, und darin hieß es, dass die Trinker sich nicht an ihre Ausbrüche erinnerten, und wenn man für sie aufräumte, dachten sie, es wäre nichts passiert. »Dein Vater muss sehen, wie er unser Leben ruiniert«, sagte Mom. Aber wenn Dad wieder auf die Beine kam, tat er so, als gäbe es die ganzen Trümmer gar nicht, und keiner sprach ihn darauf an. Stattdessen mussten wir ständig über kaputte Möbel und Glassplitter steigen.

Mom hatte uns beigebracht, Dads Taschen zu leeren, wenn er seinen Rausch ausschlief. Nach einiger Zeit waren wir ziemlich gut darin. Einmal, nachdem ich Dad herumgerollt und eine Hand voll Wechselgeld ergattert hatte, löste ich seine Finger von der Flasche, die er noch in der Hand hielt. Sie war drei viertel leer. Ich starrte auf die bernsteinfarbene Flüssigkeit. Mom rührte das Zeug nicht an, und ich fragte mich, was Dad daran so unwiderstehlich fand. Ich machte die Flasche auf und roch daran. Der widerwärtige Geruch stieg mir in die Nase, aber ich nahm meinen ganzen Mut zusammen und trank einen Schluck. Es schmeckte schrecklich stark, rauchig und so scharf, dass mir die Zunge brannte. Ich rannte ins Badezimmer, spuckte alles aus und spülte mir den Mund mit Wasser.

»Ich habe gerade einen Schluck von dem Zeug hier getrunken«, sagte ich zu Brian. »Das schmeckt total ekelhaft.«

Brian riss mir die Flasche aus der Hand. Er kippte den Inhalt in der Küche in die Spüle, führte mich dann nach draußen zum Schuppen und öffnete eine Holztruhe, die ganz hinten stand und die Aufschrift »Spielkiste« trug. Sie war voll leerer Whiskeyflaschen. Immer wenn Dad weggetreten war, so erklärte Brian, stibitzte er ihm die Flasche, die er in der Mache hatte, leerte sie und versteckte sie in der Truhe. Sobald er zehn oder zwölf beisammenhatte, warf er sie in eine Mülltonne ein paar Blocks weiter, denn wenn Dad die leeren Flaschen fände, würde er ausrasten.

»Dieses Jahr wird Weihnachten schön, das hab ich im Gefühl«, verkündete Mom Anfang Dezember. Lori erinnerte sie daran, dass die letzten paar Monate nicht so gut gelaufen waren.

»Genau«, sagte Mom. »So zeigt Gott uns, dass wir unser Schicksal selbst in die Hand nehmen müssen. Hilf dir selbst, dann hilft dir Gott.«

Und weil sie so ein gutes Gefühl habe, erklärte sie weiter, habe sie beschlossen, dieses Jahr Weihnachten tatsächlich an Weihnachten zu feiern und nicht erst eine Woche später.

Mom war eine gewiefte Secondhand-Einkäuferin. Sie las die Markenetiketten an den Kleidungsstücken, schaute auf der Unterseite von Tellern und Vasen nach, von welchem Hersteller sie waren. Sie hatte keinerlei Hemmungen, einer Verkäuferin zu erklären, dass ein Kleid, das fünfundzwanzig Cent kosten sollte, höchstens zehn Cent wert war, und meistens bekam sie es dann auch zu dem Preis. In diesem Jahr machte Mom schon Wochen vor Weihnachten mit uns einen Bummel durch die Secondhand-Läden, und sie gab jedem von uns einen Dollar für Geschenke. Ich kaufte eine Stielvase aus rotem Glas für Mom und einen Onyx-Aschenbecher für Dad, ein Modellauto für Brian, ein Buch über Elfen für Lori und einen Stofftiger mit einem losen Ohr, das ich mit Moms Hilfe wieder annähte, für Maureen.

Am Weihnachtsmorgen nahm Mom uns mit zu einer Tankstelle, die Christbäume verkaufte. Sie suchte eine große, dunkle, aber schon leicht trockene Douglastanne aus. »Den armen alten Baum wird Ihnen sicher keiner abkaufen, und er braucht jemanden, der ihn liebt«, erklärte sie dem Mann und bot ihm drei Dollar. Der Mann sah den Baum an, er sah Mom an und dann uns Kinder. Eine Sicherheitsnadel hielt mein Kleid zusammen. Maureens T-Shirt hatte Löcher an den

Nähten. »Lady, der ist schon auf einen Dollar runtergesetzt«, sagte er.

Wir trugen den Baum nach Hause und behängten ihn mit Grandmas altem Weihnachtsschmuck: kunstvoll gefärbten Kugeln, zarten Rebhühnern aus Glas und Lichtern mit langen Röhren, in denen Wasser sprudelte. Ich brannte darauf, meine Geschenke zu öffnen, aber Mom ließ sich nicht davon abbringen, Weihnachten auf katholische Art zu feiern, was hieß, dass die Bescherung erst nach dem Besuch der Mitternachtsmesse stattfand. Da an Weihnachten sämtliche Bars und Schnapsläden geschlossen waren, hatte Dad sich reichlich mit Spirituosen und Bier eingedeckt. Schon vor dem Frühstück machte er sein erstes Budweiser auf, und als es schließlich Zeit für die Mitternachtsmesse wurde, konnte er kaum noch gerade stehen.

Ich schlug vor, Mom sollte Dad dieses eine Mal vielleicht besser zu Hause lassen, aber sie meinte, in Zeiten wie diesen sei ein kurzer Besuch im Hause Gottes besonders wichtig, und so torkelte Dad mit uns in die Kirche. Das Thema der Predigt war das Wunder der Unbefleckten Empfängnis und der jungfräulichen Geburt.

»Von wegen Jungfrau!«, rief Dad. »Maria war eine jüdische Klassebraut, die sich hat schwängern lassen!«

Der Gottesdienst kam zum Erliegen. Alle starrten uns an. Der gesamte Chor hatte sich umgedreht, und alle Sänger stierten mit offenem Mund in unsere Richtung. Sogar dem Pfarrer hatte es die Sprache verschlagen.

Auf Dads Gesicht machte sich ein zufriedenes Grinsen breit. »Und Jesus Christus ist der Lieblingsbastard der ganzen Welt!«

Der Küster bugsierte uns mit finsterer Miene auf die Straße. Auf dem Nachhauseweg legte Dad mir einen Arm um die Schultern, um sich abzustützen. »Hör mal, meine Kleine, wenn du später einen Freund hast und er dir an die Wäsche geht, und du merkst anschließend, dass du schwanger bist, dann schwörst du einfach, es war eine Unbefleckte Empfängnis und erzählst was von Wundern«, sagte er. »Danach kannst du jeden Sonntag den Klingelbeutel rumgehen lassen.«

Ich mochte es nicht, wenn Dad so redete, und wollte, mich losmachen, aber er hielt mich nur noch fester umklammert.

Als wir wieder zu Hause waren, versuchten wir Dad zu beruhigen. Mom gab ihm eins von seinen Geschenken, ein Messingfeuerzeug aus den zwanziger Jahren in Form eines Scotchterriers. Dad machte es ein paar Mal an, wobei er vor und zurück schwankte, hielt es dann hoch ins Licht und nahm es genau in Augenschein.

»Heute ist Weihnachten, da sollen die Lichter brennen«, sagte Dad und hielt das Feuerzeug in die Douglastanne. Im Handumdrehen stand der Baum in Flammen. Weihnachtskugeln zerplatzten in der Hitze, brennende Nadeln fielen zu Boden.

Einen Moment lang waren wir viel zu verdattert, um irgendetwas zu unternehmen, dann rief Mom nach Decken und Wasser. Es gelang uns, das Feuer zu löschen, aber nur, indem wir den Baum umkippten, fast den gesamten Baumschmuck zertraten und all unsere Geschenke ruinierten. Die ganze Zeit über saß Dad lachend auf dem Sofa und erklärte Mom, er habe ihr einen Gefallen getan, weil Bäume heidnische Kultsymbole seien.

Als das Feuer gelöscht war und der nasse, verbrannte Baum qualmend auf dem Boden lag, standen wir alle einfach nur da. Keiner ging Dad an die Gurgel oder schrie ihn an oder warf ihm vor, dass er das Weihnachtsfest zerstört hatte, das seine Familie wochenlang geplant hatte – das Weihnachtsfest, das doch das schönste werden sollte, das wir je erlebt hatten. Wenn Dad durchdrehte, hatte jeder von uns seine eigene Art, dichtzumachen und sich abzuschirmen, und genau das taten wir an jenem Abend.

Im folgenden Frühjahr wurde ich zehn, aber Geburtstage wurden bei uns zu Hause nicht groß gefeiert. Manchmal steckte Mom ein paar Kerzen in einen Eisbecher, und wir sangen alle »Happy Birthday«. Hin und wieder besorgten Mom und Dad uns ein kleines Geschenk – ein Comic-Heft oder ein Paar Schuhe oder eine Garnitur Unterwäsche –, aber mindestens ebenso oft dachten sie gar nicht an unsere Geburtstage.

Daher war ich ein bisschen erstaunt, als Dad an meinem zehnten Geburtstag mit mir auf die Veranda hinterm Haus ging und fragte, was ich mir am sehnlichsten auf der Welt wünschte. »Das ist ein besonderer Anlass, schließlich wirst du jetzt zweistellig«, sagte er. »Du wächst so verdammt schnell, Bergziege, im Nu bist du flügge, und wenn es etwas gibt, das ich für dich tun kann, dann möchte ich es jetzt tun, ehe du fortgehst.«

Ich wusste, dass es Dad nicht darum ging, mir ein tolles Geschenk zu kaufen, zum Beispiel ein Pony oder eine Puppenstube. Er wollte wissen, was er jetzt, da ich schon fast erwachsen war, tun könnte, um meine letzten Jahre als Kind so schön zu machen, wie ich es mir wünschte. Es gab nur eines, was ich mir von ganzem Herzen wünschte, etwas, das unser aller Leben verändern würde, das wusste ich, aber ich hatte Angst, darum zu bitten. Allein der Gedanke daran, die Worte auszusprechen, machte mich nervös.

Dad sah meine Unsicherheit. Er ging auf die Knie, sodass er zu mir hochsah. »Was ist es?«, sagte er. »Raus damit.«

»Es ist eine große Sache.«

»Sag es einfach, Kleines.«

»Ich hab aber Angst.«

»Du weißt, wenn es menschenmöglich ist, erfüll ich dir den Wunsch. Und wenn es nicht menschenmöglich ist, werde ich bei dem Versuch sterben.«

Ich schaute hinauf zu den dünnen Wolkenwirbeln hoch oben am blauen Himmel über Arizona. Die Augen unverwandt auf diese fernen Wolken gerichtet, holte ich tief Luft und sagte: »Meinst du, du könntest vielleicht aufhören zu trinken?«

Dad sagte nichts. Er starrte nach unten auf den Zementboden der Veranda, und als er mich wieder ansah, hatte er einen verwundeten Blick in den Augen, wie ein getretener Hund. »Du musst dich schrecklich für deinen alten Herrn schämen«, sagte er.

»Nein«, sagte ich hastig. »Ich glaube bloß, dass Mom viel froher wäre. Außerdem hätten wir dann Geld übrig.«

»Du musst es nicht erklären«, sagte Dad. Seine Stimme war kaum noch ein Flüstern. Er stand auf, ging in den Garten und setzte sich unter die Orangenbäume. Ich ging ihm nach und setzte mich neben ihn. Ich wollte seine Hand nehmen, aber ehe ich danach greifen konnte, sagte er: »Nimm's mir nicht übel, Schätzchen, ich glaube, ich würde gern eine Weile allein hier sitzen.«

Am nächsten Morgen sagte Dad, dass er für die nächsten paar Tage allein im Schlafzimmer bleiben würde. Er wollte, dass wir Kinder uns von ihm fern hielten, den ganzen Tag draußen blieben und spielten. Der erste Tag verlief ohne Zwischenfälle, aber als ich am zweiten Tag aus der Schule kam, hörte ich ein fürchterliches Stöhnen aus dem Schlafzimmer.

»Dad?«, rief ich. Es kam keine Antwort. Ich machte die Tür auf.

Dad war mit Stricken und Gürteln ans Bett gefesselt. Ich weiß nicht, ob er das selbst gemacht hatte oder ob Mom ihm geholfen hatte, aber er kämpfte gegen die Fesseln an, bäumte sich auf und schrie *Nein!* und *Aufhören!* und *Oh Gott!* Sein Gesicht war grau und schweißnass. Ich rief nach ihm, aber er hörte und sah mich nicht. Ich ging in die Küche und füllte einen leeren Orangensaftkanister mit Wasser. Dann setzte ich mich mit dem Kanister neben Dads Tür, für den Fall, dass er Durst bekam. Mom sah mich und sagte, ich solle rausgehen und spielen. Ich sagte, ich wollte lieber Dad helfen. Sie sagte, ich könne nichts tun, aber ich blieb trotzdem neben seiner Tür.

Dads Delirium dauerte Tage. Wenn ich von der Schule kam, holte ich den Wasserkanister, bezog Posten neben der Tür und wartete dort, bis es Zeit zum Schlafengehen war. Brian und Maureen blieben die meiste Zeit draußen und spielten, und auch Lori hielt Abstand zum Haus. Mom malte in ihrem Atelier. Keiner sprach viel über das, was da vor sich ging. Eines Abends, als wir beim Essen saßen, stieß Dad einen besonders grässlichen Schrei aus. Ich sah Mom an, die in ihrer Suppe rührte, als wäre es ein ganz normaler Abend, und da verlor ich schließlich die Beherrschung.

»Tu was!«, schrie ich sie an. »Du musst Dad doch irgendwie helfen!«

»Dein Vater kann sich nur selbst helfen«, sagte Mom. »Nur er weiß, wie er seine eigenen Dämonen bekämpfen muss.«

Als die Woche fast um war, hörte Dads Delirium endlich auf, und er bat uns, zu ihm ins Schlafzimmer zu kommen und mit ihm zu reden. Er saß auf ein Kissen gestützt, blasser und dünner, als ich ihn je gesehen hatte. Er nahm den Wasserkanister, den ich ihm hinhielt. Seine Hände zitterten so heftig, dass er ihn kaum halten konnte, und Wasser rann ihm übers Kinn, während er trank.

Ein paar Tage später konnte Dad wieder gehen, aber er hatte keinen Appetit, und seine Hände zitterten noch immer. Ich sagte zu Mom, dass ich vielleicht einen schlimmen Fehler gemacht hatte, aber Mom meinte, manchmal müsse man noch kränker werden, ehe es wieder aufwärts ging. Wenige Tage später wirkte Dad fast wieder normal, nur dass er unsicher geworden war, beinahe schüchtern. Er lächelte uns Kinder oft an und drückte unsere Schulter, und manchmal stützte er sich leicht bei uns ab.

»Ich frage mich, wie unser Leben jetzt wohl wird«, sagte ich zu Lori.

»Nicht anders als vorher«, sagte sie. »Er hat doch schon öfter versucht aufzuhören, aber er hat nie durchgehalten.«

»Diesmal doch.«

»Woher willst du das wissen?«

»Weil es sein Geschenk für mich ist.«

Dad brauchte den ganzen Sommer, um sich zu erholen. Tagelang saß er unter den Orangenbäumen und las. Als der Herbst kam, hatte er fast seine alte Kraft wiedergewonnen. Um sein neues Leben als trockener Alkoholiker zu feiern und um etwas Abstand zwischen sich und seine Stammkneipen zu bringen, beschloss er, dass der Walls-Clan einen ausgedehnten Camping-Urlaub im Grand Canyon machen sollte. Wir würden die Park Rangers meiden und uns irgendwo eine Höhle am Fluss suchen. Wir würden schwimmen und angeln und unseren Fang am Lagerfeuer braten. Mom und Lori könnten malen, und Dad, Brian und ich könnten die Klippen hochklettern und die geologischen Schichten im Canyon studieren. Es würde wie früher sein. Wir Kinder hätten es nicht nötig, zur Schule zu gehen. Er und Mom könnten uns besser unterrichten als diese saublöden Lehrer. »Und du, Bergziege, kannst eine Steinsammlung zusammenstellen, wie sie die Welt noch nicht gesehen hat«, sagte Dad zu mir.

Alle fanden die Idee großartig. Brian und ich waren so begeistert, dass wir durchs ganze Wohnzimmer tanzten. Wir packten Decken ein, Konservenbüchsen, Feldflaschen für Wasser, Angelschnur, die lavendelblaue Decke, die Maureen überallhin mitnahm, Loris Papier und Stifte, Moms Staffelei und Leinwände und Pinsel und Farben. Was nicht mehr in den Kofferraum passte, verstauten wir auf dem Dach. Wir nahmen auch Moms wunderschönen Schießbogen mit, den aus Obstholz mit Intarsien, weil Dad meinte, man könne nie wissen, auf was für wilde Tiere man in diesen Canyon-Höhlen traf. Er versprach Brian und mir, dass wir wie waschechte Indianerkinder mit Pfeil und Bogen schießen könnten, wenn wir zurückkamen. Falls wir überhaupt zurückkamen. Wer weiß, vielleicht würden wir uns ja dafür entscheiden, für immer im Grand Canyon zu leben.

Früh am nächsten Morgen ging es los. Kaum hatten wir die letzten Vorortsiedlungen nördlich von Phoenix hinter uns gelassen, wurde der Verkehr schwächer, und Dad fuhr immer schneller und schneller. »Es gibt kein schöneres Gefühl, als unterwegs zu sein«, sagte er.

Wir waren inzwischen draußen in der Wüste, und die Telefonmasten zischten nur so vorbei. »He, Bergziege«, brüllte er, »was meinst du, wie viel Sachen ich mit der Karre hier schaffe?«

»Lichtgeschwindigkeit!«, sagte ich. Ich beugte mich vor und sah zu, wie die Nadel am Tacho über die Zahlen kroch. Wir fuhren neunzig Meilen die Stunde.

»Pass auf, gleich ist die kleine Nadel nicht mehr zu sehen«, sagte Dad.

Ich sah, wie sich sein Bein bewegte, als er das Gaspedal durchtrat. Wir kurbelten die Scheiben runter, und Straßenkarten und Zeichenpapier und Zigarettenasche wirbelten um unsere Köpfe herum. Die Tachonadel kroch über die Hundert, die letzte Zahl auf der Anzeige, hinweg und stieß in den leeren Raum dahinter vor. Der Wagen fing an zu rütteln, aber Dad nahm den Fuß noch immer nicht vom Gas. Mom schlug die Arme über den Kopf und befahl Dad, langsamer zu fahren, aber er trat nur noch fester aufs Gas.

Plötzlich war ein klapperndes Geräusch unter dem Auto zu hören. Ich schaute nach hinten, um mich zu vergewissern, dass kein wichtiges Teil abgefallen war, und sah eine graue Rauchwolke hinter uns herwehen. Im selben Moment trat weißer Dampf, der nach Eisen roch, seitlich unter der Motorhaube aus und trieb an den Fenstern vorbei. Das Rütteln wurde immer stärker, und mit einem furchtbaren röchelnden, scheppernden Geräusch verlor der Wagen an Fahrt. Schon bald kroch er nur noch dahin. Dann setzte der Motor ganz aus. Wir rollten noch ein paar Meter lautlos weiter, ehe das Auto zum Stehen kam.

»Jetzt hast du's geschafft«, sagte Mom.

Wir Kinder und Dad stiegen aus und schoben den Wagen an den Straßenrand, während Mom lenkte. Dad öffnete die Motorhaube. Ich sah zu, wie er und Brian den qualmenden, ölverkrusteten Motor studierten und die einzelnen Teile benannten. Dann setzte ich mich ins Auto zu Mom, Lori und Maureen.

Lori warf mir einen angewiderten Blick zu, als wäre es meine Schuld, dass der Wagen kaputtgegangen war.

»Wieso ermunterst du ihn auch noch?«, fragte sie.

»Keine Sorge«, sagte ich. »Dad repariert das schon.«

Wir saßen lange dort. In der Ferne konnte ich hoch oben Bussarde kreisen sehen, was mich an unseren undankbaren Buster erinnerte. Vielleicht hätte ich etwas nachsichtiger mit ihm sein sollen. Mit seinem gebrochenen Flügel und seiner lebenslangen Aasfresserei hatte er wahrscheinlich Grund genug, undankbar zu sein. Zu viel Pech kann bei jedem Geschöpf eine dauerhafte Niedertracht auslösen.

Endlich klappte Dad die Motorhaube zu.

»Du kannst das doch reparieren, oder?«, fragte ich.

»Na klar«, sagte er. »Ich brauche bloß das passende Werkzeug.«

Wir müssten unseren Ausflug zum Grand Canyon vorübergehend verschieben, erklärte er uns. Jetzt hieße es, erst mal zurück nach Phoenix zu fahren, damit er sich das richtige Werkzeug besorgen konnte.

»Wie denn?«, fragte Lori.

Eine Möglichkeit wäre, es per Anhalter zu versuchen, meinte Dad. Aber es könnte schwierig werden, ein Auto zu finden, das Platz für vier Kinder und zwei Erwachsene hätte. Da wir alle so sportlich und keine Jammerlappen seien, sagte er, würden wir es auch problemlos zu Fuß nach Hause schaffen.

»Das sind fast achtzig Meilen«, sagte Lori.

»Sehr richtig«, sagte Dad. Wenn wir täglich acht Stunden mit einer Geschwindigkeit von drei Meilen die Stunde marschierten, so erklärte er, wären wir in drei Tagen da. Bis auf Maureens lavendelblaue Decke und die Feldflaschen mussten wir alles zurücklassen. Das galt auch für Moms Schießbogen aus Obstholz. Da Moms Herz an dem Bogen hing, den sie von ihrem Vater geschenkt bekommen hatte, versteckten Brian und ich ihn auf Dads Anordnung im Straßengraben. Wir würden dann später wiederkommen und ihn holen.

Dad trug Maureen. Um uns bei Laune zu halten, rief er *hopp-zwo-drei-vier*, aber Mom und Lori weigerten sich, im Gleichschritt zu gehen. Schließlich gab Dad auf, und es wurde still, bis auf das Geräusch unserer Schuhe, die auf Sand und Steinen knirschten, und den Wind, der über die Wüste peitschte. Nachdem wir gut zwei Stunden, wie es mir schien, unterwegs gewesen waren, erreichten wir ein Motel-Reklameschild, an dem wir, etwa eine Minute bevor der Motor den Geist aufgegeben hatte, vorbeigekommen waren. Ab und zu zischte ein Auto an uns vorüber, und Dad streckte den Daumen raus, aber keiner hielt an. Schließlich, kurz vor Mittag, bremste ein großer blauer Buick mit schimmernden Chromstoßstangen, hielt am Straßenrand vor uns, und eine Lady mit einer Frisur aus dem Schönheitssalon kurbelte das Fenster runter.

»Ihr Armen!«, rief sie. »Ist alles in Ordnung?«

Sie fragte, wo wir hinwollten, und als wir Phoenix sagten, bot sie an, uns zu fahren. Die Klimaanlage im Buick war so kalt, dass ich schlagartig Gänsehaut an Armen und Beinen bekam. Die Lady ließ Lori und mich Coca-Cola und Sandwiches aus einer Kühltasche im Fußraum verteilen. Dad sagte, er habe keinen Hunger.

Die Lady erzählte aufgeregt, dass ihre Tochter an uns vorbeigefahren war und ihr anschließend von der armen Familie erzählt hatte, die da zu Fuß auf dem Highway unterwegs war. »Und da hab ich zu meiner Tochter gesagt: ›Meine Güte, ich kann die armen Leute doch nicht da draußen lassen.‹ Ich hab zu meiner Tochter gesagt: ›Die armen Kinder müssen ja schon halb verdurstet sein, die armen Würmchen.‹«

»Wir sind nicht arm«, sagte ich schließlich. Sie hatte das Wort einmal zu oft verwendet.

»Natürlich nicht«, antwortete die Lady hastig. »So hab ich das nicht gemeint.«

Aber ich merkte ihr an, dass sie es doch so gemeint hatte. Die Lady wurde schweigsam, und während der restlichen Fahrt fiel kaum ein weiteres Wort. Sobald sie uns abgesetzt hatte, verschwand Dad. Ich wartete auf der Vordertreppe auf ihn, bis ich ins Bett musste, aber er kam nicht nach Hause.

DREI TAGE SPÄTER, als Lori und ich an Grandmas altem Klavier saßen und versuchten, uns gegenseitig das Spielen beizubringen, hörten wir schwere, ungleichmäßige Schritte. Wir drehten uns um und sahen Dad. Er stolperte über den Couchtisch. Als wir versuchten, ihm zu helfen, fluchte er und taumelte fäusteschwingend auf uns zu. Er wollte wissen, wo unsere gottverdammte, bescheuerte Mutter steckte, und als wir es ihm nicht sagen wollten, wurde er fuchsteufelswild. Er riss Grandmas Porzellanschrank um, sodass ihr feines Geschirr krachend zu Bruch ging. Brian kam hereingerannt. Er versuchte Dads Bein zu packen, aber Dad trat ihn weg.

Dann riss Dad die Besteckschublade heraus und schleuderte die Gabeln und Löffel und Messer durch den Raum. Schließlich schnappte er sich einen Stuhl und zerschmetterte ihn auf Grandmas Tisch. »Rose Mary, verdammt noch mal, wo bist du, du miese Schlampe?«, brüllte er. »Wo versteckt sich das Flittchen?«

Schließlich fand er Mom im Badezimmer, wo sie sich in der Wanne verkrochen hatte. Als sie an ihm vorbeiwollte, hielt er sie am Kleid fest, und sie wehrte sich mit Händen und Füßen. Raufend kamen sie ins Esszimmer, wo er sie zu Boden schlug. Mom griff in die herumliegenden Küchenutensilien, die Dad durch die Gegend geschmissen hatte, bekam ein Fleischmesser zu packen und hieb damit vor ihm durch die Luft.

Dad richtete sich auf. »Ein Messerkampf, was?« Er grinste. »Schön, ganz wie du willst.« Und auch er nahm sich ein Messer und fing an, es von einer Hand in die andere zu werfen. Dann schlug Dad Mom das Messer aus der Hand, ließ sein eigenes Messer fallen und rang sie zu Boden. Wir Kinder trommelten auf seinen Rücken ein und flehten ihn an aufzuhören, aber er achtete gar nicht auf uns. Irgendwann gelang es ihm, Moms Hände über ihrem Kopf festzuhalten.

»Rose Mary, du bist ein Teufelsbraten«, sagte Dad. Mom beschimpfte ihn als stinkenden, verkommenen Säufer. »Ja, aber du liebst diesen alten Säufer, hab ich Recht?«, fragte Dad. Zuerst sagte Mom, Nein, von wegen, aber Dad fragte sie immer und immer wieder, und schließlich, als sie Ja sagte, löste sich der Streit zwischen ihnen einfach in Luft auf, als hätte es ihn nie gegeben. Dad fing an zu lachen und umarmte Mom, die auch lachte und ihn umarmte. Man hätte meinen können, dass sie sich vor lauter Erleichterung darüber, sich nicht gegenseitig umgebracht zu haben, wieder frisch ineinander verliebt hatten.

Mir war nicht nach Feiern zumute. Ich war fassungslos, dass Dad wieder angefangen hatte zu trinken. Ich konnte es einfach nicht begreifen.

Da Dad wieder trank und kein Geld verdiente, redete Mom immer häufiger davon, Richtung Osten zu ziehen, nach West Virginia, wo Dads Eltern lebten. Vielleicht würden seine Eltern ihn einigermaßen im Zaum halten, sagte sie. Zumindest konnten seine Eltern uns finanziell unter die Arme greifen, so wie Grandma Smith das gelegentlich getan hatte.

West Virginia wird euch gefallen, sagte sie zu uns. Wir würden im Wald in den Bergen leben, mit Eichhörnchen und Chipmunks. Und endlich würden wir unsere Großeltern Walls kennen lernen, die beide echte Hillbillys waren.

Aus Moms Mund klang West Virginia und das Leben, das wir dort haben würden, wie ein weiteres herrliches Abenteuer, und schon bald waren wir Kinder alle einverstanden. Dad war jedoch absolut dagegen, und er verweigerte Mom bei ihren Umzugsplänen jede Unterstützung, aber sie ließ sich nicht beirren. Da wir das Auto nach unserem gescheiterten Ausflug zum Grand Canyon nie abgeholt hatten – auch nicht unsere Sachen, die noch darin waren –, brauchte Mom zunächst einmal einen fahrbaren Untersatz. Sie sagte, Gottes Wege seien manchmal wundersam und sie habe ganz zufällig bei Grandmas Tod ein bisschen Land in Texas geerbt. Aber sie musste abwarten, bis sie von der Firma, die die Bohrrechte gepachtet hatte, einen Scheck über ein paar hundert Dollar erhielt, und als der kam, zog sie los, um einen Gebrauchtwagen zu kaufen.

Ein Lokalsender im Radio übertrug einmal die Woche live eine Werbesendung von einem Autohandel aus, an dem wir auf dem Weg zur Schule vorbeikamen. Jeden Mittwoch schwärmten die DJs und die Gebrauchtwagenhändler von den unglaublichen Schnäppchen und den niedrigsten Preisangeboten, und zum Beweis gab es dann das so genannte Sparschweinangebot: ein Auto, dessen Preis immer unter tausend Dollar lag und das an denjenigen ging, der das Glück hatte, als Erster anzurufen. Mom hatte sich das Sparschweinangebot in den Kopf gesetzt. Und um kein Risiko einzugehen, vielleicht doch nicht die erste Anruferin zu sein, nahm sie ihr Bares und ging damit ins Büro des Autohandels, während wir Kinder auf einer Parkbank gegenüber warteten und uns die Sendung im Transistorradio anhörten.

Das Sparschweinangebot an jenem Mittwoch war ein Oldsmobile von 1956 und kostete Mom nur zweihundert Dollar. Wir lauschten, als sie auf Sendung kam und den Hörern erzählte, sie habe einfach eine Nase für tolle Schnäppchen.

Mom musste das Sparschweinangebot ohne Probefahrt kaufen, und schon auf dem Nachhauseweg stotterte der Wagen und ging mehrmals aus. Wir wussten nicht, ob es an Moms Fahrkünsten lag oder ob wir eine Niete erwischt hatten.

Wir Kinder waren von der Vorstellung, dass Mom uns quer durchs ganze Land kutschieren würde, alles andere als begeistert. Erstens hatte sie keinen gültigen Führerschein, und zweitens war sie schon immer eine miserable Autofahrerin gewesen. Manchmal, wenn Dad zu viel getrunken hatte, musste sie ans Steuer, aber irgendwie stand Mom mit Autos auf Kriegsfuß. Einmal waren wir in der Innenstadt von Phoenix unterwegs, als sie merkte, dass die Bremsen nicht funktionierten. Brian und ich mussten bei jeder Kreuzung den Kopf aus dem Fenster stecken und aus Leibeskräften »Bremsen kaputt! Bremsen kaputt!« schreien, während Mom nach etwas relativ Weichem Ausschau hielt, gegen das sie den Wagen lenken konnte. Letzten Endes knallten wir gegen einen Müllcontainer hinter einem Supermarkt und gingen zu Fuß nach Hause.

Mom sagte, das wäre doch harmlos gewesen und gemeinsam würden wir die Fahrt schon meistern. Nun, da wir ein Auto hätten, meinte sie weiter, könnten wir gleich am nächsten Morgen starten. Es war Oktober, und wir waren erst seit etwas über einem Monat wieder in der Schule, aber Mom sagte, wir hätten keine Zeit, unseren Lehrern Bescheid zu geben, dass wir die Schule verließen, oder uns die Zeugnisse geben zu lassen. Wenn wir uns in West Virginia an einer Schule anmeldeten, würde sie für unsere schulischen Leistungen bürgen, und sobald unsere neuen Lehrer uns lesen gehört hätten, würden sie schon einsehen, wie begabt wir alle seien.

Dad weigerte sich nach wie vor, mit uns zu kommen, und sagte, er würde in die Wüste aufbrechen und unter die Goldsucher gehen.

Ich fragte Mom, ob wir das Haus auf der North Third Street dann verkaufen oder vermieten würden. »Weder noch«, sagte sie. »Es ist mein Haus.« Sie erklärte, sie fände es schön, zur Abwechslung mal etwas zu besitzen, und sie sah nicht ein, wieso sie es verkaufen sollte, bloß weil wir umzogen. Sie wollte es auch nicht vermieten, weil ihr der Gedanke nicht behagte, dass fremde Leute in ihrem Haus wohnten. Wir würden es einfach so lassen, wie es war. Zum Schutz gegen Einbruch würden wir Wäsche an die Wäscheleine hängen und schmutziges Geschirr im Spülbecken lassen. Dann, so Mom, würden mögliche Eindringlinge glauben, dass das Haus bewohnt wäre und die Bewohner jeden Moment nach Hause kommen könnten.

Wir verstauten unser Gepäck im Wagen, während Dad schmollend im Wohnzimmer saß. Wir verzurrten Moms Malsachen auf dem Dach und füllten den Kofferraum mit Töpfen und Pfannen und Decken. Mom hatte jedem von uns einen warmen Mantel in einem Secondhand-Laden gekauft, damit wir etwas Passendes zum Anziehen hatten, denn in West Virginia wurde es im Winter so kalt, dass es schneite. Mom sagte, wir dürften jeder nur ein Teil mitnehmen, wie damals, als wir Battle Mountain verließen. Ich wollte mein Fahrrad mitnehmen, aber Mom meinte, das wäre zu groß, also nahm ich meine Geode mit.

Ich lief nach hinten in den Garten und verabschiedete mich von den Orangenbäumen, und dann lief ich vors Haus und stieg in das Oldsmobile. Ich musste über Brian klettern und in der Mitte sitzen, weil er und Lori sich schon die Fensterplätze gesichert hatten. Maureen saß vorn neben Mom, die den Motor angelassen hatte und zur Übung die Gänge durchschaltete. Dad war noch im Haus, und ich lehnte mich über Brian und rief ihn, so laut ich konnte. Dad erschien an der Tür, die Arme vor der Brust verschränkt.

»Dad, bitte komm mit, wir brauchen dich!«, schrie ich.

Lori und Brian und Mom und Maureen fielen alle mit ein. Wir brauchen dich!, riefen wir. Du bist der Fahrer! Du bist das Familienoberhaupt! Du bist der Dad! Komm mit!

Dad stand da und sah uns eine Weile an. Dann schnippte er die Zigarette, die er rauchte, in den Garten, zog die Haustür zu, kam zum Wagen getrabt und sagte Mom, sie solle rüberrutschen – er würde fahren.

III

WELCH

IRGENDWANN IN BATTLE MOUNTAIN hatten wir aufgehört, den Autos der Familie Walls Namen zu geben, weil es immer nur Rostlauben waren, die, wie Dad meinte, keinen Namen verdient hatten. Mom sagte, als sie auf der Ranch aufgewachsen war, hätten sie den Rindern niemals Namen gegeben, weil sie wussten, dass sie sie irgendwann töten mussten, und wenn wir den Autos keine Namen gaben, würde es uns auch nicht so traurig machen, wenn wir uns von ihnen trennen mussten.

So kam es, dass das Sparschweinangebot für uns bloß »das Oldsmobile« war, und diese Bezeichnung sprachen wir nie mit Wärme oder gar Mitleid aus. Das Oldsmobile war eine Schrottmühle, gleich von Anfang an, als wir es kauften. Als es zum ersten Mal den Geist aufgab, waren wir noch immer eine Autostunde von der Grenze nach New Mexico entfernt. Dad steckte den Kopf unter die Motorhaube, werkelte ein bisschen herum und brachte den Wagen wieder in Gang, aber schon zwei Stunden später streikte er erneut. Dad brachte ihn zum Laufen – »Eher zum Humpeln«, sagte er –, denn er schaffte nur noch fünfzehn oder zwanzig Meilen die Stunde. Außerdem sprang die Motorhaube dauernd auf, und wir mussten sie mit einem Strick festbinden.

Wir mieden die mautpflichtigen Highways und zockelten über schmale Landstraßen, auf denen wir meistens eine lange Schlange von Autos hinter uns hatten, die ein Hupkonzert veranstalteten. Irgendwo in Oklahoma ließ sich ein Fenster nicht mehr hochkurbeln, und wir klebten es mit Müllbeuteln zu. Wir schliefen jede Nacht im Oldsmobile, und einmal, in Muskogee, wo wir spät abends angekommen waren und auf einer leeren Straße mitten im Ort geparkt hatten, drängte sich eine kleine Menschenansammlung um unseren Wagen, als wir morgens wach wurden: Kinder, die sich die Nase an den Scheiben platt drückten, und Erwachsene, die kopfschüttelnd grinsten.

Mom winkte den Leuten einfach zu. »Wenn Okies« – damit meinte sie die Leute aus Oklahoma – »einen auslachen, weiß man, dass man tiefer nicht mehr sinken kann«, sagte sie. Mit unserem mülltütenverklebten Fenster, der zugebundenen Motorhaube und den Malsachen auf dem Dach wären wir ja regelrechte Bilderbuch-Okies. Bei dem Gedanken kriegte sie sich vor Lachen kaum noch ein.

Ich zog mir eine Decke über den Kopf und kam erst wieder darunter hervor, als wir Muskogee hinter uns gelassen hatten. »Das Leben ist ein Drama voller Tragik und Komik«, sagte Mom zu mir. »Du solltest lernen, die komischen Episoden etwas mehr zu genießen.«

Wir brauchten einen Monat, um das Land zu durchqueren. Wir hätten genauso gut mit dem Planwagen unterwegs sein können. Außerdem bestand Mom darauf, dass wir Umwege fuhren, um uns Sehenswürdigkeiten anzusehen, die unseren Horizont erweitern sollten. Wir sahen uns The Alamo an – »Davy Crockett und James Bowie haben gekriegt, was sie verdient haben«, sagte Mom, »schließlich haben sie den Mexikanern das Land gestohlen.« Dann fuhren wir weiter nach Beaumont, wo die Ölpumpen auf und nieder wippten wie Riesenvögel. In Louisiana sagte Mom, wir sollten aufs Autodach klettern und lange Bartflechtenquasten abpflücken, die von den Ästen der Bäume herabhingen. Es war mitten in der Nacht, als wir New Orleans erreichten, aber Mom weckte uns, um uns das Französische Viertel zu zeigen.

Nachdem wir den Mississippi überquert hatten, fuhren wir zuerst nach Norden Richtung Kentucky und dann wieder nach Osten. Statt der flachen Wüste mit zerklüfteten Bergen am Horizont sahen wir jetzt eine Landschaft, die sich bauschte und wellte wie ein Laken, das man ausschüttelt. Schließlich kamen wir ins Bergland, kletterten immer höher und weiter in das Appalachen-Gebirge hinein. Gelegentlich legten wir eine Pause ein, damit das Oldsmobile nach den steilen, kurvigen Straßen etwas verschnaufen konnte. Es war November. Die Blätter waren braun geworden und fielen von den Bäumen, und ein kalter Nebel umhüllte die Berghänge. Anstelle von Bewässerungsgräben, die man im Südwesten sah, waren hier überall Flüsse und Bäche, und die Luft fühlte sich anders an. Sie war sehr still, schwerer und dicker, und irgendwie dunkel. Ohne dass wir es uns erklären konnten, bewirkte sie, dass wir alle ruhig wurden.

In der Abenddämmerung näherten wir uns einer Biegung, wo handgemalte Reklametafeln für Autowerkstätten und Kohlenlieferanten an die Bäume am Straßenrand genagelt waren. Wir fuhren um die Biegung herum und befanden uns unversehens in einem tiefen Tal. Holzhäuser und kleine Ziegelbauten säumten den Fluss und verteilten sich in unregelmäßigen Flecken über beide Berghänge.

»Willkommen in Welch!«, verkündete Mom.

Wir fuhren durch dunkle, gewundene Straßen und hielten dann vor einem großen, heruntergekommenen Haus. Es stand auf der abschüssigen Seite der Straße, und wir mussten eine Treppe hinunter, um zur Haustür zu gelangen. Als wir auf die Veranda polterten, öffnete eine Frau die Tür. Sie war gewaltig, hatte eine teigige Haut und ein regelrechtes Dreifachkinn. Ihr glattes graues Haar wurde von Klammern zusammengehalten, und eine Zigarette baumelte zwischen ihren Lippen.

»Willkommen daheim, mein Sohn«, sagte sie und umarmte Dad lange.

Sie wandte sich Mom zu. »Nett von dir, dass ich meine Enkelkinder noch zu Gesicht kriege, bevor ich sterbe«, sagte sie, ohne zu lächeln.

Sie nahm die Zigarette nicht aus dem Mund, als sie jeden von uns rasch und unbeholfen umarmte. Ihre Wange war klebrig von Schweiß.

»Schön, dich kennen zu lernen, Grandma«, sagte ich.

»Nenn mich nicht Grandma«, knurrte sie. »Ich heiß Erma.«

»Sie findet, Grandma hört sich alt an«, sagte ein Mann, der hinter ihr aufgetaucht war. Er sah zerbrechlich aus und hatte kurzes weißes Haar, das senkrecht abstand. Er nuschelte so stark, dass ich ihn kaum verstehen konnte. Ich wusste nicht, ob das sein Dialekt war oder ob er vielleicht vergessen hatte, sein Gebiss einzusetzen. »Ich heiß Teddy, aber ihr könnt Grandpa zu mir sagen«, sprach er weiter. »Macht mir nichts aus, ein Grandpa zu sein.«

Hinter Grandpa erschien ein rotgesichtiger Mann, dessen wilder roter Haarschopf unter einer Baseballmütze mit einem Logo der Firma Maytag hervorquoll. Er trug eine schwarz-weiß karierte Jacke, aber kein Hemd darunter. Er sagte unablässig, er sei unser Onkel Stanley, und er wollte gar nicht mehr aufhören, mich zu herzen und abzuküssen, als wäre ich jemand, den er innig liebte und den er ewig nicht gesehen hatte. Sein Atem roch nach Whiskey, und wenn er sprach, konnte man die rosa Wülste seines zahnlosen Zahnfleisches sehen.

Ich starrte Erma und Stanley und Grandpa an und suchte nach irgendeiner Ähnlichkeit mit Dad, aber ich konnte keine entdecken. Vielleicht war das ja einer von Dads Streichen, dachte ich. Bestimmt hatte Dad die seltsamsten Leute im Ort überredet, sich als seine Familie auszugeben. Gleich würde er anfangen zu lachen und uns sagen, wo seine richtigen Eltern wohnten, und da würden wir dann hingehen, und eine lächelnde Frau mit duftendem Haar würde uns begrüßen und uns dampfende Teller mit Grießbrei vorsetzen. Ich sah Dad an. Er lächelte, aber er zupfte unentwegt an der Haut an seinem Hals, als wäre er nervös.

Wir folgten Erma und Stanley und Grandpa ins Haus. Drinnen war es kalt, und die Luft roch nach Moder und Zigaretten und ungewaschener Wäsche. Wir drängten uns um einen dickbauchigen, gusseisernen Kohleofen in der Mitte des Wohnzimmers und wärmten uns die Hände. Erma zog eine Flasche Whiskey aus der Tasche ihres Kittels, und Dad sah zum ersten Mal, seit wir Phoenix verlassen hatten, glücklich aus.

Erma bugsierte uns in die Küche, wo sie, wie sie sagte, gerade das Abendessen machte. Eine Glühbirne baumelte von der Decke und warf ein hartes Licht auf die vergilbten Wände, die mit einer dünnen Fettschicht überzogen waren. Erma schob einen gebogenen Metallhaken unter eine runde Eisenplatte auf einem alten Kohleherd, hob sie hoch, nahm mit der anderen Hand einen Schürhaken von der Wand und stocherte in den heißen, rot glühenden Kohlen herum. Dann rührte sie in einem Topf, in dem grüne Bohnen mit Speck köchelten, und warf eine Hand voll Salz hinein. Anschließend stellte sie einen Korb mit Pillsbury-Brötchen auf den Tisch und füllte für jedes von uns Kindern einen Teller mit Bohnen.

Die Bohnen waren völlig zerkocht und fielen auseinander, wenn ich mit der Gabel hineinstach, außerdem waren sie dermaßen versalzen, dass ich sie kaum herunterbekam. Ich hielt mir die Nase zu, eine Methode, die Mom uns beigebracht hatte, um Sachen zu essen, die schon ein bisschen schlecht waren. Erma sah das und schlug meine Hand weg. »Du kannst es dir nicht leisten, so zimperlich zu sein«, sagte sie.

Im ersten Stock gäbe es drei Schlafzimmer, sagte Erma, aber seit fast zehn Jahren sei keiner mehr im ersten Stock gewesen, weil die Bodendielen durchgefault waren. Onkel Stanley bot an, uns sein Zimmer im Keller zu überlassen und selbst auf einem Feldbett im Flur zu schlafen. »Es ist nur für ein paar Tage«, sagte Dad, »bis wir was eigenes gefunden haben.«

Nach dem Abendessen gingen Mom und wir Kinder hinunter in den Keller. Es war ein großer, feuchter Raum mit grünem Linoleumboden und Wänden aus Zementsteinen. Die Einrichtung bestand aus einem weiteren Kohleofen, einem Bett, einer Ausziehcouch, auf der Mom und Dad schlafen konnten, und einer feuerwehrrot gestrichenen Kommode, in der Hunderte zerfledderter Comic-Heftchen lagen – *Little Lulu, Richie Rich, Beetle Bailey, Archie and Jughead* –, die Onkel Stanley im Laufe der Jahre gesammelt hatte. Unter der Kommode befanden sich Kanister mit echtem Schwarzgebranntem. »Eine richtige Junggesellenbude«, sagte Lori.

Wir Kinder kletterten in Stanleys Bett. Damit es nicht zu eng wurde, schliefen Lori und ich mit dem Kopf zum einen Ende und Brian und Maureen mit dem Kopf zum anderen Ende. Brians Füße waren direkt vor meinem Gesicht, und ich hielt ihn an den Knöcheln fest und fing an, an seinen Zehen zu kauen. Er lachte und trat und rächte sich, indem er an meinen Zehen kaute, was wiederum mich zum Lachen brachte. Wir hörten ein lautes Poch-Poch-Poch an der Decke des Kellerraumes.

»Was war das?«, fragte Lori.

»Vielleicht sind die Kakerlaken hier größer als in Phoenix«, sagte Brian. Wir mussten alle lachen und hörten prompt wieder das Poch-Poch-Poch. Mom ging nach oben, um zu fragen, was los war, kam wieder runter und erklärte, dass Erma mit einem Besenstiel auf den Boden geklopft hatte, um zu signalisieren, dass wir zu viel Krach machten. »Sie hat darum gebeten, dass ihr Kinder nicht lacht, solange ihr in ihrem Haus seid«, sagte Mom. »Es geht ihr auf die Nerven.«

»Ich glaube, Erma mag uns nicht besonders«, sagte ich.

»Sie ist bloß eine alte Frau, die ein schweres Leben hatte«, sagte Mom.

»Die sind alle irgendwie komisch«, sagte Lori.

»Wir werden uns schon dran gewöhnen«, sagte Mom.

Oder weiterziehen, dachte ich.

DER NÄCHSTE TAG WAR EIN SONNTAG, und als wir nach oben kamen, stand Onkel Stanley an den Kühlschrank gelehnt und starrte aufmerksam das Radio an, das er »das Philmore« nannte. Es gab seltsame Geräusche von sich, kein statisches Rauschen, sondern eine Kombination aus Kreischen und Jammern. »Das ist Zungensprache«, sagte er. »Die kann nur der Herr verstehen.«

Der Prediger fing an, normal zu sprechen – mehr oder weniger. Er hatte einen so starken Hillbilly-Akzent, dass er fast genauso schwer zu verstehen war wie die Zungensprache. Er bat all die guten Menschen da draußen, denen durch diese Aussendung des Geistes unseres Herrn geholfen worden war, Spenden zu schicken. Dad kam in die Küche und hörte einen Moment zu. »Genau die Sorte geistloser Voodoo-Quatsch«, sagte er, »hat mich zum Atheisten gemacht.«

Später am selben Tag stiegen wir ins Oldsmobile, und Mom und Dad machten mit uns eine Fahrt durch den Ort. Welch war auf allen Seiten von so steilen Bergen umgeben, dass man das Gefühl hatte, vom Boden einer Schüssel nach oben zu blicken. Dad sagte, die Hänge seien einfach zu steil, um großartig was anzubauen. Man könnte auch keine anständige Herde Schafe oder Rinder züchten, erklärte er uns, und gerade mal so viel Getreide anpflanzen, dass es für den Eigenbedarf reichte. Dieses Fleckchen Erde war bis zur Jahrhundertwende ziemlich abgeschieden gewesen, doch dann kamen Profitgeier aus dem Norden, ließen eine Eisenbahnlinie in das Gebiet legen und brachten billige Arbeiter her, die die gewaltigen Vorkommen an Bitumenkohle abbauten.

Wir hielten unter einer Eisenbahnbrücke, um den Fluss zu bestaunen, der durch den Ort floss. Er bewegte sich träge, warf kaum Wellen. Dad sagte, dass der Fluss Tug hieß. »Vielleicht können wir im Sommer drin angeln und schwimmen«, sagte ich. Dad schüttelte den Kopf. In der Gegend gäbe es keine Kanalisation, erklärte er, und wenn die Leute hier ihre Klospülung betätigten, wurde alles direkt in den Tug geleitet. Manchmal, so erzählte er weiter, stieg der Fluss über die Ufer, und das Wasser reichte bis zu den Baumspitzen. Dann zeigte er auf das Klopapier in den Bäumen am Flussufer. Der Tug, sagte Dad, hätte von allen Flüssen Nordamerikas den höchsten Anteil an Fäkalbakterien.

»Was heißt fäkal?«, fragte ich.

Dad betrachtete den Fluss einen Moment lang. »Scheiße«, sagte er.

Dad ging mit uns die Hauptstraße entlang durch den Ort. Sie war schmal und wurde auf beiden Seiten von alten, dicht an dicht stehenden Ziegelgebäuden gesäumt. Die Geschäfte, die Reklametafeln, die Bürgersteige, die Autos, alles war mit einem Film aus schwarzem Kohlenstaub überzogen, sodass die Stadt beinahe einfarbig wirkte, wie eine alte, handkolorierte Fotografie. Welch war schäbig und heruntergekommen, aber man konnte sehen, dass es mal ein aufstrebendes Städtchen gewesen war. Auf einem Hügel stand ein prächtiges Gerichtsgebäude aus Kalkstein mit einem großen Uhrenturm. Gegenüber davon war eine stattliche Bank mit Bogenfenstern und einer schmiedeeisernen Tür.

Man konnte auch sehen, dass die Bewohner von Welch noch immer bemüht waren, sich ein bisschen Lokalpatriotismus zu bewahren. Ein Schild in der Nähe der einzigen Ampel verkündete, dass Welch Bezirkshauptstadt von McDowell County war und dass in McDowell County jahrelang mehr Kohle gefördert worden war als an irgendeinem anderen vergleichbaren Ort auf der Welt. Gleich daneben prahlte ein anderes Schild damit, dass Welch den größten städtischen Freiluftparkplatz in ganz Nordamerika besaß.

Aber die fröhlichen Reklamen, die auf die Flanken von Gebäuden wie dem Tic Toc Diner oder dem Pocahontas-Kino aufgemalt waren, hatte der Zahn der Zeit blass und beinahe unleserlich gemacht. Dad sagte, dass die schlimmen Zeiten in den fünfziger Jahren begonnen hatten. Da hatte das Unglück zugeschlagen und sich eingenistet. Präsident John F. Kennedy war kurz nach seiner Wahl nach Welch gekommen und hatte persönlich auf der McDowell Street die ersten Lebensmittelmarken verteilt, um den ungläubigen Durchschnittsamerikanern vor Augen zu führen, dass es auch in ihrem Land bitterarme Menschen gab, die nicht genug zu essen hatten.

Die Straße durch Welch, so erzählte Dad uns, führte nur noch weiter hinauf in die nassen, bedrohlichen Berge und zu anderen sterbenden Bergarbeiterstädtchen. Es verirrten sich nur noch wenige Fremde nach Welch, und wenn doch, dann fast immer nur, um irgendein neues Unglück zu bringen – um Arbeiter zu entlassen, um ein Bergwerk zu schließen, um jemanden aus seinem schuldenbelasteten Haus zu vertreiben, um sich die wenigen freien Stellen unter den Nagel zu reißen. Deshalb mochten die Einheimischen Fremde nicht besonders.

Die Straßen waren an diesem Morgen überwiegend still und menschenleer, nur dann und wann sahen wir eine Frau mit Lockenwicklern im Haar oder eine Gruppe von Männern in T-Shirts mit einem Werbeaufdruck für Motorenöl, die in einem Hauseingang herumlungerten. Ich wollte ihre Blicke auffangen, um ihnen zuzunicken und sie anzulächeln, damit sie merkten, dass wir nur gute Absichten hatten, aber sie schauten nicht mal in unsere Richtung. Doch sobald wir an ihnen vorbei waren, spürte ich, wie sie uns mit Blicken verfolgten.

»Meine Güte, mit der Stadt ist es aber ganz schön bergab gegangen, seit wir das letzte Mal hier waren«, sagte Mom. Dad war vor fünfzehn Jahren, als sie frisch verheiratet waren, mal auf einen kurzen Besuch mit ihr hier gewesen.

Er stieß ein kurzes, schnaubendes Lachen aus und sah sie an, als wollte er sagen, *hab ich dir doch gesagt, oder?* Doch stattdessen schüttelte er nur den Kopf.

Plötzlich glitt ein breites Lächeln über Moms Gesicht. »Ich wette, in Welch gibt es keine Künstler«, sagte sie. »Keine Konkurrenz. Hier müsste meine Karriere richtig in Schwung kommen.«

Am nächsten Tag ging Mom mit Brian und mir zur Grundschule, die so ziemlich am Ortsrand lag. Mit uns im Schlepptau marschierte sie voller Optimismus ins Büro des Schulleiters und teilte ihm mit, dass er das Vergnügen haben werde, zwei der intelligentesten, kreativsten Kinder Amerikas aufnehmen zu dürfen.

Der Schulleiter musterte Mom über den Rand seiner schwarzen Brille hinweg, blieb aber hinter dem Schreibtisch sitzen. Mom erklärte, dass wir Phoenix ein ganz kleines bisschen überstürzt verlassen hatten, Sie wissen ja, wie das so ist, und dass sie leider bei dem ganzen Trubel vergessen hatte, solche Dinge wie Schulzeugnisse und Geburtsurkunden einzupacken.

»Aber ich gebe Ihnen mein Wort, dass Jeannette und Brian besonders aufgeweckt sind, sogar überdurchschnittlich begabt.« Sie lächelte ihn an.

Der Schulleiter, der bis dahin kaum etwas gesagt hatte, musterte Brian und mich mit unseren ungewaschenen Haaren und unserer viel zu dünnen Wüstenkleidung. Sein Gesicht nahm einen verdrossenen, skeptischen Ausdruck an. Er fixierte mich, schob sich die Brille auf der Nase hoch und sagte etwas, das sich anhörte wie: »Wievies ach ma siebn?«

»Wie bitte?«, fragte ich.

»Ach ma siebn!«, wiederholte er lauter.

Ich war total verwirrt und sah Mom an.

»Sie versteht Ihren Dialekt nicht«, erklärte Mom dem Schulleiter. Er runzelte die Stirn. Mom wandte sich mir zu. »Er fragt, wie viel acht mal sieben ist.«

»Ach so!«, rief ich. »Sechsundfünfzig! Acht mal sieben ist sechsundfünfzig!« Dann rasselte ich alle möglichen mathematischen Gleichungen herunter.

Der Schulleiter starrte mich verständnislos an.

»Er kommt nicht mit«, erklärte Mom mir. »Du musst langsamer reden.«

Der Schulleiter stellte mir noch ein paar Fragen, die ich nicht verstand, und nachdem Mom übersetzt hatte, gab ich ihm Antworten, die er nicht verstand. Dann war Brian dran, und es gab das gleiche Verständigungsproblem.

Der Schulleiter kam zu dem Schluss, dass Brian und ich beide ein bisschen begriffsstutzig waren und einen Sprachfehler hatten, was es anderen sehr schwer machen würde, uns zu verstehen. Er teilte uns in die Förderklassen für lernschwache Schüler ein.

»Ihr müsst sie eben einfach mit eurer Intelligenz beeindrucken«, sagte Mom, als Brian und ich uns am nächsten Tag auf den Schulweg machten. »Habt keine Hemmungen, schlauer zu sein als die anderen.«

In der Nacht vor unserem ersten Schultag hatte es geregnet, und als Brian und ich an dem Morgen vor der Schule aus dem Bus stiegen, versanken unsere Schuhe in den schlammigen Spurrillen, die der Bus hinterlassen hatte. Ich hielt Ausschau nach einem Völkerballfeld, weil ich hoffte, mit meiner überragenden Ballbeherrschung, die ich in Emerson erworben hatte, ein paar neue Freundinnen zu gewinnen, aber ich konnte auf dem Schulhof keins entdecken, noch nicht mal eine Wippe oder ein Klettergerüst.

Seit unserer Ankunft in Welch war es kalt gewesen, und tags zuvor hatte Mom die Secondhand-Mäntel ausgepackt, die sie in Phoenix für uns gekauft hatte. Als ich sie darauf hinwies, dass an meinem sämtliche Knöpfe abgerissen waren, sagte sie, der kleine Schönheitsfehler werde durch die Tatsache, dass der Mantel ein Importprodukt aus Frankreich sei und zu hundert Prozent aus Lammwolle bestehe, mehr als wettgemacht. Während wir auf die Schulglocke warteten, stand ich mit Brian am Rand des Pausenhofs und hielt die Arme verschränkt, um meinen Mantel geschlossen zu halten. Die anderen Kinder starrten uns an, tuschelten, blieben aber auf Abstand, als wüssten sie noch nicht recht, ob sie Jäger oder Gejagte waren. Ich hatte gedacht, in West Virginia gäbe es nur weiße Hillbillys, und staunte nun, wie viele schwarze Kinder in diese Schule gingen. Ein großes schwarzes Mädchen mit kräftigem Kinn und Mandelaugen lächelte mich an, und ich nickte und lächelte zurück, aber dann merkte ich, dass ihr Lächeln irgendwie boshaft war. Ich verschränkte die Arme noch fester vor der Brust, um die Kälte abzuwehren.

Ich ging in die fünfte Klasse, daher hatte ich jeden Tag etliche Fächer bei verschiedenen Lehrern. In der ersten Stunde hatte ich Geschichte, eins meiner Lieblingsfächer. Ich war gespannt wie ein Flitzebogen und bereit, sofort die Hand zu heben, wenn der Lehrer eine Frage stellte, die ich beantworten konnte, aber er stand bloß vorn neben einer Karte von West Virginia, auf der alle fünfundfünfzig Countys eingezeichnet waren, und tat die ganze Stunde über nichts anderes, als auf einzelne Countys zu zeigen, die die Schüler dann benennen mussten. Bei einem anderen Lehrer sahen wir uns einen Film von dem Football-Match an, das die Highschool von Welch ein paar Tage zuvor gespielt hatte. Keiner der Lehrer stellte mich der Klasse vor. Sie wirkten im Umgang mit Fremden ebenso unsicher wie die Kinder.

In der Stunde darauf hatte ich Englisch für lernschwache Schüler. Miss Caparossi, die Lehrerin, erklärte den Schülern gleich zu Anfang, es möge sie ja überraschen, aber es gebe nun mal Menschen auf dieser Welt, die sich für besser als andere hielten. »Die sind so felsenfest davon überzeugt, etwas Besonderes zu sein, dass sie meinen, sie müssten sich nicht an die Regeln halten, die für andere Leute gelten«, sagte sie, »wie zum Beispiel Zeugnisse vorzulegen, wenn sie sich an einer neuen Schule anmelden.« Sie sah mich an und zog viel sagend die Augenbrauen hoch.

»Wer von euch findet das unfair?«, fragte sie die Klasse.

Alle Kinder außer mir hoben die Hand.

»Wie ich sehe, ist unsere neue Schülerin anderer Meinung«, sagte sie. »Würdest du das vielleicht erklären?«

Ich saß in der vorletzten Reihe. Die Schüler vor mir drehten sich um und starrten mich an. Ich beschloss, sie mit einer Antwort aus dem Ergo-Spiel zu verblüffen.

»Information für Schlussfolgerung unzureichend«, sagte ich.

»Ach ja?«, fragte Miss Caparossi. »Sagt man das so in einer Großstadt wie Phoenix?« Sie sprach es Fiiiiinix aus. Dann wandte sie sich der Klasse zu und sagte mit hoher, gekünstelter Stimme: »Information für Schlussfolgerung unzureichend.«

Die Klasse lachte ausgelassen.

Ich spürte einen stechenden Schmerz zwischen den Schulterblättern und drehte mich um. Das große schwarze Mädchen mit den Mandelaugen saß an dem Tisch hinter mir. Sie hob den spitzen Stift hoch, mit dem sie mir in den Rücken gepikst hatte, und lächelte das gleiche boshafte Lächeln, das ich schon auf dem Schulhof gesehen hatte.

In der Mittagspause suchte ich Brian in der Cafeteria, aber Viertklässler hatten einen anderen Stundenplan als Fünftklässler, also setzte ich mich allein an einen Tisch und biss in das Sandwich, das Erma mir am Morgen gemacht hatte. Es war fade und fettig. Ich klappte die beiden Weißbrotscheiben auseinander. Dazwischen war eine dünne Schicht Schweineschmalz. Mehr nicht. Keine Wurst, kein Käse, nicht mal eine Gurkenscheibe. Ich aß es trotzdem, kaute ganz langsam und starrte angestrengt auf meine Zahnabdrücke im Brot, um den Augenblick, wo ich die Cafeteria verlassen und auf den Pausenhof gehen musste, möglichst lange hinauszuzögern. Schließlich – ich war die letzte Schülerin im Saal – fing der Hausmeister an, die Stühle auf die Tische zu stellen, damit der Boden gewischt werden konnte, und forderte mich auf zu gehen.

Draußen hing ein dünner Nebel in der Luft. Ich zog meinen Mantel aus Lammwolle vorn zu. Drei schwarze Mädchen, das mit den Mandelaugen vornweg, kamen auf mich zu, sobald sie mich entdeckten. Ein halbes Dutzend anderer Mädchen folgte ihnen. Im Handumdrehen war ich umzingelt.

»Meinst du, du bist was Besseres als wir?«, fragte das große Mädchen.

»Nein«, sagte ich. »Ich glaube, wir sind alle gleich.«

»Denkst du, du bist so gut wie ich?« Sie versetzte mir einen Stoß, und als ich weiter meinen Mantel zuhielt, anstatt abwehrend die Hände zu heben, sah sie, dass er keine Knöpfe hatte. »Die hat ja keine Knöpfe am Mantel!«, schrie sie. Das schien ihr die letzten Skrupel zu nehmen. Sie versetzte mir einen Stoß gegen die Brust, und ich fiel nach hinten. Als ich wieder aufstehen wollte, fingen alle drei Mädchen an, mich mit Tritten zu traktieren. Ich rollte mich weg in eine Pfütze, rief, sie sollten aufhören, und schlug auf die Füße ein, die von allen Seiten auf mich eintraten. Die anderen Mädchen hatten einen engen Kreis um uns gebildet, sodass keiner der Lehrer sehen konnte, was passierte. Die Mädchen hörten erst auf, als sie genug hatten.

Als wir am Nachmittag alle wieder zu Hause waren, erkundigten sich Mom und Dad gespannt, wie unser erster Tag gewesen war.

»Ganz gut«, sagte ich. Ich wollte Mom nicht die Wahrheit sagen. Ich war nicht in der Stimmung, mir eine von ihren Predigten über die Kraft des positiven Denkens anzuhören.

»Siehst du?«, antwortete sie. »Ich hab doch gesagt, dass ihr euch wunderbar einfügen werdet.«

Brian überging Moms und Dads Fragen einfach, und Lori wollte überhaupt nicht über ihren Tag sprechen.

»Wie waren denn die anderen Kinder?«, fragte ich sie später.

»Okay«, sagte sie, wandte sich aber ab, und damit war das Gespräch beendet.

Die Schikanen in der Schule gingen über Wochen weiter. Das große Mädchen, das, wie ich erfuhr, Dinita Hewitt hieß, beobachtete mich mit diesem Lächeln, wenn wir auf dem asphaltierten Schulhof auf den Beginn des Unterrichts warteten. In der Mittagspause aß ich meine Schmalzbrote mit lähmender Langsamkeit, doch früher oder später fing der Hausmeister an, die Stühle hochzustellen. Ich versuchte, möglichst erhobenen Hauptes nach draußen zu gehen, wo Dinita und ihre Bande mich sofort umringten, und dann ging es los.

Während wir uns prügelten, beschimpften sie mich als arm, hässlich und schmutzig – und das war kaum zu bestreiten. Ich besaß ganze drei Kleider, die entweder Lori schon getragen hatte oder aus dem Secondhand-Laden waren, was bedeutete, dass ich zwei davon jede Woche zweimal anziehen musste. Und sie waren vom vielen Waschen so dünn geworden, dass der Stoff allmählich zerfaserte. Außerdem waren wir immer schmutzig. Nicht staubig schmutzig, wie wir es in der Wüste gewesen waren, sondern rußig schmutzig und voll mit dem öligen Kohlenstaub vom Kohlenofen. Erma genehmigte uns lediglich ein Bad in der Woche, und das auch nur in zehn Zentimeter tiefem Wasser, das auf dem Herd in der Küche erhitzt wurde und für alle Kinder zusammen reichen musste.

Ich überlegte, ob ich Dad von den Prügeleien erzählen sollte, aber ich wollte nicht, dass er mich für eine Memme hielt. Außerdem war er kaum nüchtern, seit wir in Welch waren, und ich hatte Angst, dass er sturzbetrunken in die Schule kommen und alles nur noch schlimmer machen würde, wenn ich es ihm erzählte.

Stattdessen redete ich mit Mom. Von den eigentlichen Schlägereien erzählte ich ihr zwar nichts, weil ich fürchtete, sie würde sich dann einmischen, und auch das würde alles nur noch schlimmer machen, aber ich sagte ihr, dass auf der Schule drei schwarze Mädchen waren, die mir das Leben schwer machten, weil wir so arm waren. Mom antwortete, ich sollte ihnen sagen, dass Arm-Sein keine Schande wäre, dass Abraham Lincoln, einer der größten Präsidenten, die Amerika je hatte, aus einer bitterarmen Familie stammte. Außerdem sollte ich ihnen sagen, Martin Luther King jr. würde sich für ihr Verhalten schämen. Ich wusste zwar, dass mir diese hochherzigen Argumente nicht viel nützen würden, aber ich versuchte es trotzdem – *Martin Luther King würde sich für euch schämen!* –, und die drei Mädchen prusteten los vor Lachen, als sie mich zu Boden stießen, um mir meine tägliche Tracht Prügel zu verpassen.

Wenn ich abends mit Lori, Brian und Maureen in Stanleys Bett lag, malte ich mir Racheszenarien aus. Ich stellte mir vor, so wie Dad in seinen Air-Force-Tagen zu sein und sie alle zu vertrimmen. Nach der Schule ging ich oft raus zu dem Holzstapel direkt am Haus, übte an den Scheiten Karateschläge

und -tritte und stieß dabei ein paar ziemlich üble Schimpfworte aus. Aber ich musste auch immer wieder an Dinita denken, aus der ich nicht schlau wurde. Kurze Zeit hoffte ich, ich
könnte ihre Freundin werden. Ein paar Mal hatte ich Dinita
richtig herzlich lächeln sehen, und das hatte ihr Gesicht völlig
verändert. Bei so einem Lächeln musste doch etwas Gutes in
ihr stecken, aber ich hatte einfach keine Idee, wie ich sie
dazu bringen konnte, mir dieses Lächeln zu schenken.

Eines Tages, ich ging seit rund einem Monat in Welch zur
Schule, war ich gerade auf einer Treppe, die zu einem Park
oberhalb der Stadt führte, als ich von der anderen Seite des
Kriegerdenkmals lautes, wütendes Bellen hörte. Ich sprang
die restlichen Stufen hinauf und sah eine große, geifernde
Promenadenmischung, die einen kleinen schwarzen Jungen
von fünf, sechs Jahren vor dem Denkmal in die Enge getrieben hatte. Der Junge trat ängstlich nach dem Hund, der immer wieder auf ihn zusprang. Ich bemerkte, dass der Junge zu
den Bäumen auf der anderen Seite des Parks hinüberblickte
und anscheinend überlegte, ob er es bis dahin schaffen
könnte.

»Nicht weglaufen!«, rief ich.

Der Junge hob den Kopf und sah mich. Der Hund tat das
Gleiche, und in dem Moment flitzte der Junge los, obwohl
seine Chancen gleich null waren. Der Hund setzte ihm bel-
lend nach, holte ihn rasch ein und schnappte nach seinen Beinen.

Nun gibt es tollwütige Hunde und wilde Hunde und
Kampfhunde, und die würden einem sofort an die Kehle gehen und sich so lange verbeißen, bis entweder das Opfer oder
sie selbst tot wären, aber dieser Hund, das sah ich sofort, war
eigentlich nicht böse. Statt den Jungen richtig anzugreifen,
machte er sich einen Spaß daraus, ihm Angst einzujagen. Er
knurrte und zerrte an seinen Hosenbeinen, aber er richtete
keinen wirklichen Schaden an. Er war bloß eine arme Töle,
die zu viele Tritte abbekommen hatte und sich jetzt darüber

freute, endlich ein Wesen gefunden zu haben, das Angst vor ihm hatte.

Ich hob einen Ast auf und rannte zu den beiden. »Haust du wohl ab!«, schrie ich den Hund an. Als ich meinen Stock hob, winselte er und schlich sich davon.

Die Hundezähne hatten nicht mal die Haut des Jungen verletzt, aber sein Hosenbein war zerrissen, und er zitterte, als hätte er Schüttellähmung. Also bot ich an, ihn nach Hause zu bringen, und trug ihn schließlich huckepack. Er war federleicht. Ich bekam kein Wort aus ihm heraus bis auf spärliche Wegbeschreibungen: »da hoch«, »hier lang«, die er noch dazu so leise hervorbrachte, dass ich sie kaum verstand.

Die Häuser in dem Viertel, in das wir schließlich gelangten, waren alt, aber frisch gestrichen, manche in leuchtenden Farben wie Lavendelblau oder Hellgrün. »Hier ist es«, wisperte der Junge, als wir zu einem Haus mit blauen Fensterläden kamen. Es hatte einen hübschen Garten, war aber so klein wie ein Häuschen für Zwerge. Als ich den Jungen absetzte, stürmte er die Stufen hoch und verschwand durch die Tür. Ich wandte mich zum Gehen.

Auf der Veranda gegenüber stand Dinita Hewitt und betrachtete mich neugierig.

Als ich am nächsten Tag nach dem Mittagessen auf den Schulhof ging, kam die Mädchenbande auf mich zu, aber Dinita blieb im Hintergrund. Ohne ihre Anführerin wussten die anderen nicht, was sie machen sollten, und ließen mich in Ruhe. Eine Woche später bat Dinita mich um Hilfe bei den Hausaufgaben. Sie entschuldigte sich nicht für die Schikanen, erwähnte sie nicht mal, aber sie bedankte sich dafür, dass ich neulich Abend den Jungen aus ihrer Nachbarschaft nach Hause gebracht hatte, und ich dachte mir, dass sie mir damit zeigen wollte, wie Leid es ihr tat. Erma hatte deutlich gemacht, wie sie zu Schwarzen stand, also lud ich Dinita nicht zu uns nach Hause ein, um ihr bei den Hausaufgaben zu helfen, sondern machte den Vorschlag, am nächsten Samstag zu ihr zu kommen.

An dem Tag verließ ich das Haus zur selben Zeit wie Onkel Stanley. Er hatte nie das nötige Kleingeld gehabt, um den Führerschein zu machen, aber jemand aus dem Haushaltswarengeschäft, in dem er arbeitete, holte ihn ab, und er fragte mich, ob sie mich irgendwo absetzen könnten. Als ich sagte, wohin ich wollte, runzelte er die Stirn. »Das ist im Niggerdorf«, sagte er. »Was willst du denn da?«

Stanley wollte nicht, dass sein Kollege mich dorthin fuhr, also ging ich zu Fuß. Als ich am späten Nachmittag wieder nach Hause kam, war niemand da außer Erma, die nie einen Fuß vor die Tür setzte. Sie stand in der Küche, rührte in einem Topf mit grünen Bohnen und nahm immer wieder einen kräftigen Schluck aus einer Schnapsflasche, die in ihrer Kitteltasche steckte.

»Na, wie war's im Niggerdorf?«, fragte sie.

Erma schimpfte andauernd über die »Nigger«. Das Haus von ihr und Grandpa lag an der Court Street, am Rande des Schwarzenviertels. Sie war verärgert gewesen, als immer mehr Schwarze in jenen Teil der Stadt zogen, und sie sagte oft, es wäre deren Schuld, dass es mit Welch so bergab gegangen war. Wenn man im Wohnzimmer saß, wo Erma immer die Jalousien heruntergelassen hatte, konnte man manchmal Gruppen von Schwarzen hören, die plaudernd und lachend in die Stadt gingen. »Gottverdammte Nigger«, murmelte Erma dann. »Der Grund, warum ich dieses Haus seit fünfzehn Jahren nicht verlassen habe«, erzählte sie uns oft, »ist der, dass ich keinen Nigger sehen und von keinem gesehen werden will.«

Mom und Dad hatten uns verboten, dieses Wort zu benutzen. Es war viel schlimmer als alle anderen Schimpfwörter. Aber da Erma meine Großmutter war, hatte ich nie etwas gesagt, wenn sie es benutzte.

Erma rührte weiter in den Bohnen. »Mach nur weiter so, dann denken die Leute noch, du wärst eine Niggerfreundin«, sagte sie.

Sie bedachte mich mit einem ernsten Blick, als erteilte sie mir eine wichtige Lektion fürs Leben, die ich mir hinter die Ohren schreiben sollte. Dann schraubte sie den Verschluss von ihrer Schnapsflasche ab und nahm einen langen, nachdenklichen Schluck.

Als ich sie trinken sah, spürte ich, wie sich in meiner Brust ein unglaublicher Druck aufbaute, und ich hatte das Gefühl, ich müsste ihn rauslassen, sonst würde er mich umbringen. »Das Wort darf man nicht benutzen«, sagte ich.

Ermas Gesicht wurde vor Verblüffung ganz leer.

»Mom sagt, sie sind wie wir«, redete ich weiter, »nur dass sie eine andere Hautfarbe haben.«

Erma starrte mich zornig an. Einen Moment lang dachte ich, sie würde mich ohrfeigen, doch stattdessen sagte sie: »Du undankbare kleine Scheißgöre. Bild dir bloß nicht ein, dass du heute Abend mein Essen isst. Los, beweg deinen nutzlosen Hintern runter in den Keller.«

Lori fiel mir um den Hals, als sie hörte, dass ich Erma Widerworte gegeben hatte. Aber Mom war aufgebracht. »Mag ja sein, dass wir Ermas Ansichten nicht alle teilen«, sagte sie, »aber wir müssen höflich sein, solange wir ihre Gäste sind.«

Das sah Mom gar nicht ähnlich. Sie und Dad wetterten hemmungslos über jeden, den sie nicht ausstehen konnten oder verachteten: Manager von Standard Oil, J. Edgar Hoover und vor allem Snobs und Rassisten. Sie hatten uns immerzu ermutigt, unsere Meinung zu sagen. Und jetzt sollten wir uns auf die Zunge beißen und uns von Erma alles gefallen lassen. Aber sie hatte Recht; Erma würde uns rausschmeißen. Solche Situationen, das wurde mir klar, machten Menschen zu Heuchlern.

»Ich hasse Erma«, sagte ich zu Mom.

»Du solltest Mitleid mit ihr haben«, sagte Mom. Erma sei nur eine unzufriedene Frau, deren Eltern gestorben waren, als sie noch klein war, erklärte Mom, und danach sei sie von einem Verwandten zum nächsten weitergereicht worden, die sie alle wie ein Dienstmädchen behandelten. Sie musste Wäsche auf dem Waschbrett scheuern, bis ihre Knöchel bluteten – das war die hervorstechendste Erinnerung, die Erma an ihre Kindheit hatte. Das schönste Geschenk, das Grandpa ihr machen konnte, nachdem sie geheiratet hatten, war der Kauf einer Waschmaschine, aber die Freude, die sie damals bestimmt empfunden hatte, war längst verflogen.

»Erma kann ihr Elend einfach nicht loslassen«, sagte Mom. »Sie kennt ja nichts anderes.« Mom fügte hinzu, dass man niemanden hassen sollte, nicht einmal seine schlimmsten Feinde. »Jeder Mensch hat eine gute Seite«, sagte sie. »Man muss sie nur suchen und den Menschen dafür mögen.«

»Ach ja?«, sagte ich. »Und was ist mit Hitler? Was für eine gute Seite hatte der?«

»Hitler war Hundenarr«, sagte Mom wie aus der Pistole geschossen.

Gegen Ende des Winters beschlossen Mom und Dad, mit dem Oldsmobile noch einmal nach Phoenix zu fahren. Sie sagten, sie würden unsere Fahrräder holen und den ganzen anderen Kram, den wir zurücklassen mussten. Außerdem wollten sie Kopien von unseren Schulzeugnissen besorgen und nachsehen, ob Moms Schießbogen aus Obstholz noch in dem Straßengraben am Highway zum Grand Canyon lag. Wir Kinder sollten in Welch bleiben. Da Lori die Älteste war, sagten Mom und Dad, sie hätte die Verantwortung für uns. Und die Oberaufsicht hatte natürlich Erma.

Sie fuhren eines Morgens bei Tauwetter los. Moms glühende Wangen verrieten mir, dass sie sich auf das Abenteuer freute. Und auch Dad konnte es offensichtlich kaum erwarten, aus Welch rauszukommen. Er hatte keinen Job gefunden, und wir waren völlig von Erma abhängig. Lori hatte vorgeschlagen, Dad sollte sich Arbeit im Bergwerk suchen, aber Dad sagte, die Bergwerke würden von den Gewerkschaften kontrolliert und die Gewerkschaften von Banditen und die Banditen hätten ihn auf dem Kieker, weil er in Phoenix die Korruption in der Elektrikergewerkschaft angeprangert hatte. Er wollte auch deshalb nach Phoenix, wie er sagte, um sein Beweismaterial über die Korruption zu holen, denn er würde nur dann einen Job im Bergwerk bekommen, wenn er mithalf, die amerikanische Bergarbeitergewerkschaft zu reformieren.

Am liebsten hätte ich es gehabt, wir wären alle zusammen gefahren. Ich wollte zurück nach Phoenix, wollte hinter unserem Adobe-Haus unter den Orangenbäumen sitzen, mit dem Fahrrad zur Bücherei fahren, kostenlose Bananen in einer Schule essen, wo die Lehrer mich für schlau hielten. Ich wollte die Wüstensonne auf dem Gesicht spüren und die trockene Wüstenluft einatmen und die steilen, felsigen Berge hinaufklettern, wenn Dad mit uns lange Wanderungen unternahm, die er als geologische Erkundungsexpeditionen bezeichnete.

Ich fragte Dad, ob wir mitkommen könnten, aber er erklärte, Mom und er wären ja bald wieder da, sie wollten wirklich nur die paar Sachen erledigen, und dabei würden wir Kinder nur stören. Außerdem, sagte er, müssten wir ja zur Schule. Ich wandte ein, dass ihn das früher nie gestört hatte. Welch sei nicht mit den anderen Orten zu vergleichen, an denen wir gewohnt hatten, entgegnete er. Hier gab es Regeln, an die man sich halten musste, und es wurde nicht gern gesehen, wenn man diese Regeln missachtete.

»Meinst du, sie kommen wieder?«, fragte Brian, als Mom und Dad abfuhren.

»Ja klar«, sagte ich, obwohl ich mich dasselbe gefragt hatte. In letzter Zeit hatte ich stärker als früher das Gefühl, dass wir für sie ein Klotz am Bein waren. Lori war schon ein Teenager, und in wenigen Jahren würden Brian und ich auch so weit sein. Sie konnten uns nicht mehr einfach auf die Ladefläche eines Umzugslasters verfrachten oder nachts in Kartons stecken.

Brian und ich liefen hinter dem Oldsmobile her. Mom drehte sich einmal um und winkte, und Dad streckte die Hand aus dem Fenster. Wir folgten ihnen die ganze Court Street hinunter, wo sie schneller wurden. Ich musste daran glauben, dass sie zurückkamen, sagte ich mir. Wenn ich nicht daran glaubte, würden sie vielleicht nicht wiederkommen. Und uns für immer verlassen.

Nachdem Mom und Dad fort waren, wurde Erma noch streitsüchtiger. Wenn ihr unser Gesichtsausdruck nicht gefiel, schlug sie uns mit einem Kochlöffel auf den Kopf. Einmal holte sie ein gerahmtes Foto von ihrem Vater hervor und sagte, er sei der einzige Mensch gewesen, der sie je geliebt habe, und dann war sie nicht mehr zu bremsen und erzählte uns, was sie als Waisenkind unter ihren Tanten und Onkeln alles erleiden musste, die sie nicht mal halb so lieb behandelt hatten, wie sie uns behandelte.

Etwa eine Woche nach Moms und Dads Abreise saßen wir Kinder alle in Ermas Wohnzimmer vor dem Fernseher. Stanley schlief in der Diele. Erma, die schon vor dem Frühstück zur Flasche gegriffen hatte, sagte zu Brian, seine Hose müsse genäht werden. Er wollte sie ausziehen, aber Erma sagte, sie wolle nicht, dass er nur in der Unterhose durchs Haus lief oder mit einem Handtuch um die Hüften, weil das aussähe, als hätte er ein Kleid an, und es wäre einfacher für sie, die Hose zu nähen, wenn er sie anbehielte. Sie wies ihn an, ihr in Grandpas Schlafzimmer zu folgen, wo sie ihr Nähzeug aufbewahrte.

Sie waren ein paar Minuten weg, als ich Brians Stimme hörte, der sich schwach gegen irgendwas wehrte. Ich ging in Grandpas Schlafzimmer und sah Erma vor Brian auf dem Boden knien. Sie hatte den Schritt seiner Hose gepackt und drückte und massierte ihn, dabei murmelte sie vor sich hin und befahl Brian, doch endlich stillzuhalten, verdammt noch mal. Brian, dessen Wangen tränennass waren, hielt die Hände schützend zwischen die Beine gepresst.

»Erma, lass ihn in Ruhe!«, schrie ich.

Erma drehte sich auf den Knien um und funkelte mich an. »Du kleines Miststück!«, sagte sie.

Lori bekam den Aufruhr mit und kam angelaufen. Ich erzählte ihr, dass Erma Brian angefasst hatte. Erma sagte, sie habe bloß das Innenfutter von Brians Hose genäht und sie hätte es nicht nötig, sich gegen die Anschuldigungen eines verlogenen kleinen Flittchens zu wehren.

»Ich weiß, was ich gesehen habe«, sagte ich. »Sie ist pervers!«

Erma hob den Arm, um mich zu ohrfeigen, aber Lori hielt ihre Hand fest. »Jetzt beruhigen wir uns erst mal«, sagte Lori mit der gleichen Stimme, die sie benutzte, wenn Mom und Dad im Streit die Beherrschung verloren. »Ganz ruhig. Alle zusammen.«

Erma riss ihre Hand los und schlug Lori so fest ins Gesicht, dass Loris Brille durchs Zimmer flog. Lori, die gerade dreizehn geworden war, schlug zurück. Erma gab Lori eine zweite Ohrfeige, und Lori verpasste ihr einen Kinnhaken, und dann gingen sie aufeinander los, rangen und rauften und rissen sich gegenseitig an den Haaren, während Brian und ich Lori anfeuerten, bis Onkel Stanley wach wurde, ins Zimmer getaumelt kam und die beiden trennte.

Danach verbannte Erma uns in den Keller. Von dort führte eine Tür direkt nach draußen, deshalb mussten wir nicht mehr nach oben. Ermas Bad durften wir auch nicht benutzen, was bedeutete, dass wir entweder warten mussten, bis wir in der Schule waren, oder unser Geschäft irgendwo draußen im Dunkeln verrichteten. Abends schmuggelte Onkel Stanley manchmal Bohnen nach unten, die er für uns gekocht hatte, aber er blieb nie, um noch ein bisschen mit uns zu reden, weil er fürchtete, Erma könnte denken, er hätte für uns Partei ergriffen, und auch noch auf ihn wütend werden.

In der Woche darauf kam ein Schneesturm. Die Temperatur fiel, und Welch versank unter einer dreißig Zentimeter dicken Schneedecke. Erma verbot uns, den Ofen anzumachen – sie sagte, wir könnten nicht damit umgehen und würden das ganze Haus abfackeln –, und im Keller wurde es so kalt, dass Lori, Brian, Maureen und ich froh waren, zusammen in einem Bett zu schlafen. Sobald wir von der Schule nach Hause kamen, kletterten wir in unseren Sachen ins Bett und machten dort unsere Hausaufgaben.

An dem Abend, als Mom und Dad zurückkamen, waren wir im Bett. Wir hörten kein Auto vor dem Haus halten. Wir hörten bloß, wie oben die Haustür aufging, dann die Stimmen von Mom und Dad und dann Erma, die eine lange Tirade von Vorwürfen gegen uns Kinder vom Stapel ließ. Gleich darauf hörten wir Dads Schritte auf der Kellertreppe. Dad war auf uns alle wütend, auf mich, weil ich Erma Widerworte gegeben und absurde Anschuldigungen gegen sie erhoben hatte. Auf Lori war er noch wütender, weil sie es gewagt hatte, ihre eigene Großmutter zu schlagen, und auf Brian, weil er so ein Jammerlappen war und das Ganze ausgelöst hatte. Ich dachte, Dad würde für uns Partei ergreifen, sobald er gehört hätte, was wirklich passiert war, und wollte ihm alles erklären.

»Es interessiert mich nicht, was passiert ist«, schrie er.

»Aber wir haben uns nur verteidigt«, sagte ich.

»Brian ist ein Mann, er verkraftet das«, sagte er. »Ich will kein Wort mehr darüber hören. Habt ihr mich verstanden?« Er schüttelte heftig den Kopf, aber irgendwie verzweifelt, fast so, als wollte er den Klang meiner Stimme ausblenden. Und er sah mich nicht mal an.

Später, als Dad wieder nach oben gegangen war, um sich mit Ermas Schnaps zu betrinken, und wir Kinder wieder ruhig im Bett lagen, biss Brian mir in den Zeh, um mich zum Lachen zu bringen, aber ich stieß ihn einfach weg. Wir lagen lautlos in der Dunkelheit.

»Dad war richtig komisch«, sagte ich schließlich, weil einer es sagen musste.

»Du wärst auch komisch, wenn Erma deine Mom wäre«, sagte Lori.

»Meint ihr, sie hat früher mit Dad das Gleiche gemacht wie mit Brian?«, fragte ich.

Keiner sagte einen Ton.

Die Vorstellung war widerlich und ungeheuerlich und beängstigend, aber sie würde manches erklären. Warum Dad von zu Hause weggegangen war, sobald er konnte. Warum er so viel trank und warum er so wütend wurde. Warum er, als wir noch kleiner waren, nie nach Welch fahren wollte. Warum er sich zuerst geweigert hatte, mit uns nach West Virginia zu kommen, und sich erst im letzten Moment überwunden hatte, zu uns ins Auto zu steigen. Warum er so heftig den Kopf geschüttelt hatte, als wollte er nicht hören, was ich ihm über die Sache mit Erma und Brian zu sagen hatte.

»Denk nicht über so was nach«, sagte Lori schließlich zu mir. »Das macht dich nur verrückt.«

Und so schlug ich es mir aus dem Kopf.

Mᴏᴍ ᴜɴᴅ Dᴀᴅ ᴇʀᴢäʜʟᴛᴇɴ ᴜɴs, wie sie nach Phoenix gekommen waren, aber dort feststellen mussten, dass Moms Trick mit der Wäsche auf der Leine doch nicht funktioniert hatte und unser Haus auf der North Third Street geplündert worden war. So ziemlich alles war verschwunden, selbstverständlich auch unsere Fahrräder. Sie hatten einen Anhänger gemietet, um das Wenige mitzunehmen, was noch da war – Mom sagte, die idiotischen Diebe hätten ein paar gute Sachen übersehen, zum Beispiel eine qualitativ hochwertige Reithose von Grandma Smith aus den dreißiger Jahren –, aber in Nashville hatte der Motor des Oldsmobile einen Kolbenfresser gehabt, und sie mussten das Auto zusammen mit dem Anhänger und Grandma Smith' Reithose zurücklassen und den Bus nach Welch nehmen.

Ich dachte, jetzt, wo Mom und Dad wieder da waren, könnten wir Frieden mit Erma schließen. Die meinte jedoch, sie könne uns Kindern niemals vergeben und wolle uns nicht mehr im Haus haben, selbst wenn wir im Keller blieben und uns mucksmäuschenstill verhielten. Wir wurden vertrieben. Das war das Wort, das Dad benutzte. »Ihr habt euch schlecht benommen«, sagte er, »und jetzt werden wir von hier vertrieben.«

»Das hier ist nicht gerade der Garten Eden«, sagte Lori.

Die Sache mit meinem Fahrrad machte mir mehr aus als unsere Vertreibung aus Ermas Haus. »Warum gehen wir nicht einfach wieder zurück nach Phoenix?«, fragte ich Mom.

»Da waren wir doch schon«, sagte sie. »Und hier gibt es alle möglichen Chancen, von denen wir noch gar keine Ahnung haben.«

Also machten sie und Dad sich auf die Suche nach einer Bleibe für uns. Die billigste Mietwohnung in Welch lag über einem Diner auf der McDowell Street und sollte fünfundsiebzig Dollar im Monat kosten, was unsere finanziellen Möglichkeiten überstieg. Außerdem wollten Mom und Dad ein Haus mit Garten haben, also beschlossen sie, etwas zu kaufen. Da wir weder Geld für eine Anzahlung hatten noch über ein regelmäßiges Einkommen verfügten, war unser Spielraum ziemlich begrenzt, doch schon nach wenigen Tagen verkündeten Mom und Dad, dass sie tatsächlich ein Haus gefunden hatten, das wir uns leisten konnten. »Es ist nicht gerade ein Palast, deshalb müssen wir etwas zusammenrücken«, sagte Mom. »Und es ist ein bisschen rustikal.«

»Wie rustikal?«, wollte Lori wissen.

Mom zögerte. Ich sah ihr an, dass sie nach einer guten Formulierung suchte. »Es hat keine Sanitärinstallationen«, sagte sie.

Dad hatte noch immer keinen Ersatz für das Oldsmobile gefunden – unser Budget dafür lag im oberen zweistelligen Bereich –, deshalb machten wir uns am Wochenende alle zu Fuß auf, um unser neues Zuhause in Augenschein zu nehmen. Wir marschierten durch das Stadtzentrum im Tal und um einen Berghang herum, vorbei an kleinen, hübschen Ziegelhäusern, die gebaut worden waren, nachdem die Bergarbeiter sich gewerkschaftlich organisiert hatten. Wir überquerten einen Bach, der in den Tug mündete, und folgten einer schlecht asphaltierten kleinen Straße namens Little Hobart Street. Sie führte eine Zeit lang hoch und runter und stieg an einer Stelle so steil an, dass man auf den Fußballen laufen musste; wenn man versuchte, den ganzen Fuß aufzusetzen, überdehnte man sich schmerzhaft die Waden.

Die Häuser hier oben waren schäbiger als die Ziegelhäuser unten im Tal. Sie waren aus Holz, hatten schiefe Veranden, durchhängende Dächer, verrostete Regenrinnen und an den Wänden löchrige Teerpappe oder Asphaltschindeln, die sich langsam, aber sicher lösten. In fast jedem Vorgarten waren ein oder zwei Hunde an einen Baum oder einen Wäscheleinenpfahl gekettet, und sie bellten uns wütend an, als wir vorbeigingen. Man sah, dass in allen Häusern mit Kohle geheizt wurde. Die etwas besser gestellten Familien hatten einen Kohlenschuppen, die ärmeren ließen die Kohlenhaufen draußen liegen. Die Veranden waren wahrscheinlich genauso möbliert wie das Innere der meisten Häuser selbst: mit rostfleckigen Kühlschränken, Klapptischchen, Knüpfteppichen, Sofas oder Autositzen für längere Aufenthalte und gelegentlich einem ausrangierten Schrank, in dessen Seite ein Loch gesägt worden war, damit die Katze ein gemütliches Schlafplätzchen hatte.

Wir gingen fast bis ans Ende der Straße, und dann zeigte Dad zu unserem neuen Haus hinauf.

»So, Kinder, darf ich vorstellen: Little Hobart Street 93!«, sagte Mom. »Willkommen in eurem neuen Zuhause.«

Wir glotzten. Das Haus war eher eine mickrige, kleine Hütte, die oberhalb der Straße an einem so steilen Hang hing, dass nur die Rückseite festen Boden unter sich hatte. Die Vorderseite, einschließlich einer schiefen Veranda, ragte bedenklich in die Luft und wurde von hohen, dünnen Pfählen aus Zementblöcken gestützt. Vor langer Zeit war das Häuschen mal weiß gestrichen worden, doch die Farbe hatte, soweit nicht schon völlig abgeblättert, ein tristes Grau angenommen.

»Gut, dass wir euch Kinder dazu erzogen haben, hart im Nehmen zu sein«, sagte Dad. »Es ist nämlich kein Haus für zaghafte Gemüter.«

Dad ging uns voran die unteren Stufen hinauf, die aus Steinen bestanden, zwischen die Zement geklatscht worden war. Da sie teils unterspült und abgesackt und überhaupt schlampig verlegt waren, neigten sie sich gefährlich zur Straße hin. Wo die Steinstufen aufhörten, gelangte man über eine wacklige Treppe aus Vierkanthölzern – eigentlich mehr Leiter als Treppe – auf die Veranda.

Das Haus hatte drei Räume, jeder etwa drei mal drei Meter groß, die auf die Vorderveranda gingen. Ein Bad gab es nicht, aber unterhalb des Hauses, hinter einer der Zementblocksäulen, befand sich ein schrankgroßer Raum mit einer Kloschüssel auf dem Zementboden. Die Kloschüssel war nicht mit der Kanalisation oder einer Faulanlage verbunden. Sie stand einfach über einem rund ein Meter achtzig tiefen Loch. Das Haus hatte kein fließendes Wasser, zumindest nicht drinnen. Nicht weit von der Toilette entfernt ragte draußen ein Wasserhahn aus dem Boden, sodass man einen Eimer füllen und nach oben schleppen konnte. Und obwohl das Haus ans Elektrizitätsnetz angeschlossen war, konnten wir es uns im Moment nicht leisten, den Strom anstellen zu lassen, wie Dad erklärte.

Der Vorteil war jedoch, dass das Haus nur tausend Dollar kostete und der Besitzer auf die Anzahlung verzichtet hatte. Stattdessen konnten wir den Preis mit fünfzig Dollar im Monat abstottern. Falls wir immer schön pünktlich zahlten, wären wir glatt in weniger als zwei Jahren stolze Eigenheimbesitzer.

»Kaum zu glauben, dass das alles eines Tages uns gehören wird«, sagte Lori. Sie entwickelte einen gewissen Hang zum Sarkasmus, wie Mom meinte.

»Sei dankbar für das, was du hast«, wies Mom sie zurecht. »Manche Menschen in Äthiopien würden für so ein Haus alles tun.«

Mom wies darauf hin, dass das Haus durchaus einige ansprechende Eigenschaften aufwies. So gab es beispielsweise im Wohnzimmer einen dickbauchigen, gusseisernen Ofen zum Heizen und Kochen. Er war groß und sah schön aus mit seinen schweren Bärentatzenfüßen, und sie war sicher, dass der Ofen einiges wert war, wenn man ihn in einem Antiquitätengeschäft anbieten würde. Aber da das Haus keinen Kamin hatte, ragte das Ofenrohr aus einem der rückwärtigen Fenster. Irgendwer hatte die Glasscheibe im oberen Teil des Fensters durch Sperrholz ersetzt und die Öffnung für das Rohr mit Alufolie abgedichtet, damit der Qualm nicht in den Raum drang. Doch die Alufolie hatte keine allzu guten Dienste geleistet, denn die Decke war schwarz verrußt. Jemand, wahrscheinlich dieselbe Person, hatte außerdem den Fehler begangen, die Decke an einigen Stellen säubern zu wollen, dabei aber nur den Ruß verschmiert und einige weißliche Flecken hinterlassen, die einem erst richtig deutlich machten, wie schwarz der Rest der Decke war.

»Das Haus an sich ist nichts Dolles«, sagte Dad entschuldigend, »aber wir werden ja nicht lange drin wohnen.« Das Entscheidende, erklärte er weiter, der eigentliche Grund, warum er und Mom beschlossen hatten, gerade diese Immobilie zu erwerben, sei nämlich das große Grundstück drum herum, wo wir unser neues Haus bauen könnten. Er wollte umgehend mit der Arbeit anfangen. Er habe vor, sich weitestgehend an die Entwürfe für das Glasschloss zu halten, fügte er hinzu, aber er würde einiges von Grund auf ummodeln und vor allem die Solarzellen vergrößern müssen, weil wir ja nun so gut wie keine Sonne abbekommen würden, hier am Nordhang, der auf beiden Seiten von Bergen umgeben war.

Am selben Nachmittag zogen wir ein. Das war schnell erledigt. Dad lieh sich einen Pick-up von dem Haushaltswarengeschäft, in dem Onkel Stanley arbeitete, und holte ein Bettsofa ab, das ein Bekannter von Grandpa loswerden wollte. Außerdem trieb er noch Tisch und Stühle auf und baute ein paar provisorische, aber eigentlich ganz pfiffige Schränke, indem er Drähte an der Decke befestigte und daran Rohrstücke als Kleiderstangen aufhängte.

Mom und Dad nahmen das Zimmer mit dem Ofen, das zum kombinierten Wohnzimmer, Elternschlafzimmer, Kunstatelier und Schriftstellerarbeitszimmer wurde. Wir stellten das Schlafsofa hinein, aber nachdem es einmal aufgeklappt worden war, wurde es nie wieder zum Sofa. Dad brachte oben an den Wänden rundum Regale an, wo Mom ihre Malsachen verstaute. Sie baute ihre Staffelei unter dem Ofenrohr auf, direkt neben dem hinteren Fenster, weil sie dort, wie sie sagte, natürliches Licht hatte – was auch stimmte, relativ gesehen. Ihre Schreibmaschine stellte sie unter ein anderes Fenster, dazu Regale für ihre Manuskripte und die Werke, die sie noch in Arbeit hatte, und sie fing sofort an, Karteikarten mit Ideen für Geschichten an die Wände zu heften.

Wir Kinder schliefen alle im mittleren Zimmer. Zuerst teilten wir uns ein großes Bett, das der Vorbesitzer zurückgelassen hatte, aber Dad fand, dass wir doch allmählich ein bisschen zu alt dafür seien. Wir waren inzwischen auch zu groß, um in Kartons zu schlafen, für die auf dem Boden sowieso nicht genug Platz gewesen wäre, und so halfen wir Dad, zwei Etagenbetten zu bauen. Die Rahmen machten wir aus Vierkanthölzern, und anstelle von Bettfedern bohrten wir Löcher in die Seiten und zogen Seile hindurch. Statt Matratzen legten wir Pappe über die Seilverspannung. Die fertigen Etagenbetten sahen ein wenig schlicht aus, deshalb bemalten wir das Holz mit roten und schwarzen Schnörkeln. Dad besorgte irgendwo eine Kommode mit vier Schubladen – für jeden von uns eine. Außerdem zimmerte er für jeden von uns eine eigene Holzkiste mit Schiebetüren für die ganz persönlichen Habseligkeiten. Wir nagelten sie an die Wand über unseren Betten, und ich bewahrte in meiner Kiste die Geode auf.

Der dritte Raum in dem Haus an der Little Hobart Street 93, die Küche, war eine Klasse für sich. Es gab zwar einen Elektroherd, aber die Elektroinstallationen in dem Raum entsprachen nicht ganz den Vorschriften, mit ihren defekten Steckern, blank liegenden Leitungen und surrenden Schaltern. »In dieser Hütte sind die Leitungen bestimmt von einem Blinden verlegt worden«, stellte Dad fest. Und er kam zu dem Schluss, dass sich eine Reparatur nicht lohnte, weil das Problem zu kompliziert war.

Wir nannten die Küche das Kriechstrom-Zimmer, weil wir, wenn wir tatsächlich mal die Rechnung bezahlt hatten und der Strom angestellt war, immer einen heftigen Stromschlag kriegten, sobald wir eine Fläche berührten, die feucht oder aus Metall war. Als ich das erste Mal eine gewischt bekam, blieb mir die Luft weg, und ich lag zuckend auf dem Boden. Wir gewöhnten uns bald an, jedes Mal, wenn wir uns in die Küche wagten, möglichst trockene Socken zu tragen oder Lappen um die Hände zu wickeln. Wenn wir wieder einen Schlag bekamen, verkündeten wir das dem Rest der Familie im Stil eines Wetterberichts. »Heute Mordsschlag vom Herd bekommen«, sagten wir beispielsweise. »Zusätzliche Lappen empfohlen.«

Die Küchendecke war in einer Ecke so undicht wie ein Sieb. Bei jedem Regen quoll die Gipsplatte auf und warf eine Beule, aus deren Mitte ein gleichmäßiger Strahl Wasser rann. Als es in dem Frühjahr einmal richtig heftig regnete, wurde die Decke so dick, dass sie platzte und Wasser und Gipsplattenstücke auf den Boden prasselten. Dad reparierte die Stelle nicht. Wir Kinder versuchten, das Dach mit Teerpappe, Alufolie, Holz und Klebstoff abzudichten, doch das Wasser fand immer seinen Weg hindurch, bis wir schließlich kapitulierten und es bei jedem Regen auch in unserer Küche regnete.

Am Anfang versuchte Mom, das Leben in der Little Hobart Street 93 wie ein Abenteuer darzustellen. Die Frau, die vor uns hier gewohnt hatte, hatte eine altmodische Nähmaschine zurückgelassen, die noch mit einem Tretpedal angetrieben wurde. Mom meinte, das wäre sehr praktisch, weil wir uns unsere Anziehsachen selbst nähen könnten, auch wenn der Strom abgestellt war. Sie behauptete außerdem, wir bräuchten keine Schnittmuster, wir könnten uns einfach etwas einfallen lassen und loslegen. So kam es, dass Mom, Lori und ich kurz nach unserem Einzug gegenseitig bei uns Maß nahmen und versuchten, unsere eigenen Kleider zu nähen.

Es dauerte ewig, und die Ergebnisse fielen sackartig und schief aus, mit unterschiedlich langen Ärmeln und Armlöchern auf dem Rücken. Ich bekam mein Kleid gar nicht über den Kopf, bis Mom eine Naht ein Stück auftrennte. »Es ist hinreißend!«, erklärte sie. Aber ich erwiderte, ich sähe aus, als trüge ich einen Kissenbezug mit Elefantenrüsseln an den

Seiten. Lori weigerte sich, ihr Kleid draußen anzuziehen, und war nicht mal bereit, es drinnen zu tragen. Schließlich räumte Mom ein, dass Nähen nicht die beste Einsatzmöglichkeit für unsere kreativen Energien sei – oder für unser Geld. Der billigste Stoff, den wir finden konnten, kostete 97 Cent der Meter, und man brauchte über zwei Meter für ein Kleid. Da waren Secondhand-Klamotten billiger, und die hatten noch dazu die Armlöcher an den richtigen Stellen.

Mom bemühte sich auch, das Haus wohnlicher zu machen. Sie dekorierte das Wohnzimmer mit ihren Ölgemälden, und schon bald war jeder Quadratzentimeter der vier Wände bedeckt. Nur der Platz über ihrer Schreibmaschine blieb den Karteikarten mit Ideen für Geschichten vorbehalten. Wir hatten leuchtende Sonnenuntergänge in der Wüste, galoppierende Pferde, schlafende Katzen, schneebedeckte Berge, Obstschalen, blühende Blumen und Porträts von uns Kindern.

Da der Platz an den Wänden nicht für Moms gesammelte Werke ausreichte, nagelte Dad lange Halterungen an die Wand, und Mom hängte ein Bild vor das andere, bis drei oder vier hintereinander hingen. Ab und zu hängte sie die Bilder um. »Ich dekoriere nur ein bisschen um, damit wir's nett haben«, sagte sie dann. Aber ich hatte den Verdacht, dass ihre Bilder für sie wie Kinder waren, und sie wollte ihnen das Gefühl geben, alle gleich zu behandeln.

Mom befestigte auch kleine Regalbretter vor den Fenstern und stellte bunt gefärbte Flaschen darauf. »Jetzt sieht es aus, als hätten wir Buntglasscheiben«, erklärte sie. Und das stimmte gewissermaßen auch, aber das Haus blieb trotzdem kalt und feucht. In den ersten paar Wochen träumte ich jede Nacht, während ich auf meiner Pappmatratze lag und das Geräusch des Regenwassers in der Küche hörte, von der Wüste und der Sonne und dem großen Haus in Phoenix mit der Palme davor und den Orangenbäumen und Oleanderbüschen dahinter. Das Haus hatte uns gehört. Gehörte noch immer uns, dachte ich dauernd. Es war unser Haus, das einzige echte Zuhause, das wir je gehabt hatten.

»Fahren wir irgendwann wieder nach Hause?«, fragte ich Dad eines Tages.

»Nach Hause?«

»Phoenix.«

»Wir sind jetzt hier zu Hause.«

Dᴀ Wᴇʟᴄʜ ɴᴜɴ ᴜɴsᴇʀᴇ ɴᴇᴜᴇ Hᴇɪᴍᴀᴛ sᴇɪɴ sᴏʟʟᴛᴇ, fanden Brian und ich, dass wir das Beste daraus machen sollten. Dad hatte uns die Stelle in der Nähe des Hauses gezeigt, wo das Fundament und der Keller für das Schloss aus Glas hinsollten. Er hatte alles ausgemessen und mit Pflöcken und Schnüren abgesteckt. Aber Dad war praktisch nie zu Hause – er war unterwegs, um Kontakte zu knüpfen und der Bergarbeitergewerkschaft auf den Zahn zu fühlen, erklärte er uns –, und da er nicht dazu kam, den ersten Spatenstich zu machen, beschlossen Brian und ich, ihm zu helfen. In einem verlassenen Farmhaus fanden wir eine Schaufel und eine Spitzhacke, und von da an verbrachten wir nahezu jede freie Minute damit, ein Loch zu graben. Wir wussten, dass es groß und tief werden musste. »Es bringt nichts, ein gutes Haus zu bauen, wenn es nicht auf einem festen Fundament steht«, sagte Dad immer.

Die Arbeit war anstrengend, aber nach einem Monat hatten wir in dem abgesteckten Bereich ein so tiefes Loch gegraben, dass wir drin stehen konnten. Die Kanten waren zwar nicht akkurat, und der Boden war nicht ganz glatt, aber wir waren trotzdem richtig stolz auf uns. Wenn Dad erst das Fundament gegossen hatte, würden wir ihm auch beim Rohbau helfen.

Aber da wir die Gebühren für die städtische Müllabfuhr nicht aufbringen konnten, häufte sich unser Müll allmählich bedenklich, und eines Tages befahl Dad uns, die Säcke in das Loch zu werfen.

»Aber das ist doch für unser Glasschloss«, sagte ich.

»Die Maßnahme ist nur vorübergehend«, antwortete Dad. Er erklärte, dass er demnächst einen Lastwagen mieten und den Abfall zur Müllhalde fahren würde. Aber er kam nie dazu, und Brian und ich mussten mit ansehen, wie sich das Loch für das Glasschlossfundament langsam mit Müll füllte.

Wahrscheinlich aufgrund des vielen Mülls nistete sich etwa um dieselbe Zeit eine große, gefährlich aussehende Ratte in der Little Hobart Street 93 ein. Ich sah sie zuerst in der Zuckerschale. Die Ratte war zu groß, um in eine herkömmliche Zuckerschale zu passen, aber da Mom eine richtige Naschkatze war und enorme Mengen Zucker verbrauchte – in eine Tasse Tee gab sie mindestens acht Teelöffel –, bewahrten wir den Zucker in einer Punschschüssel auf dem Küchentisch auf.

Die Ratte fraß den Zucker nicht einfach. Sie badete darin, suhlte sich darin, schwelgte förmlich darin, während sie ihren wedelnden Schwanz über den Schüsselrand hängen ließ und Zucker über den Tisch schleuderte. Als ich sie sah, erstarrte ich zunächst und ging dann rückwärts aus der Küche. Ich erzählte Brian von der Ratte, und wir öffneten vorsichtig die Küchentür. Die Ratte war aus der Zuckerschüssel geklettert und auf den Herd gesprungen. Wir konnten ihre Zahnabdrücke in den Kartoffeln sehen, die es zum Abendessen geben sollte und die auf einem Teller auf dem Herd standen. Brian warf mit der gusseisernen Bratpfanne nach der Ratte. Sie traf das Tier und fiel scheppernd zu Boden, doch anstatt zu fliehen, zischte uns die Ratte an, als wären wir die Eindringlinge, und wir rannten aus der Küche, knallten die Tür zu und stopften Lappen in den Spalt darunter.

In dieser Nacht konnte Maureen, die inzwischen fünf Jahre alt war, vor Angst nicht einschlafen. Immer wieder sagte sie, die Ratte würde kommen und sie holen. Sie könne hören, wie sie näher und näher kam. Ich sagte zu ihr, sie solle nicht so ein Hasenfuß sein.

»Ich hör die Ratte wirklich«, sagte sie. »Ich glaube, sie ist ganz nah bei mir.«

Ich erklärte ihr, dass sie sich von ihrer Angst ins Bockshorn jagen ließe, und da wir gerade mal wieder Strom hatten, knipste ich das Licht an, um es ihr zu beweisen. Da kauerte die Ratte auf Maureens lavendelblauer Decke, nur wenige

Zentimeter von ihrem Gesicht entfernt. Maureen schrie auf, riss die Decke vom Bett, und die Ratte sprang auf den Boden. Ich schnappte mir einen Besen und versuchte sie mit dem Stiel zu erwischen, aber sie wich geschickt aus. Brian holte einen Baseballschläger, und mit vereinten Kräften gelang es uns, das zischende und schnappende Tier in eine Ecke zu manövrieren.

Unser Hund Tinkle, der Jack-Russell-Terrier-Mischling, der Brian eines Tages nach Hause gefolgt war, bekam die Ratte zu packen und schlug sie auf den Boden, bis sie tot war. Als Mom ins Zimmer gelaufen kam, stolzierte Tinkle mit stolzgeschwellter Brust umher, als wäre er der mutigste Bestientöter der Welt. Mom tat die Ratte ein bisschen Leid. »Auch Ratten müssen essen«, stellte sie klar. Obwohl das Tier tot war, hatte es einen Namen verdient, meinte sie, und sie taufte den Nager Rufus. Brian hatte gelesen, dass primitive Krieger Körperteile ihrer Opfer auf Pfähle spießten, um ihre Feinde abzuschrecken, und so hängte er Rufus am nächsten Morgen mit dem Schwanz an eine Pappel vor unserem Haus. Am selben Nachmittag hörten wir Schüsse. Mr. Freeman, unser Nachbar von nebenan, hatte die Ratte kopfüber im Baum hängen sehen. Rufus war so groß, dass Mr. Freeman ihn für ein Opossum gehalten, seine Jagdflinte geholt und ihn glatt vom Baum geschossen hatte. Ein verstümmeltes Stück Schwanz war das Einzige, was von Rufus übrig blieb.

Nach dem Rufus-Zwischenfall schlief ich mit einem Baseballschläger im Bett. Brian schlief mit einer Machete in seinem. Und Maureen konnte fast gar nicht mehr ruhig schlafen. Sie träumte ständig, dass sie von Ratten aufgefressen wurde, und sie ließ sich jeden erdenklichen Vorwand einfallen, um bei Freundinnen übernachten zu dürfen. Mom und Dad taten den Rufus-Zwischenfall als Bagatelle ab. Sie sagten, wir hätten schon gegen grimmigere Gegner gekämpft und würden es irgendwann wieder tun.

»Aber was soll mit der Müllgrube werden?«, fragte ich. »Die ist fast voll.«

»Vergrößern«, sagte Mom.

»Wir können nicht ständig unseren ganzen Müll da abladen«, sagte ich. »Was sollen denn die Leute denken?«

»Das Leben ist zu kurz, um sich darum zu scheren, was andere Leute denken«, sagte Mom. »Und überhaupt, sie sollten uns so akzeptieren, wie wir sind.«

Ich war überzeugt, dass die Leute uns etwas mehr akzeptieren würden, wenn wir uns bemühten, Little Hobart Street 93 ein wenig zu verschönern. Und das musste nicht mal viel kosten. Manche Leute in Welch hatten Autoreifen zu zwei Halbkreisen zerschnitten, sie weiß angemalt und als Randbegrenzung für ihre Gärten benutzt. Vielleicht konnten wir es uns im Augenblick noch nicht leisten, das Schloss aus Glas zu bauen, aber wir konnten doch bestimmt unseren Vorgarten mit angemalten Autoreifen umsäumen, damit er netter aussah. »Dann wären wir ein bisschen wie die anderen«, flehte ich Mom an.

»Da hast du Recht«, sagte Mom. Aber in Welch hatte sie keinerlei Interesse, so zu sein wie die anderen. »Ich habe lieber einen Garten voll mit echtem Müll als einen mit kitschigen Rasenverzierungen.«

Ich suchte nach anderen Verbesserungsmöglichkeiten. Eines Tages brachte Dad einen Zwanziglitereimer Fassadenfarbe mit nach Hause, der bei einem seiner Gelegenheitsjobs übrig geblieben war. Am nächsten Morgen hebelte ich den Eimer auf. Er war fast randvoll mit leuchtend gelber Farbe. Dad hatte auch ein paar Pinsel mitgebracht. Ein gelber Anstrich, so wurde mir klar, würde unser schäbiges graues Haus völlig verwandeln. Dann sähe es zumindest von außen fast so aus wie die Häuser, in denen andere Leute wohnten.

Die Aussicht, in einem strahlend gelben Haus zu wohnen, begeisterte mich dermaßen, dass ich in dieser Nacht kaum schlafen konnte. Am nächsten Tag stand ich früh auf, band mir die Haare zusammen und wollte mich frisch ans Werk machen. »Wenn wir alle mithelfen, sind wir in ein bis zwei Tagen fertig«, sagte ich zu den anderen.

Aber Dad sagte, Little Hobart Street 93 sei doch eine rettungslose Bruchbude, für die wir weder Zeit noch Energie verschwenden sollten, die sollten wir lieber für das Glasschloss aufsparen. Mom sagte, sie fände leuchtend gelbe Häuser geschmacklos. Brian und Lori meinten, wir bräuchten Leitern und ein Gerüst und wir hätten beides nicht.

Dad kam mit dem Glasschloss nicht weiter, und ich wusste, dass der Eimer mit gelber Farbe einfach auf unserer Veranda vergammeln würde, wenn ich mich nicht selbst an die Arbeit machte. Eine Leiter würde ich mir borgen oder selbst bauen, beschloss ich. Ich war sicher, dass die anderen mitmachen würden, wenn sie erst sahen, wie die wundersame Verwandlung des Hauses Gestalt annahm.

Ich öffnete den Zwanziglitereimer draußen auf der Veranda und rührte das Öl, das sich oben abgesetzt hatte, in die butterblumengelbe Farbe ein, bis sie cremig war. Ich tunkte einen dicken Pinsel ein und strich damit in langen, gleichmäßigen Bewegungen über die alten Bretter der Holzverkleidung. Die Farbe war hell und glänzend und sah sogar noch besser aus, als ich gehofft hatte. Ich fing am hinteren Ende der Veranda an und arbeitete mich um die Tür herum, die in die Küche führte. Wenige Stunden später waren alle Flächen gelb, die ich von der Veranda aus erreichen konnte. Ein Teil der Vorderseite und die Flanken waren noch ungestrichen, aber ich hatte noch nicht mal ein Viertel der Farbe verbraucht. Wenn die anderen mithalfen, könnten wir auch die anderen Flächen streichen, an die ich nicht rangekommen war, und im Handumdrehen hätten wir ein fröhliches gelbes Haus.

Aber weder Mom noch Dad, noch Brian, noch Lori waren beeindruckt. »Dann ist jetzt also ein Teil der Vorderseite gelb«, sagte Lori. »Jetzt geht's wirklich aufwärts mit uns.«

Also musste ich die Arbeit allein zu Ende bringen. Ich versuchte mir eine Leiter aus Holzresten zu zimmern, aber sie brach immer wieder zusammen, sobald ich sie belastete. Ich war noch damit beschäftigt, mir eine stabilere Leiter zu bauen, als es wenige Tage später zu einem Kälteeinbruch kam und meine Farbe im Eimer gefror. Als es wieder wärmer wurde und die Farbe auftaute, öffnete ich den Eimer. Durch den Frost hatten sich die Bestandteile getrennt, und die einst geschmeidige Flüssigkeit war jetzt klumpig und wässrig wie geronnene Milch. Ich rührte sie, so fest ich konnte, und auch als ich längst wusste, dass die Farbe hinüber war, rührte ich noch weiter, weil ich ebenfalls wusste, dass wir nie im Leben neue Farbe bekommen würden und dass wir jetzt statt eines frisch gestrichenen gelben Hauses oder auch nur eines schäbigen grauen Hauses ein verrückt aussehendes Flickwerk hatten – ein Haus, dem jeder ansehen konnte, dass die Bewohner es verschönern wollten, aber nicht genug Biss hatten, um die Arbeit zu Ende zu bringen.

DIE LITTLE HOBART STREET FÜHRTE IN EINE SENKE, die so tief und schmal war, dass die Leute scherzten, man müsse das Sonnenlicht hineinpumpen. In der Nachbarschaft lebten viele Kinder – Maureen hatte zum ersten Mal richtige Freundinnen –, und wir alle trafen uns meistens am Exerzierplatz der Nationalgarde unten am Fuß des Berges. Die Jungs spielten dort Football, die meisten Mädchen in meinem Alter hockten den ganzen Nachmittag auf der Backsteinmauer um den Exerzierplatz herum, kämmten sich die Haare, frischten ihr Lipgloss auf und reagierten gespielt entrüstet, wenn ein Reservist mit Bürstenschnitt ihnen zupfiff, obwohl sie sich insgeheim darüber freuten. Eins von den Mädchen, Cindy Thompson, legte sich richtig ins Zeug, meine Freundin zu werden, aber dann stellte sich heraus, dass sie mich in Wirklichkeit nur für die Jugendgruppe des Ku-Klux-Klan gewinnen wollte. Da ich weder Make-up trug noch besonders wild darauf war, mir ein Bettlaken überzustülpen, spielte ich Football mit den Jungs, die von ihrer Keine-Mädchen-Regel abwichen und mich mitmachen ließen, wenn Not am Mann war.

Die wohlhabenderen Leute von Welch suchten sich nicht gerade unser Viertel zum Wohnen aus. Auf unserer Straße wohnten ein paar Bergleute, aber die meisten Erwachsenen waren arbeitslos. Einige von den Müttern hatten keinen Mann und einige von den Vätern eine kaputte Lunge. Die Übrigen hatten entweder zu große Probleme oder einfach keine Lust, und so lebten praktisch alle widerwillig von irgendeiner Form staatlicher Unterstützung. Wir waren zwar die ärmste Familie auf der Little Hobart Street, doch Mom und Dad beantragten weder Sozialhilfe noch Essensmarken, und sie lehnten auch milde Gaben ab. Wenn sie uns in der Schule Säcke mit Anziehsachen aus der Altkleidersammlung mit nach Hause gaben, bestand Mom darauf, dass wir sie zurückbrachten. Wir kommen schon allein zurecht, sagten Mom und Dad dann. Wir nehmen keine Almosen, von niemandem.

Wenn es richtig knapp wurde, rief Mom uns in Erinnerung, dass einige von den anderen Kindern in unserer Straße noch schlechter dran waren als wir. Die zwölf Grady-Kinder hatten keinen Dad – er war entweder bei einem Grubenunglück ums Leben gekommen, oder er hatte sich mit einem Flittchen aus dem Staub gemacht, je nachdem, wem man glaubte –, und ihre Mom lag ständig mit Migräne im Bett. Die Folge war, dass die Grady-Jungs völlig verwilderten. Sie waren auch nur schwer auseinander zu halten, da sie alle Blue Jeans und zerrissene T-Shirts trugen und kahl geschorene Köpfe hatten, damit sie sich keine Läuse einfingen. Einmal fand der Älteste die alte Repetierbüchse von seinem Dad unter dem Bett seiner Mom und veranstaltete Schießübungen auf Brian und mich, während wir wie Jagdwild durch den Wald um unser Leben rannten.

Und dann waren da noch die Halls. Alle sechs Hall-Kinder waren geistig zurückgeblieben und wohnten, obwohl inzwischen schon mittleren Alters, bei ihren Eltern. Da ich immer nett und freundlich zu dem Ältesten von ihnen war, dem zweiundvierzigjährigen Kenny Hall, verknallte er sich heftig in mich. Die anderen Kinder in der Nachbarschaft machten sich über Kenny lustig und sagten, wenn er ihnen einen Dollar gäbe oder sich bis auf die Unterhose auszöge und ihnen seinen Schniedel zeigen würde, dann würden sie eine Verabredung mit mir arrangieren. Manchmal, wenn er wieder mal reingelegt worden war, tauchte er samstagabends vor unserem Haus auf und weinte und schrie, ich wäre nicht zu der Verabredung erschienen, und dann musste ich zu ihm gehen und ihm erklären, dass die anderen sich einen Scherz mit ihm erlaubt hatten und dass ich, obwohl er viele großartige Eigenschaften hätte, aus Prinzip nicht mit älteren Männern ausgehen würde.

Doch am schwersten von allen Familien auf der Little Hobart Street hatten es wohl die Pastors, und zwar, weil die Mutter, Ginnie Sue Pastor, eine stadtbekannte Hure war. Ginnie Sue Pastor war dreiunddreißig Jahre alt und hatte acht Töchter und einen Sohn. Ihre Namen endeten alle auf »y«. Ihr Mann, Clarence Pastor, hatte eine Staublunge und saß den ganzen Tag auf der Veranda vor seinem baufälligen Haus, ohne auch nur mal zu lächeln oder zu winken, wenn jemand vorbeikam. Er saß einfach da wie erstarrt. Die Leute in der Stadt erzählten sich, er wäre seit Jahren impotent und keins der Pastor-Kinder wäre von ihm.

Ginnie Sue Pastor ließ sich nur selten in der Öffentlichkeit blicken. Am Anfang stellte ich mir vor, dass sie tagsüber in einem Spitzennegligee herumlief und Zigaretten rauchte, während sie auf Herrenbesuch wartete. In Battle Mountain waren die Frauen, die sich auf der Veranda vor dem Green Lantern rekelten – ich war längst dahinter gekommen, womit sie ihr Geld verdienten –, mit weißem Lippenstift und schwarzer Wimperntusche geschminkt gewesen und hatten ihre Blusen so weit aufgeknöpft, dass die Büstenhalter zu sehen waren. Aber Ginnie Sue Pastor sah gar nicht aus wie eine Hure. Sie war eine dralle Frau mit gelb gefärbten Haaren, und ab und zu sah man sie im Vorgarten Holz hacken oder einen Eimer Kohlen holen. Sie trug meistens die gleichen Schürzen oder Kittel wie die anderen Frauen auf der Little Hobart Street. Sie sah aus wie eine ganz normale Mom.

Ich fragte mich auch, wie sie bei den vielen Kindern im Haus ihrem Gewerbe nachgehen konnte. Doch eines Abends, als ich auf dem Heimweg war, sah ich, wie vor dem Haus der Pastors ein Auto hielt und die Scheinwerfer zweimal aufblinkten. Gleich darauf kam Ginnie Sue zur Tür heraus und stieg in den Wagen, der sofort abfuhr.

Kathy war Ginnie Sue Pastors älteste Tochter. Alle anderen Kinder behandelten sie wie eine Aussätzige, riefen, ihre Mutter wäre eine Nutte, und nannten sie »Läusegöre«. Sie hatte tatsächlich Kopfläuse, und zwar im fortgeschrittenen Stadium. Sie wollte sich gern mit mir anfreunden, und eines Nachmittags auf dem Weg von der Schule nach Hause erzählte ich ihr, dass wir eine Zeit lang in Kalifornien gelebt hatten. Sie blühte förmlich auf und sagte, es wäre schon immer ein Traum ihrer Momma gewesen, nach Kalifornien zu gehen. Sie fragte, ob ich nicht Lust hätte, mit zu ihr zu kommen und ihrer Momma von dem Leben in Kalifornien zu erzählen.

Natürlich hatte ich Lust dazu. Ich hatte es nie geschafft, mal einen Blick ins Green Lantern zu werfen, aber jetzt würde ich mir eine echte Hure ganz aus der Nähe ankucken können. Ich wollte so vieles wissen: War Prostitution leicht verdientes Geld? Machte es auch mal Spaß, oder war es nur ekelhaft? Wussten Kathy und ihre Geschwister und ihr Vater, dass Ginnie Sue Pastor eine Hure war? Wie fanden sie das? Ich hatte nicht vor, diese Fragen direkt zu stellen, aber ich dachte, ich könnte sie mir bestimmt so in etwa allein beantworten, wenn ich das Haus der Pastors von innen sah und Ginnie Sue persönlich kennen lernte.

Clarence Pastor saß auf der Veranda und achtete nicht auf Kathy und mich, als wir an ihm vorbei ins Haus gingen. Die Zimmer waren klein und alle miteinander verbunden, wie Eisenbahnwagons, und weil das Haus auf dem allmählich immer weiter abrutschenden Berghang stand, waren die Fußböden, Decken und Fenster mal mehr, mal weniger schief. An den Wänden hingen keine Gemälde, sondern ausgerissene Seiten aus Katalogen eines Versandhauses.

Kathys kleine Schwestern tollten halb angezogen herum. Sie hatten keinerlei Ähnlichkeit miteinander; eine war rothaarig, eine blond, eine hatte schwarzes Haar, und die Übrigen hatten braunes in den unterschiedlichsten Tönen. Sugar Boy, der Jüngste, krabbelte im Wohnzimmer herum und lutschte an einer dicken Essiggurke. Ginnie Sue Pastor selbst saß am Küchentisch, vor sich eins von diesen großen, teuren Brathähnchen, die wir uns nur ganz selten mal leisten konnten. Sie hatte ein müdes, faltiges Gesicht, aber ihr Lächeln war freundlich und offen. »Nett, dich kennen zu lernen«, sagte sie und wischte sich die Hände unten an ihrer Bluse ab. »Wir kriegen nicht oft Besuch.«

Ginnie Sue sagte, wir sollten uns an den Tisch setzen. Sie hatte große Brüste, die wippten, wenn sie sich bewegte, und ihre Haare waren am Ansatz dunkel. »Ihr könnt mir bei dem Vogel hier helfen, dann mach ich für euch Hähnchenrollen à la Ginnie Sue.« Zu mir sagte sie: »Kannst du ein Hähnchen zerlegen?«

»Na klar«, erwiderte ich. Ich hatte den ganzen Tag noch nichts gegessen.

»Dann lass mal sehen«, sagte Ginnie Sue.

Ich fing mit einem Flügel an, zog die dünnen Doppelknochen auseinander und löste das ganze Fleisch aus, das dazwischen saß. Dann nahm ich mir die Beine und Schenkelknochen vor, brach sie an den Gelenken auseinander, zog die Sehnen ab und pulte das Mark heraus. Kathy und Ginnie Sue schauten mir gebannt zu. Ich entfernte das schöne Stück Fleisch vom Hinterteil, das alle immer übersehen, drehte den Rumpf auf den Rücken und kratzte mit den Fingernägeln das gelierte Fett und die Fleischstückchen von der Unterseite. Ich schob den Arm bis zum Ellbogen in den Vogel, um alles Fleisch herauszuholen, das innen am Brustkorb haftete.

»Mädchen«, sagte Ginnie Sue. »Mein Lebtag hab ich noch niemanden gesehen, der ein Hähnchen so gründlich zerlegt wie du.«

Ich hielt den speerförmigen Brustknochenknorpel hoch, den die meisten nicht essen, und biss mit einem lauten Knirschen hinein.

Ginnie Sue schabte das Fleisch in eine Schüssel, rührte Mayonnaise und Käsesauce unter, zerstieß eine Hand voll Kartoffelchips und gab sie dazu. Sie verteilte die Mischung auf zwei Scheiben Weißbrot, rollte die Scheiben auf und gab uns je eine. »Hähnchen im Schlafrock«, sagte sie. Sie schmeckten toll.

»Momma, Jeannette hat mal in Kalifornien gewohnt«, sagte Kathy.

»Wirklich?«, sagte Ginnie Sue. Sie sagte, sie hätte sich immer gewünscht, in Kalifornien zu leben. In Kalifornien zu leben und Stewardess zu sein. Das war ihr Traum. Sie seufzte. »Bin nie über Bluefield rausgekommen.«

Ich erzählte ihr und Kathy von unserem Leben in Kalifornien. Ich merkte bald, dass sie sich nicht für kleine Bergwerksstädte in der Wüste interessierten, also erzählte ich ihnen von San Francisco und dann von Las Vegas, was zwar nicht direkt in Kalifornien lag, aber das schien sie nicht zu stören. Ich erzählte es so, als wären wir nicht Tage, sondern Jahre dort gewesen und als wären die Show-Girls, die ich aus der Ferne gesehen hatte, gute Freundinnen und Nachbarinnen von uns gewesen. Ich erzählte von den glitzernden Kasinos und den glamourösen Zockermillionären, den Palmen und Swimmingpools, den Hotels mit eiskalten Klimaanlagen und den Restaurants, wo Hostessen mit langen weißen Handschuhen flambierte Desserts anzündeten.

»Was Besseres gibt's nicht!«, sagte Ginnie Sue.

»Nein, Ma'am, das stimmt«, bestätigte ich.

Sugar Boy kam heulend herein, und Ginnie Sue nahm ihn auf den Arm, und er durfte ihr etwas Mayonnaise vom Finger lecken. »Das mit dem Hähnchen hast du toll gemacht«, sagte Ginnie Sue zu mir. »Ich glaube, du gehörst zu denen, die später mal so viel Brathähnchen und flambierte Nachspeisen essen, wie sie wollen.« Sie zwinkerte mir zu.

Erst auf dem Weg nach Hause fiel mir ein, dass ich auf keine meiner Fragen eine Antwort gefunden hatte. Während ich bei den Pastors am Tisch gesessen und mit Ginnie Sue gesprochen hatte, hatte ich sogar vergessen, dass sie eine Hure war. Aber eins war mir klar geworden, die Hurerei brachte Brathähnchen auf den Tisch.

WIR PRÜGELTEN UNS OFT IN WELCH. Nicht bloß, um Feinde abzuwehren, sondern um uns anzupassen. Vielleicht lag es daran, dass man in Welch so wenig unternehmen konnte oder das Leben dort hart war und die Leute hart machte oder dass es bei der gewerkschaftlichen Organisierung der Bergwerke so viele blutige Kämpfe gegeben hatte oder die Arbeit in den engen Stollen gefährlich und schmutzig war und die Bergleute schlecht gelaunt nach Hause kamen und ihren Frust an den Frauen ausließen und die wiederum an den Kindern, jedenfalls prügelte sich in Welch praktisch jeder – Männer, Frauen, Jungen, Mädchen –, und das auch noch gern.

Es gab Schlägereien auf der Straße, Messerstechereien in Kneipen, Prügeleien auf Parkplätzen, Frauen wurden verdroschen und kleine Kinder verhauen. Manchmal war es nur eine kleine Kabbelei, die im Nu wieder vorbei war, manchmal aber auch ein ausgemachter Boxkampf, mit Zuschauern, die die blutenden, schwitzenden Kontrahenten anfeuerten. Und dann gab es Missstimmungen und Fehden, die sich über Jahre hinzogen, zwei Brüder, die einen Typen zusammenschlugen, weil dessen Vater in den fünfziger Jahren ihren Vater zusammengeschlagen hatte, eine Frau, die ihre beste Freundin erschoss, weil die sie mit ihrem Mann betrogen hatte, woraufhin der Bruder der besten Freundin den Ehemann erstach. Manchmal hatte die Hälfte der Leute, die man auf der McDowell Street traf, Blessuren von irgendeiner Schlägerei, ein blaues Auge, eine aufgeplatzte Lippe, einen verstauchten Arm, aufgeschürfte Handknöchel oder ein abgebissenes Ohrläppchen. In den Wüstenorten, in denen wir gewohnt hatten, waren die Leute ja schon ganz schön rauflustig gewesen, aber Mom meinte, Welch sei die prügelfreudigste Stadt, die sie je erlebt hatte.

Brian und Lori und ich gerieten öfter in Raufereien als die meisten anderen Kinder. Dinita Hewitt und ihre Freundinnen waren nur die Ersten von einer ganzen Reihe kleiner Banden, die sich mit einem oder mehreren von uns anlegten. Andere Kinder wollten sich mit uns prügeln, weil wir rotes Haar hatten, weil Dad ein Trinker war, weil wir abgerissene Klamotten trugen und nicht so oft badeten, wie wir hätten baden sollen, oder weil wir in einer Bruchbude wohnten, die teilweise gelb angestrichen war, und eine Grube voller Abfall hatten, weil in unserem Haus abends kein Licht brannte und sie sich denken konnten, dass wir nicht mal das Geld hatten, um die Stromrechnung zu bezahlen.

Aber wir wehrten uns immer, meistens gemeinsam. Den spektakulärsten Kampf, in dem wir unseren kühnsten taktischen Sieg errangen – die »Schlacht auf der Little Hobart Street« –, trugen wir gegen Ernie Good und seine Freunde aus. Ernie Good war ein plattnasiger, dickhalsiger Junge mit kleinen Augen, die ihm nahezu seitlich am Kopf saßen, wie bei einem Wal. Er benahm sich manchmal, als hätte er sich geschworen, die Familie Walls aus der Stadt zu vertreiben. Es fing eines Tages an, als ich mit anderen Kindern auf dem Panzer spielte, der neben dem Exerzierplatz stand. Ernie Good tauchte auf und begann mich mit Steinen zu bewerfen, wobei er schrie, die Walls sollten aus Welch verschwinden, weil sie mit ihrem Gestank die ganze Stadt verpesteten.

Ich warf ein paar Steine zurück und rief, er solle mich in Ruhe lassen.

»Zwing mich doch«, sagte Ernie.

»Müll fass ich nicht an«, rief ich. »Den verbrenn ich.« Normalerweise war das eine idiotensichere Retourkutsche, höhnisch, wenn auch nicht sehr originell, aber diesmal ging der Schuss nach hinten los.

»Ihr Walls verbrennt euren Müll doch gar nicht!«, schrie Ernie. »Ihr schmeißt ihn einfach in das Loch hinter eurem Haus! Ihr lebt drin.«

Ich suchte krampfhaft nach einer Retourkutsche auf seine Retourkutsche, aber mir fiel einfach keine ein, weil Ernie Recht hatte: Wir lebten wirklich im Müll.

Ernie baute sich dicht vor mir auf. »Müll! Ihr lebt im Müll, weil ihr selbst Müll seid!«

Ich schubste ihn mit aller Kraft weg, drehte mich dann zu den anderen Kindern um, weil ich auf Unterstützung hoffte, doch sie entfernten sich langsam mit gesenktem Blick, als schämten sie sich, mit einem Mädchen zu spielen, das dicht beim Haus eine Müllgrube hatte.

Am Samstag saßen Brian und ich gerade auf dem Sofa und lasen, als plötzlich eine Fensterscheibe zersplitterte und ein Stein auf dem Fußboden landete. Wir liefen zur Tür. Ernie und drei seiner Freunde kurvten auf ihren Rädern vor unserem Haus herum und grölten aus vollem Halse. »Müll! Müll!«, brüllten sie. »Ihr seid ein Haufen Müll!«

Brian ging auf die Veranda. Einer von den Jungs warf wieder einen Stein und traf Brian am Kopf. Er taumelte nach hinten, lief dann die Stufen hinab, aber Ernie und die anderen flitzten mit gellendem Kriegsgeheul davon. Brian kam wieder hoch. Blut lief ihm über die Wange und tropfte auf sein T-Shirt, und über der Augenbraue bildete sich schon eine Beule. Ein paar Minuten später war Ernies Bande wieder da. Sie warfen Steine und riefen, jetzt hätten sie ja gesehen, in was für einem Schweinestall die Walls-Kinder wohnten, und sie würden in der Schule herumerzählen, dass es noch schlimmer wäre, als alle dachten.

Diesmal rannten Brian und ich hinter ihnen her. Sie waren zwar in der Überzahl, aber es machte ihnen anscheinend mehr Spaß, uns zu ärgern, als sich mit uns zu schlagen, denn sie fuhren davon.

»Die kommen wieder«, sagte Brian.

»Was sollen wir machen?«, fragte ich.

Brian überlegte einen Augenblick, und dann sagte er, er habe einen Plan. Er holte ein Seil unter dem Haus hervor und ging dann vor mir her zu einer Lichtung am Hang oberhalb der Straße. Einige Wochen zuvor hatten Brian und ich eine alte Matratze dorthin geschleppt, weil wir mal draußen übernachten wollten. Brian erklärte mir, dass wir ein Katapult bauen würden, genauso eins wie die im Mittelalter, von denen wir gelesen hatten. Dazu bräuchten wir nur einen Haufen Steine auf die Matratze zu legen, das Seil darunter zu schieben und die Enden um Baumäste zu schlingen. Als wir unser Katapult fertig hatten, probierten wir es ein Mal aus. Wir zählten bis drei und zogen dann mit einem Ruck an dem Seil. Es funktionierte – eine kleine Steinlawine prasselte unten auf die Straße. Wir waren überzeugt, dass es Ernie Good und seine Bande umbringen würde, und genau das hatten wir auch vor. Wir wollten sie umbringen, ihre Fahrräder erbeuten und ihre Leichen als Warnung für andere auf der Straße liegen lassen.

Wir häuften erneut Steine auf die Matratze, machten das Katapult wieder einsatzbereit und warteten. Nach einigen Minuten tauchten Ernie und seine Bande wieder auf. Jeder von ihnen hatte eine Hand am Lenker und einen hühnereigroßen Stein in der Wurfhand. Sie näherten sich in einer Reihe hintereinander, wie ein Trupp Indianer auf dem Kriegspfad, mit ein, zwei Meter Abstand. Wir konnten sie nicht alle auf einmal erwischen, also zielten wir auf Ernie, den Anführer.

Als er in Reichweite war, gab Brian das Kommando, und wir zogen an dem Seil. Die Matratze schoss nach vorn, und unser Arsenal Steine flog durch die Luft. Ich hörte, wie sie dumpf gegen Ernies Körper prallten und auf die Straße rollten. Er schrie und fluchte, als sein Fahrrad blockierte. Der Junge hinter Ernie fuhr in ihn hinein, und beide stürzten. Die anderen zwei machten kehrt und sausten davon. Brian und ich schleuderten so viele Steine nach unten, wie wir finden konnten. Wir hatten eine gute Schusslinie und landeten et-

liche direkte Treffer. Die Steine prallten auf die Räder, split-
terten den Lack ab und zerbeulten die Schutzbleche.

Dann rief Brian: »Attacke!«, und wir stürmten den Hang
hinab. Ernie und sein Freund sprangen auf ihre Räder und
traten wie wild in die Pedale, sodass sie uns entwischten. Als
sie um die nächste Biegung verschwanden, vollführten Brian
und ich einen Siegestanz auf der mit Steinen übersäten
Straße und stimmten jetzt selbst ein Kriegsgeheul an.

ALS DAS WETTER WÄRMER WURDE, nahm die Umgebung der Little Hobart Street eine raue Schönheit an. Ein farbenprächtiges Blütenmeer breitete sich auf den steilen Hängen aus. Feuerkolben und Tränende Herzen schossen wild aus dem Boden. Wilde Möhre, lila Flammenblumen und große orangerote Taglilien blühten entlang der Straße. Im Winter stieß man im Wald ständig auf Autowracks und weggeworfene Kühlschränke und die Ruinen verlassener Häuser, aber im Frühling wurde alles im Nu von Kletterpflanzen und Unkraut und Moos überwuchert und verschwand von der Bildfläche.

Das Gute am Sommer war, dass wir von Tag zu Tag mehr Licht zum Lesen hatten. Mom schleppte stapelweise Bücher an. Wenn sie alle ein oder zwei Wochen in die Stadtbücherei ging, kam sie jedes Mal mit einem Kopfkissenbezug voller Romane, Biographien und Geschichtsbücher zurück. Sie machte es sich mit ihnen im Bett gemütlich, blickte ab und zu auf und entschuldigte sich, sie wisse ja, dass sie eigentlich was Produktiveres machen sollte, aber genau wie Dad habe sie nun mal ihre Süchte und eine davon sei Lesen.

Wir lasen alle, aber nie wieder stellte sich für mich so ein Gemeinschaftserlebnis ein wie früher in Battle Mountain, wenn wir im Bahnhof alle zusammengesessen hatten mit unseren Büchern. In Welch las abends jeder für sich. Jeder verkroch sich in einen anderen Winkel des Hauses. Sobald es dunkel wurde, lagen wir Kinder in unseren Betten aus Seilen und Pappkarton und lasen mit einer Taschenlampe oder einer Kerze, die wir auf unsere Holzkistchen gestellt hatten, jeder in seinem eigenen kleinen, dämmrigen Lichtkegel.

Lori war die größte Leseratte von uns. Sie war begeistert von Science-Fiction- und Fantasy-Romanen, vor allem von *Der Herr der Ringe*. Wenn sie nicht gerade las, malte sie Orks und Hobbits, und sie versuchte die ganze Familie dazu zu bringen, diese Bücher ebenfalls zu lesen. »Sie versetzen dich in eine andere Welt«, sagte sie.

Ich wollte mich nicht in eine andere Welt versetzen lassen. Meine Lieblingsbücher handelten alle von Menschen, die es nicht leicht im Leben hatten. Ich liebte *Früchte des Zorns*, *Herr der Fliegen* und besonders *Ein Baum wächst in Brooklyn*. Ich fand, dass Francie Nolan und ich praktisch identisch waren, nur dass sie fünfzig Jahre früher in Brooklyn gelebt hatte und ihre Mutter den Haushalt immer in Schuss hielt. Francie Nolans Vater erinnerte mich auf jeden Fall an Dad. Wenn Francie das Gute in ihrem Vater sah, auch wenn die meisten Leute ihn für faul und versoffen hielten, dann war es vielleicht doch nicht ganz so idiotisch von mir, dass ich an meinen glaubte. Oder es jedenfalls versuchte. Es fiel mir immer schwerer.

Eines Nachts in diesem Sommer, als ich im Bett lag und alle anderen schon schliefen, hörte ich, wie die Haustür aufging und jemand fluchend im Dunkeln herumstolperte. Dad war nach Hause gekommen. Ich ging ins Wohnzimmer, wo er am Zeichentisch saß. Mondlicht fiel durchs Fenster, und ich sah, dass sein Gesicht und seine Haare blutverschmiert waren. Ich fragte ihn, was passiert war.

»Ich hab mich mit einem Berg angelegt«, sagte er, »und der Berg hat gewonnen.«

Ich sah zu Mom hinüber, die auf dem Sofa schlief, den Kopf unter einem Kissen vergraben. Sie hatte einen tiefen Schlaf und rührte sich nicht. Als ich die Kerosinlampe anzündete, sah ich, dass Dad einen klaffenden Riss am rechten Unterarm hatte und am Kopf eine so tiefe Wunde, dass ich das Weiße seines Schädelknochens sehen konnte. Ich nahm einen Zahnstocher und eine Pinzette und entfernte die

Schottersteinchen aus der Verletzung am Arm. Dad verzog keine Miene, als ich Jod auf die Wunde goss. Wegen der vielen Haare konnte ich ihm keinen Kopfverband anlegen und sagte, ich müsste den Bereich um die Wunde herum rasieren. »Von wegen, Schätzchen, dann wäre mein Image hin«, sagte er. »Ein Kerl in meiner Position muss vorzeigbar sein.«

Dad inspizierte den Riss in seinem Unterarm. Er wickelte sich eine Aderpresse straff um den Oberarm und sagte, ich solle Moms Nähkästchen holen. Er suchte darin nach Seidengarn, doch als er keins fand, sagte er, Baumwolle täte es auch. Er fädelte das schwarze Garn in eine Nadel, reichte sie mir und deutete auf den Riss. »Zunähen«, sagte er.

»Dad! Das kann ich nicht.«

»Ach, das schaffst du schon, Schätzchen«, sagte er. »Ich würde es ja selbst machen, aber mit der linken Hand krieg ich nun mal nichts auf die Reihe.« Er lächelte. »Mach dir um mich keine Sorgen. Ich bin so blau, ich spür nicht die Bohne.«

Dad steckte sich eine Zigarette an und legte den Arm auf den Tisch.

»Na los«, sagte er.

Ich drückte die Nadel auf Dads Haut und schauderte.

»Na los doch«, sagte er wieder.

Ich drückte die Nadel tiefer und spürte ein leichtes Ziehen, als sie die Haut durchbohrte. Ich hätte am liebsten die Augen geschlossen, aber ich musste ja was sehen. Ich drückte ein bisschen fester und spürte den Widerstand von Dads Muskeln. Es war, als würde ich Fleisch nähen. Aber ich nähte ja tatsächlich Fleisch.

»Ich kann das nicht, Dad, tut mir Leid, ich kann es wirklich nicht«, sagte ich.

»Dann machen wir es zusammen«, sagte Dad.

Mit der linken Hand führte er meine Finger, als sie die Nadel ganz durch seine Haut und zur anderen Seite wieder herausschoben. Ein paar Tröpfchen Blut erschienen. Ich zog die Nadel heraus und straffte den Faden mit einem sanften Ruck. Ich band die beiden Enden des Fadens zusammen, wie Dad es mir sagte, und dann kam der zweite Stich. Der Riss war ziemlich groß und hätte gut und gern noch ein paar Stiche mehr gebrauchen können, aber ich brachte es nicht fertig, die Nadel noch öfter in Dads Arm zu bohren.

Wir blickten gemeinsam auf die beiden dunklen, etwas schlampigen Stiche.

»Das hast du toll gemacht«, sagte Dad. »Ich bin mächtig stolz auf dich, Bergziege.«

Als ich am nächsten Morgen aus dem Haus ging, schlief Dad noch. Als ich abends nach Hause kam, war er fort.

DAD HATTE SICH ANGEWÖHNT, manchmal für mehrere Tage zu verschwinden. Wenn ich ihn fragte, wo er war, fielen seine Erklärungen entweder vage aus oder klangen so unwahrscheinlich, dass ich irgendwann gar nicht mehr fragte. Wenn er wiederkam, hatte er meistens auf jedem Arm eine Tüte mit Lebensmitteln. Dann verschlangen wir Schinkensandwiches mit dicken Zwiebelscheiben darauf, während er uns erzählte, wie es mit seinen Ermittlungen in der Gewerkschaftssache voranging und was er sich wieder Neues überlegt hatte, um an Geld zu kommen. Ihm wurden dauernd Jobs angeboten, erklärte er, aber abhängige Arbeit interessierte ihn nicht mehr. Er hatte keine Lust, rumkommandiert zu werden, keine Lust auf Schleimerei und Arschkriecherei. »Wenn du für einen Boss arbeitest, kannst du kein Vermögen machen«, sagte er. Er war fest entschlossen, reich zu werden. In West Virginia gab es zwar kein Gold, aber tausend andere Möglichkeiten, zu einem Haufen Geld zu kommen. Er tüftelte zum Beispiel an einer neuen Technik herum, wie Kohle sich besser verbrennen ließe. Dann würde es sich lohnen, auch noch die minderwertigste Kohle abzubauen und zu verkaufen. Es gäbe einen großen Markt dafür, versicherte er, und er würde uns reicher machen, als wir es uns erträumen könnten.

Ich hörte mir Dads Pläne an und ermunterte ihn, weil ich hoffte, dass er die Wahrheit sagte, aber im Grunde glaubte ich ihm nicht. Wir würden weiterhin Geld – und damit etwas zu essen – haben, wenn Dad mal wieder einen Job ergatterte oder Mom einen Scheck von der Ölfirma für die Bohrrechte auf dem Stück Land in Texas erhielt, das sie von Grandma Smith geerbt hatte – mit einem von den Schecks hatten wir das Oldsmobile als Sparschweinangebot gekauft. Mom rückte nie so richtig mit der Sprache heraus, wie groß das Stück Land war und wo genau es lag, und auch ein Verkauf kam für sie nicht in Frage. Wir wussten lediglich, dass alle zwei Monate der Scheck eintraf und wir dann mehrere Tage hintereinander reichlich zu essen hatten.

Wenn der Strom eingeschaltet war, aßen wir überwiegend Bohnen. Ein großer Beutel Pintobohnen kostete weniger als einen Dollar und reichte für einige Tage. Mom kochte immer gleich einen Riesentopf voll, und sie schmeckten besonders lecker, wenn man einen Löffel Mayonnaise untermischte. Wir aßen auch jede Menge Reis mit Räuchermakrele, was, wie Mom sagte, ausgezeichnete Nahrung fürs Gehirn war. Räuchermakrele war zwar nicht so gut wie Thunfisch, aber immer noch besser als Katzenfutter, das wir hin und wieder aßen, wenn es richtig knapp wurde. Manchmal machte Mom zum Abendessen eine große Portion Popcorn. Popcorn habe viele Ballaststoffe, sagte sie, und wir mussten immer ordentlich Salz darüber streuen, weil das Jod verhinderte, dass wir einen Kropf bekämen. »Meine Kinder sollen schließlich nicht aussehen wie Pelikane«, sagte sie.

Einmal, als ein besonders dicker Scheck eintraf, kaufte Mom einen ganzen Schinken. Wir schnitten dicke Scheiben für Sandwiches ab und aßen mehrere Tage davon. Da wir keinen Kühlschrank hatten, bewahrten wir den Schinken auf einem Küchenregal auf, und nachdem er schon eine Weile dort gelegen hatte und ich mir wieder mal eine Scheibe abschneiden wollte, sah ich, dass er von kleinen weißen Würmern wimmelte.

Mom saß auf dem Schlafsofa und aß gerade das Stück Schinken, das sie sich abgeschnitten hatte. »Mom, der Schinken ist voller Maden«, sagte ich.

»Hab dich nicht so«, erwiderte sie. »Schneid einfach die Stellen mit dem madigen Teil ab. Innen ist er tadellos.«

Brian und ich wurden hervorragende Nahrungsbeschaffer. Im Sommer und Herbst pflückten wir Holzäpfel, Brombeeren und Papau-Früchte und stibitzten dem alten Wilson Maiskolben von den Feldern. Der Mais war zäh – der alte Wilson fütterte damit sein Vieh –, aber wenn man lange genug kaute, kriegte man ihn runter. Einmal fingen wir eine verletzte Amsel, über die wir eine Wolldecke warfen. Wir dachten, wir könnten sie braten, aber wir brachten es nicht fertig, den Vogel zu töten. Er sah sowieso zu mager aus.

Wir hatten gehört, dass sich aus Kermesbeerblättern ein leckerer Salat zubereiten ließ, und da das Kraut hinter unserem Haus massenweise wuchs, dachten Brian und ich, ein Versuch könnte nicht schaden. Falls es was taugte, hätten wir eine ganz neue Nahrungsquelle. Zuerst probierten wir die Kermesbeere roh, aber das schmeckte furchtbar bitter. Dann kochten wir sie, doch sie schmeckte noch immer säuerlich und zäh, und uns brannte noch Tage später die Zunge.

Einmal, als wir wieder auf Nahrungssuche waren, entdeckten wir ein verlassenes Haus und kletterten durchs Fenster hinein. Die Zimmer waren winzig und hatten keine Fußböden, nur nackte Erde, aber in der Küche fanden wir Regale voll mit Konservendosen.

»Schlaraffenland!«, rief Brian.

»Mahlzeit!«, sagte ich.

Die Büchsen waren verstaubt und angerostet, aber wir dachten, das Essen darin wäre bestimmt noch gut, denn dafür waren Konservendosen ja schließlich da. Ich gab Brian eine Dose Tomaten, und er holte sein Taschenmesser hervor. Als er den Deckel durchbohrte, explodierte ihm der Inhalt ins Gesicht und bedeckte uns mit einer sprudelnden braunen Brühe. Wir versuchten es noch bei ein paar anderen Dosen, aber auch sie explodierten, und wir gingen mit leerem Magen und tomatenbesudelt nach Hause.

Als ich im Herbst in die sechste Klasse kam, machten die anderen Kinder sich über Brian und mich lustig, weil wir so dünn waren. Sie nannten mich Spinnenbein, Skelett, Pfeifen-reiniger, Schnittlauch, Klapperstange, Knochengestell, Boh-nenstange und Giraffe und sagten, wenn ich mich bei Regen unter eine Telefonleitung stellen würde, bliebe ich trocken.

Wenn andere Kinder mittags in der Pause ihre Brote aus-packten oder sich was Warmes zu essen kauften, holten Brian und ich unsere Bücher hervor und lasen. Brian erzählte je-dem, er müsse sein Gewicht niedrig halten, weil er in die Rin-germannschaft wolle, wenn er auf die Highschool kam. Ich sagte, ich hätte meinen Lunch vergessen. Keiner glaubte mir, deshalb versteckte ich mich in der Mittagspause auf dem Klo. Ich schloss mich in einer Kabine ein und zog die Füße auf den Klodeckel, damit mich niemand an den Schuhen er-kannte.

Manchmal kamen andere Mädchen herein und warfen Es-sensreste in die Abfallkörbe, wo ich sie wieder herausholte. Es war mir unbegreiflich, wie man das ganze Essen, an dem nichts auszusetzen war, wegwerfen konnte: Äpfel, hart ge-kochte Eier, Päckchen mit Erdnussbutter-Kräckern, Gurken-scheiben, kleine Tetrapacks Milch, Käsebrot, von dem nur ein Mal abgebissen worden war, weil das Mädchen den Pfef-fer im Käse nicht mochte. Ich verschwand immer wieder in der Kabine und verputzte meine leckere Beute.

Manchmal lag in den Abfallkörben sogar mehr Essbares, als ich allein schaffen konnte. Das erste Mal stopfte ich das, was ich nicht mehr essen konnte – ein Mortadella-Käse-Sand-wich –, in meine Schultasche, um es für Brian mit nach Hause zu nehmen. Doch als ich wieder in der Klasse war, überlegte ich, wie ich Brian erklären sollte, wo ich das Sandwich her-hatte. Ich war mir ziemlich sicher, dass auch er den Abfall durchwühlte, aber wir sprachen nie darüber.

Während ich mir noch den Kopf zermarterte, roch ich plötzlich die Mortadella. Der Geruch wurde immer stärker, und ich bekam Angst, die anderen Kinder würden es auch rie-chen und sich zu mir umdrehen und meine pralle Tasche se-hen, und da alle wussten, dass ich mittags nie etwas aß, würden sie sich denken können, dass ich was aus dem Abfall gekramt hatte. Gleich nach der Stunde lief ich aufs Klo und steckte das Sandwich wieder in den Abfallkorb.

Maureen hatte immer genug zu essen. Mit ihren fünf Jahren sah sie aus wie ein kleiner Engel und hatte in der Nachbarschaft viele Freundinnen, zu denen sie immer kurz vor dem Abendessen zum Spielen ging. Ich hatte keine Ahnung, wie Mom und Lori über die Runden kamen. Mom wurde seltsamerweise immer dicker. Eines Abends, als Dad nicht da war und wir wieder nichts zu essen hatten und alle im Wohnzimmer saßen und versuchten, nicht ans Essen zu denken, verschwand Mom immer mal wieder unter der Decke auf der Schlafcouch. Irgendwann blickte Brian zu ihr hinüber.

»Kaust du da was?«, fragte er.

»Mir tun die Zähne weh«, sagte Mom, aber sie bekam einen ganz nervösen Blick und mied es, uns in die Augen zu sehen. »Kommt von meinem schlechten Zahnfleisch. Ich bewege den Kiefer, damit das Blut besser zirkuliert.«

Brian riss ihr die Decke weg. Auf der Matratze neben Mom lag ein Schokoriegel in Familiengröße mit abgezogenem Silberpapier. Sie hatte schon die Hälfte davon gegessen.

Mom fing an zu weinen. »Ich kann nichts dafür«, schluchzte sie. »Ich bin zuckersüchtig, genau wie euer Vater Alkoholiker ist.«

Sie bat uns, ihr zu verzeihen, so wie wir Dad seine Sauferei verziehen. Keiner von uns sagte etwas. Brian schnappte sich den Schokoriegel und teilte ihn in vier Stücke. Vor Moms Augen stopften wir sie gierig in uns hinein.

DER WINTER IN JENEM JAHR KAM MIT MACHT. Kurz nach Thanksgiving fiel der erste Schnee in dicken, nassen Flocken, so groß wie Schmetterlinge. Sie schwebten träge herab, doch nach ihnen kamen kleinere, trockenere Flocken, die über Tage nicht mehr aufhörten. Am Anfang mochte ich den Winter in Welch. Die Schneedecke verbarg den Ruß und ließ die ganze Stadt sauber und gemütlich wirken. Unser Haus sah fast so aus wie alle anderen auf der Little Hobart Street.

Es war so kalt, dass die jüngsten, zartesten Zweige in der frostigen Luft zerbrachen, und schon bald bekam ich die Kälte am eigenen Leib zu spüren. Ich hatte noch immer bloß den dünnen Wollmantel mit den fehlenden Knöpfen, den Mom mir im Secondhand-Laden in Phoenix gekauft hatte. Im Haus war mir fast genauso kalt wie draußen, weil wir keine Kohlen hatten, um den Ofen anzufeuern. Im Telefonbuch von Welch standen zweiundvierzig Kohlenhändler. Eine Tonne Kohle, mit der wir fast den ganzen Winter ausgekommen wären, kostete um die fünfzig Dollar – einschließlich Lieferung – oder gerade mal dreißig Dollar für die minderwertigere Qualität. Mom sagte, es tue ihr Leid, aber für Kohle sei einfach kein Geld da. Wir müssten uns etwas anderes einfallen lassen, um uns aufzuwärmen.

Wenn irgendwo Kohle geliefert wurde, fiel immer ein bisschen von den Lastwagen herunter, und Brian schlug vor, dass er und ich mit einem Eimer losziehen und alles einsammeln sollten, was wir finden konnten. Wir trotteten gerade die Little Hobart Street hinunter und sammelten Kohlestücke auf, als unsere Nachbarn, die Noes, mit ihrem Rambler-Kombi vorbeifuhren. Die Noe-Mädchen, Karen und Carol, saßen auf den nach hinten gerichteten Notsitzen und schauten zum Heckfenster hinaus. »Wir stocken unsere Steinsammlung auf!«, rief ich.

Die Kohlestücke, die wir fanden, waren so klein, dass wir nach einer Stunde erst einen halben Eimer voll hatten, und um für einen Abend den Ofen zu befeuern, brauchten wir mindestens einen ganzen Eimer. Deshalb heizten wir meistens mit Holz und gingen nur gelegentlich auf Kohlesammeltour. Holz konnten wir uns genauso wenig leisten wie Kohle, und da Dad nicht da war, um einen Baum zu fällen und klein zu hacken, blieb uns Kindern nichts anderes übrig, als tote Zweige und Äste im Wald zu sammeln.

Die Suche nach gutem, trockenem Holz war eine Herausforderung. Wir stapften den Hang entlang, hielten Ausschau nach Stücken, die nicht mit Wasser voll gesogen oder vermodert waren, und schüttelten Schnee von Ästen. Aber das Holz war schrecklich schnell verbraucht, und im Vergleich zu einem Kohlenfeuer, das richtig heiß brennt, gibt ein Holzfeuer nicht so viel Wärme ab. Wir drängten uns in Decken gehüllt um den dickbauchigen Ofen und hielten die Hände in die schwache, rauchige Hitze, die ihm entströmte. Mom sagte, wir sollten dankbar sein, weil wir besser dran wären als die Pioniere damals, die noch nicht so moderne Bequemlichkeiten hatten wie Fensterscheiben und gusseiserne Öfen.

Einmal hatten wir ein loderndes Feuer entfacht, doch selbst dann noch konnten wir unseren Atem sehen, und die Fensterscheiben waren auf beiden Seiten vereist. Brian und ich fanden, dass wir ein noch größeres Feuer bräuchten, und zogen los, um mehr Holz zu sammeln. Auf dem Rückweg blieb Brian stehen und blickte auf unser Haus. »Auf unserem Dach liegt kein Schnee«, sagte er. Es stimmte. Der ganze Schnee war geschmolzen. »Auf allen anderen Häusern liegt Schnee«, sagte er. Auch das stimmte.

»Unser Haus ist schlecht isoliert«, sagte Brian zu Mom, als wir wieder drin waren. »Die ganze Wärme verschwindet durchs Dach.«

»Na schön«, sagte Mom, als wir wieder alle um den Ofen versammelt waren, »wir haben keine Wärmeisolierung, aber dafür haben wir uns.«

Es wurde so kalt im Haus, dass Eiszapfen von der Küchendecke hingen, das Wasser in der Spüle zu einem massiven Eisblock gefror und das schmutzige Geschirr, das wir drin gelassen hatten, feststeckte, als wäre es einzementiert worden. Selbst der Topf mit Wasser, den wir immer für den Abwasch am Ofen stehen hatten, war meistens zugefroren. Wir trugen unsere Mäntel auch im Haus und wickelten uns zusätzlich in Decken ein. Sogar im Bett behielten wir unsere Mäntel an. Das Schlafzimmer bekam kein bisschen Wärme ab, und ich konnte noch so viele Wolldecken auf mich häufen, ich fror trotzdem. Nachts lag ich wach, rieb mir die Füße mit den Händen, um sie aufzuwärmen.

Wir stritten uns darum, bei wem die Hunde schlafen durften – Tinkle, der Jack Russell, und Pippin, ein Mischling mit lockigem Fell, den Brian irgendwo aufgelesen hatte. Sie waren so schön warm. Meistens krochen sie zu Mom ins Bett, weil sie den massigeren Körper hatte und ihnen auch kalt war. Brian hatte sich bei G. C. Murphy, einem Billigladen auf der McDowell Street, eine Eidechse gekauft, weil sie ihn an die Wüste erinnerte. Er nannte sie Iggy und legte sie sich nachts auf die Brust, damit sie es warm hatte, doch als er eines Morgens wach wurde, war sie trotzdem erfroren.

Wir mussten den Wasserhahn unter dem Haus tropfen lassen, damit die Leitung nicht zufror. Bei richtig klirrender Kälte passierte das aber manchmal dennoch, und dann hing am nächsten Morgen ein langer Eiszapfen unter dem Hahn. Wir versuchten die Leitung aufzutauen, indem wir mit einem brennenden Stück Holz daran entlangfuhren, aber das nützte meist nichts, und wir mussten abwarten, bis es wieder wärmer wurde. Wenn die Leitung so fest zugefroren war, schmolzen wir Schnee oder Eiszapfen in dem Blechtopf auf dem Ofen, damit wir Wasser hatten.

Einige Male, als nicht mehr genug Schnee auf der Erde lag, schickte Mom mich nach nebenan, um bei den Freemans einen Eimer Wasser zu borgen. Mr. Freeman, ein stets sauertöpfisch dreinschauender Bergarbeiter in Rente, wohnte mit seinem Sohn und seiner Tochter zusammen, Peanut und Prissy, die beide schon erwachsen waren. Er lehnte meine Bitte niemals glattweg ab, sondern blickte mich einen langen Augenblick schweigend an, schüttelte dann den Kopf und verschwand im Haus. Wenn er dann wiederkam und mir den Eimer reichte, schüttelte er erneut angewidert den Kopf – auch wenn ich ihm vorher versichert hatte, dass er im Frühling so viel Wasser von uns haben könnte, wie er wollte.

»Ich hasse den Winter«, sagte ich zu Mom.

»Jede Jahreszeit hat auch ihr Positives«, sagte sie. »Kaltes Wetter tut dir gut. Es tötet die Bakterien ab.«

Und das stimmte anscheinend, denn keins von uns Kindern wurde je krank. Aber selbst wenn ich irgendwann morgens mit hohem Fieber aufgewacht wäre, hätte ich Mom nichts davon gesagt. Denn wenn ich krank geworden wäre, hätte ich in unserem eiskalten Haus bleiben müssen, statt es den ganzen Tag in der Schule mollig warm zu haben.

Gut an dem kalten Wetter war auch, dass es unangenehme Gerüche auf ein Minimum reduzierte. Zwischen dem ersten Schneefall im November und dem Neujahrstag hatten wir unsere Anziehsachen nur ein Mal gewaschen. Im Sommer hatte Mom so eine Wringwaschmaschine gekauft wie die in Phoenix, und wir stellten sie in der Küche auf. Wenn wir Strom hatten, wuschen wir die Wäsche und hängten sie auf der Veranda zum Trocknen auf. Selbst bei warmem Wetter dauerte es Tage, bis sie trocken war, weil es am Nordhang des Berges immer klamm war. Als es dann kalt wurde, gefror die Wäsche, die wir auf die Veranda hängten. Wir holten sie ins Haus – die hart gewordenen Socken hatten die Form von Fragezeichen, und die Hosen waren so steif, dass man sie an die Wand lehnen konnte – und schlugen sie gegen den Ofen, damit sie etwas weicher wurde. »So brauchen wir wenigstens keine Stärke zu kaufen«, sagte Lori.

Trotz der Kälte stanken wir im Januar dermaßen, dass Mom den Zeitpunkt für gekommen hielt, uns mal richtig was zu leisten: Wir würden in den Waschsalon gehen. Wir stopften unsere Schmutzwäsche in Kopfkissenbezüge und schleppten sie den Berg hinunter auf die Stewart Street.

Mom trug ihren Wäschesack auf dem Kopf, wie die Frauen in Afrika, und wollte, dass wir das auch so machten. Sie sagte, es wäre besser für unsere Körperhaltung und würde die Wirbelsäule nicht so belasten, aber das kam für uns Kinder nicht in Frage. Wir wollten doch nicht mit Wäschesäcken auf dem Kopf gesehen werden. Stattdessen trugen wir die Wäsche auf der Schulter, während wir hinter Mom hermarschierten, und wenn wir Leute trafen, verdrehten wir die Augen, um ihnen zu verstehen zu geben, dass wir genau ihrer Meinung waren: Die Frau mit dem Wäschesack auf dem Kopf sah ganz schön merkwürdig aus.

Die Scheiben des Waschsalons waren völlig beschlagen, und drinnen war es so warm und feucht wie in einem türkischen Bad. Mom gab uns Münzen, die wir in die Waschmaschinen steckten, dann kletterten wir auf sie drauf und setzten uns. Die Hitze aus den rumpelnden Geräten wärmte uns den Po und durchströmte unseren ganzen Körper.

Als die Wäsche fertig war, luden wir sie in die Trockner um und schauten dann zu, wie sie herumwirbelte, als würde sie Karussell fahren. Als der Trockengang zu Ende war, zogen wir die sengend heiße Wäsche heraus und vergruben unsere Gesichter darin. Wir breiteten die Sachen auf den Tischen aus und legten die Hemden und Blusen und Hosen ordentlich zusammen und steckten die Socken paarweise ineinander. Zu Hause falteten wir unsere Sachen nie, aber im Waschsalon war es so schön warm und gemütlich, dass uns jeder Vorwand recht war, noch länger zu bleiben.

Als es im Januar wärmer wurde, freuten wir uns zunächst, doch dann schmolz der Schnee, und das ganze Holz im Wald war völlig durchnässt. Wir brachten nicht mehr als ein Qualmen und Zischen im Ofen zustande. Wenn das Holz zu nass war, übergossen wir es manchmal mit Kerosin, das wir für die Lampen verwendeten. Für Dad waren Anzünder wie Kerosin unter seiner Würde. Kein echter Pionier würde sich zu so was herablassen, sagte er. Es war nicht billig, und da es nicht lange brannte, war eine Menge davon erforderlich, bis das Holz Feuer fing. Außerdem war es gefährlich. Dad sagte, wenn man nachlässig mit Kerosin umging, konnte es explodieren. Doch manchmal, wenn das Holz so nass war, dass es einfach nicht brennen wollte, und wir alle froren, gossen wir trotzdem ein bisschen drauf.

Einmal stiegen Brian und ich den Hang hoch, um trockenes Holz zu suchen, während Lori im Haus das Feuer schürte. Als wir ein paar viel versprechende Äste entdeckt hatten und gerade den Schnee abschüttelten, hörten wir einen lauten Knall aus dem Haus. Ich drehte mich um und sah hinter den Fenstern Flammen aufzüngeln.

Wir ließen unser Holz fallen und liefen den Hang hinunter. Lori taumelte im Wohnzimmer umher, ihre Augenbrauen und ihr Pony waren versengt, und es roch nach verbrannten Haaren. Sie hatte Kerosin ins Feuer gegossen, und es war explodiert, genau wie Dad gesagt hatte. Außer Loris Haaren hatte nichts im Haus Feuer gefangen, aber die Explosion hatte ihr Mantel und Rock weggerissen, und die Flammen hatten ihr die Oberschenkel verbrannt. Brian holte Schnee von draußen, und den packten wir auf Loris Beine, die dunkelrosa waren, aber am nächsten Tag hatte sie an den ganzen Oberschenkeln Blasen.

»Merk dir eins«, sagte Mom, nachdem sie die Blasen inspiziert hatte. »Was dich nicht umbringt, macht dich stärker.«

»Wenn das stimmt, müsste ich inzwischen Herkules sein«, sagte Lori.

Als die Blasen Tage später platzten, lief die klare Flüssigkeit daraus bis runter auf Loris Füße. Wochenlang hatte sie vorn an den Beinen offene Stellen, die so empfindlich waren, dass sie unter Wolldecken nur schlecht schlafen konnte. Aber inzwischen waren die Temperaturen wieder gefallen, und wenn sie die Decken wegkickte, fror sie.

In diesem Winter besuchte ich eines Tages ein Mädchen aus meiner Klasse, um für ein Schulprojekt zu arbeiten. Carrie Mae Blankenships Vater arbeitete in der Verwaltung des McDowell County Hospital, und ihre Familie wohnte in einem Backsteinhaus auf der McDowell Street. Das Wohnzimmer war orangebraun tapeziert, und die Vorhänge hatten das gleiche Karomuster wie die Polstergarnitur. An der Wand hing eine Gegenlichtaufnahme von Carrie Maes älterer Schwester in ihrer Robe während der Highschool-Abschlussfeier.

Außerdem war an der Wand neben der Wohnzimmertür ein kleiner Plastikkasten mit einem Hebel angebracht, auf dem eine Reihe winziger Zahlen stand. Als Carrie Mae gerade nicht im Zimmer war, sah ihr Vater, wie ich den Kasten genauer in Augenschein nahm. »Das ist ein Thermostat«, sagte er zu mir. »Wenn man den Hebel verstellt, wird das Haus wärmer oder kälter.«

Zuerst dachte ich, er wollte mich auf den Arm nehmen, aber als er den Hebel bewegte, hörte ich, wie im Keller ein gedämpftes Dröhnen einsetzte.

»Das ist der Heizkessel«, sagte er.

Er führte mich zu einem Lüftungsschlitz im Fußboden und sagte, ich solle die Hand darüber halten. Als ich es tat, spürte ich warme Luft aufsteigen. Ich wollte nichts sagen, um mir nicht anmerken zu lassen, wie beeindruckt ich war, aber noch viele Nächte danach träumte ich davon, dass wir auch so einen Thermostat hätten. Ich träumte, wir brauchten nur einen kleinen Hebel zu verstellen, um unser Haus mit der wohligen, sauberen Heizkesselwärme zu füllen.

Erma starb während des letzten heftigen Schneefalls in jenem Winter. Dad sagte, Ermas Leber hätte einfach versagt. Mom vertrat den Standpunkt, dass Erma sich zu Tode getrunken hatte. »Für mich war das ganz klar Selbstmord, sie hätte den Kopf genauso gut in den Backofen stecken können«, sagte Mom, »nur war ihrer langsamer.«

Was immer die Todesursache war, Erma hatte jedenfalls detaillierte Vorbereitungen für den Fall ihres Ablebens getroffen. Die *Welch Daily News* hatte sie nur wegen der Todesanzeigen und schwarz umrandeten Nachrufe abonniert, von denen sie die schönsten ausgeschnitten und aufbewahrt hatte. Sie lieferten ihr Anregungen für ihre eigene Todesanzeige, an der sie jahrelang herumgefeilt hatte. Sie hatte auch seitenlange Anweisungen geschrieben, wie sie ihre Bestattung haben wollte, und genau notiert, welche Kirchenlieder gesungen und welche Gebete gesprochen werden sollten. Auch das Bestattungsinstitut hatte sie sich ausgesucht und bei J. C. Penney ein lavendelfarbenes Spitzennachthemd bestellt, in dem sie begraben werden wollte. Der Sarg, für den sie sich entschieden hatte, war in zwei verschiedenen Lavendeltönen gehalten und hatte glänzende Chromgriffe.

Ermas Tod brachte Moms fromme Seite ans Licht. Während wir auf den Geistlichen warteten, holte sie ihren Rosenkranz hervor und betete für Ermas Seele, die sie in Gefahr sah, da Erma ihrer Ansicht nach Selbstmord begangen hatte. Sie wollte auch, dass wir Ermas Leichnam küssten. Wir weigerten uns strikt, aber Mom schritt vor den Augen der Trauergäste ganz nach vorn zum Sarg, ging elegant in die Knie und gab Erma einen so kräftigen Kuss auf die Wange, dass das Schmatzgeräusch durch die ganze Kirche zu hören war.

Ich saß neben Dad. Es war das erste Mal in meinem Leben, dass ich ihn mit Krawatte sah, denn eine Krawatte, so sagte er immer, sei eine Schlinge um den Hals. Sein Gesicht war ernst und verschlossen, aber ich sah, dass er tieftraurig war. Trauriger, als ich ihn je gesehen hatte, was mich überraschte, denn ich war der Meinung gewesen, dass Erma über ihn eine unheilvolle Macht ausgeübt hatte und er eigentlich froh sein müsste, davon befreit zu sein.

Auf dem Weg nach Hause fragte Mom uns Kinder, ob wir über Erma etwas Nettes sagen wollten, jetzt, da sie gestorben war. Wir gingen ein paar Schritte schweigend weiter, dann sagte Lori: »Ding dong, die Hex ist tot.«

Brian und ich mussten lachen. Dad fuhr herum und bedachte Lori mit einem so kalten, wütenden Blick, dass ich dachte, er würde sie ohrfeigen. »Himmelherrgott, sie war meine Mutter«, sagte er. Er funkelte uns an. »Ihr Kinder. Ich schäme mich für euch. Hört ihr? Ich schäme mich für euch!«

Er machte kehrt und steuerte auf Junior's Bar zu. Wir sahen ihm nach. »*Du* schämst dich für *uns*?«, rief Lori hinter ihm her.

Dad ging einfach weiter.

Als Dad vier Tage später immer noch nicht nach Hause gekommen war, schickte Mom mich los, ihn zu suchen. »Wieso immer ich?«, fragte ich.

»Weil du sein Liebling bist«, sagte sie. »Und auf dich hört er.«

Wenn ich auf der Suche nach Dad war, ging ich als Erstes zu den Freemans nebenan, die über die Nachbarschaft mit uns zwar nicht gerade begeistert waren, aber uns für zehn Cent ihr Telefon benutzen ließen, wenn wir Grandpa anrufen und fragen wollten, ob Dad bei ihm war. Dad hatte sich manchmal bei Grandpa und Erma einquartiert, aber an dem Nachmittag hatte Grandpa keine Ahnung, wo Dad war.

»Wann schafft ihr euch endlich selbst ein Telefon an?«, fragte Mr. Freeman, nachdem ich aufgelegt hatte.

»Mom ist gegen Telefone«, sagte ich, als ich ihm die Münze auf den Couchtisch legte. »Sie findet, das sind unpersönliche Kommunikationsmittel.«

Meine erste Station war das Junior's. Es war die beste Kneipe in Welch, mit einem Panoramafenster, einem Grill für Hamburger und Pommes und einem Flipperautomaten.

»He!«, rief einer der Stammgäste, als ich hereinkam. »Da kommt ja Rex' kleine Tochter. Wie geht's dir, Kleines?«

»Danke, gut. Ist mein Dad hier?«

»Rex?« Er wandte sich an den Mann neben sich. »Wo steckt Rex, das alte Stinktier?«

»Heute Morgen hab ich ihn noch im Howdy House gesehen.«

»Kleines, du siehst aus, als könntest du eine Verschnaufpause gebrauchen«, sagte der Barkeeper. »Setz dich, ich spendier dir eine Cola.«

»Nein, danke. Ich muss los.«

Ich ging zum Howdy House, das nicht ganz so schick war wie das Junior's. Es war kleiner und dunkler, und zu essen gab es nur eingelegte Eier. Vom Barkeeper erfuhr ich, dass Dad ins Pub gegangen war, das noch mal eine Klasse schlechter als das Howdy House war – fast stockdunkel mit einer klebrigen Theke, und zu essen gab es gar nichts –, und da stand er mit ein paar anderen Stammgästen zusammen und erzählte Geschichten von der Air Force.

Als Dad mich sah, verstummte er und blickte mich nur eine Sekunde lang an, wie immer, wenn ich ihn in einer Kneipe aufgespürt hatte. Es war stets ein unangenehmer Augenblick für uns beide. Ich hatte genauso wenig Lust, ihn aus der Kneipe zu holen, wie er Lust hatte, sich von seiner Göre von Tochter nach Hause zitieren zu lassen, als wäre er ein ungezogener Schuljunge. Er sah mich einen ganz kurzen Moment lang aus kalten Augen an, dann setzte er ein herzliches Grinsen auf.

»He, Bergziege!«, rief er schließlich. »Was hast du denn in dieser Spelunke zu suchen?«

»Mom sagt, du sollst nach Hause kommen«, sagte ich.

»Ach, sagt sie das?« Er bestellte eine Cola für mich und noch einen Whiskey für sich. Ich sagte wieder und wieder zu Dad, wir sollten endlich gehen, aber er hielt mich immer nur hin und bestellte sich einen Whiskey nach dem anderen, als bräuchte er ein bestimmtes Quantum, bevor er sich nach Hause wagte. Er taumelte zum Klo, kam zurück und bestellte sich einen letzten Whiskey, knallte dann das Glas auf die Theke und ging zur Tür, doch als er sie öffnen wollte, verlor er das Gleichgewicht und schlug der Länge nach hin. Ich wollte ihm aufhelfen, doch er kippte immer wieder um.

»Kleines, in dem Zustand kriegst du ihn nirgendwohin«, sagte ein Mann hinter mir. »Komm, ich bring euch nach Hause.«

»Das wäre sehr nett, Sir«, sagte ich. »Falls es kein Umweg für Sie ist.«

Einige andere Kneipengäste halfen dem Mann und mir, Dad zum Pick-up zu tragen und auf die Ladefläche zu ver- frachten. Wir lehnten Dad gegen einen Werkzeugkasten. Es war später Nachmittag an einem der ersten Frühlingstage, das Licht wurde schwächer, und die Läden auf der McDowell Street schlossen bereits. Dad fing an, eins von seinen Lieb- lingsliedern zu singen.

> Swing low, sweet chariot
> Coming for to carry me home.

Dad hatte eine schöne Baritonstimme, kräftig, mit Timbre und weitem Umfang, und obwohl er sternhagelvoll war, schmet- terte er das Lied mit Inbrunst.

> I looked over Jordan and what did I see
> Coming for to carry me home?
> A band of angels coming after me
> Coming for to carry me home.

Ich stieg neben dem Fahrer ein. Auf der Fahrt nach Hause – während Dad weiter aus vollem Halse sang – fragte der Mann mich nach der Schule. Ich sagte, ich würde fleißig lernen, weil ich Tierärztin werden wollte oder Geologin, mit dem Spezialgebiet Miozän, dem Zeitalter, als die Berge entstanden. Ich erzählte ihm gerade, dass Geoden aus Blasen in der Lava gebildet wurden, als er mich unterbrach.

»Für die Tochter des größten Säufers der Stadt hast du aber ganz schön hochfliegende Pläne«, sagte er.

»Halten Sie an«, sagte ich. »Das letzte Stück schaffen wir schon allein.«

»Ach, nicht doch, ich hab's nicht böse gemeint«, sagte der Mann. »Und du weißt selbst, dass du ihn allein nicht nach Hause kriegst.«

Er hielt trotzdem. Ich öffnete die Ladeklappe und versuchte Dad herunterzuziehen, aber der Mann hatte Recht. Ich schaffte es nicht. Also stieg ich wieder ein, verschränkte die Arme vor der Brust und blickte stur geradeaus. Als wir in der Little Hobart Street ankamen, half er mir, Dad auf die Beine zu stellen, und ich legte mir Dads Arm um die Schultern.

»Ich weiß, es hat dich gekränkt, was ich über deinen Vater gesagt habe«, sagte der Mann. »Aber ob du's glaubst oder nicht, es war als Kompliment gemeint.«

Vielleicht hätte ich mich bedanken sollen, aber ich wartete bloß, bis er abfuhr, dann rief ich Brian, damit er mithalf, Dad den Hang hoch ins Haus zu schaffen.

Zwei Monate nach Ermas Tod schlief Onkel Stanley im Keller beim Lesen eines Comic-Heftchens mit brennender Zigarette ein. Das große Holzhaus brannte vollständig ab, und Grandpa und Stanley zogen in eine kleine, fensterlose Wohnung im Keller eines alten Hauses in der Nähe. Die Drogendealer, die vorher dort gewohnt hatten, hatten Kraftausdrücke und psychedelische Motive an die Wände und die Rohre an der Decke gesprüht. Der Vermieter ließ sie nicht überstreichen, und Grandpa und Stanley taten es auch nicht.

Grandpa und Stanley hatten aber ein funktionierendes Badezimmer, und so gingen wir jedes Wochenende zu ihnen, um richtig zu baden. Einmal, als ich darauf wartete, ins Bad zu können, setzte ich mich zu Onkel Stanley auf die Couch in seinem Zimmer und kuckte Fernsehen. Grandpa war in der Moose Lodge, wo er sich tagsüber überwiegend aufhielt. Lori saß in der Wanne, und Mom löste in Grandpas Zimmer ein Kreuzworträtsel. Plötzlich spürte ich Stanleys Hand auf meinem Oberschenkel. Ich blickte ihn an, aber er schaute weiter so aufmerksam auf den Bildschirm, dass ich nicht genau wusste, ob er mich mit Absicht berührte, also schob ich seine Hand einfach weg, ohne etwas zu sagen. Einige Minuten später war seine Hand wieder da. Ich blickte nach unten und sah, dass Onkel Stanleys Hose offen war und er mit sich spielte. Ich hätte ihm am liebsten eine geknallt, aber ich hatte Angst, Ärger zu kriegen, so wie Lori, nachdem sie Erma geschlagen hatte, also lief ich zu Mom.

»Mom, Stanley benimmt sich unanständig«, sagte ich.

»Ach, das bildest du dir bestimmt bloß ein«, sagte sie.

»Er hat mich begrapscht! Und er holt sich einen runter!«

Mom legte den Kopf schief und blickte bekümmert. »Der arme Stanley«, sagte sie. »Er ist so einsam.«

»Aber das war ekelhaft!«

Mom fragte, ob mit mir alles in Ordnung sei. Ich zuckte die Achseln und sagte Ja. »Na, siehst du«, sagte sie. Mom erklärte mir, dass ein Verbrechen wie sexuelle Gewalt Wahrnehmungssache sei. »Wenn du nicht glaubst, dass du Schaden genommen hast, dann hast du auch keinen Schaden genommen«, sagte sie. »Es gibt eine Menge Frauen, die eine große Sache aus solchen Dingen machen. Aber du nicht, du bist stärker.« Und sie widmete sich wieder ihrem Kreuzworträtsel.

Danach ging ich nicht wieder zu Grandpa. Stark sein war ja gut und schön, aber ich wollte auf keinen Fall, dass Onkel Stanley dachte, ich käme wieder, damit er mich weiter betatschen konnte. Ich wusch mich, so gut ich konnte, zu Hause. In der Küche hatten wir einen Aluminiumbottich, in den ich so eben reinpasste, wenn ich die Beine an die Brust zog. Mittlerweile war es warm genug draußen, um den Bottich mit dem Wasser aus dem Hahn unter dem Haus zu füllen und in der Küche zu baden. Nach dem Baden hockte ich mich neben den Bottich, tauchte den Kopf ins Wasser und wusch mir die Haare. Wenn uns das Wasser abgestellt worden war, weil wir die Rechnung nicht bezahlt hatten, nahm ich Wasser aus der grünen Plastikmülltonne, in der wir auf der Veranda den Regen auffingen. Mom sagte, Regenwasser sei sowieso besser für die Haare als Leitungswasser.

Im Frühling kam der Regen, und es schüttete tagelang wie aus Eimern. Das Wasser floss die Rinnen an den Hängen hinunter, riss Steine und Bäume mit und ergoss sich über die Straßen, wo sich ganze Brocken aus dem Asphalt lösten. Es stürzte in die Bäche, die anschwollen und sich in hellbraunen Schaum verwandelten, wie Schokoladen-Milchshake. Die Bäche strömten in den Tug, der die Ufer überschwemmte und die Häuser und Geschäfte auf der McDowell Street unter Wasser setzte. In Buffalo Creek Hollow brach das Staubecken eines Bergwerks, und eine zehn Meter hohe Welle schwarzes Wasser riss hundertsechsundzwanzig Menschen in den Tod. Mom sagte, die Natur räche sich an den Menschen, die das Land durch das Abholzen der Wälder und den Tagebau in den Bergen vergewaltigt und ausgeplündert hatten, denn dadurch sei das natürliche Entwässerungssystem zerstört worden.

Die Little Hobart Street lag zu hoch, um überflutet zu werden, aber der Regen spülte Teile der Straße in die Gärten der Leute, die weiter unten am Hang wohnten. Das Wasser wusch auch bedenkliche Mengen von der Erde aus, in der die Stützpfähle unseres Hauses standen. Das Loch in der Küchendecke wurde größer, und dann tropfte es auch noch dort, wo Brian und Maureen schliefen, von der Decke. Brian hatte das obere Bett, und wenn es regnete, breitete er eine Plastikplane über sich aus.

Alles im Haus war klamm. Ein dünner grüner Schimmelfilm überzog die Bücher und Papiere und Gemälde und Anziehsachen, mit denen unser Zimmer voll gestopft war. Kleine Pilze sprossen in den Ecken. Die Feuchtigkeit griff die Holztreppe an, die zum Haus hinaufführte, sodass es von Tag zu Tag gefährlicher wurde, sie zu benutzen. Mom brach durch eine morsche Stufe und purzelte den Hang hinunter. Sie hatte wochenlang blaue Flecken an Armen und Beinen. »Mein Mann schlägt mich nicht«, sagte sie, wenn jemand sie komisch ankuckte. »Er repariert einfach die Treppe nicht.«

Auch die Veranda fing an zu modern. Das Geländer war größtenteils schon weggebrochen, und die Bodenbretter waren vom Schimmel und den Algen porös und glitschig geworden. Richtig problematisch wurde es, wenn man nach unten vors Haus aufs Klo musste, und jeder von uns rutschte mindestens ein Mal aus und fiel von der Veranda, gut drei Meter tief.

»Mit der Veranda muss dringend was geschehen«, sagte ich zu Mom. »Es ist lebensgefährlich, im Dunkeln aufs Klo zu gehen.« Außerdem, so fügte ich hinzu, war die Toilette einfach nicht mehr zu benutzen. Sie war überschwemmt, und es war besser, sich irgendwo am Hang ein Loch zu buddeln.

»Du hast Recht«, sagte Mom. »Es muss was geschehen.«

Also kaufte sie einen Eimer. Er war aus gelbem Plastik, und wir stellten ihn in der Küche auf den Boden und benutzten ihn, wenn wir aufs Klo mussten. Wenn er voll war, fasste sich einer von uns ein Herz, trug ihn nach draußen, grub ein Loch und leerte ihn aus.

Eines Tages, als Brian und ich wieder einmal draußen am Hang herumstromerten, nahm er ein Stück vermodertes Holz hoch, und da, mitten unter den Asseln und sonstigem Krabbelgetier, lag ein Diamantring. Der Stein war groß. Zuerst dachten wir, es wäre bloß billiger Strass, aber als wir ihn mit Spucke polierten und mit ihm über Glas kratzten, wie Dad es uns gezeigt hatte, wussten wir, dass er echt sein musste.

»Was meinst du, wie viel der wert ist?«, fragte ich Brian.

»Wahrscheinlich mehr als das Haus«, sagte er.

Wir malten uns aus, was wir alles mit dem Geld machen könnten, wenn wir den Ring verkauften: Lebensmittel kaufen, das Haus abbezahlen – Mom und Dad waren mit der monatlichen Rate im Rückstand, und es hieß, der Besitzer wollte uns auf die Straße setzen –, und vielleicht wäre ja dann sogar noch genug übrig, um für jeden von uns etwas Besonderes zu kaufen, zum Beispiel neue Turnschuhe.

Wir gingen nach Hause und zeigten Mom den Ring. Sie hielt ihn ins Licht und sagte dann, wir müssten ihn schätzen lassen. Am nächsten Tag fuhr sie mit dem Greyhound-Bus nach Bluefield. Als sie wiederkam, sagte sie, es sei tatsächlich ein zweikarätiger Diamant.

»Und was ist er wert?«, fragte ich.

»Das spielt keine Rolle«, sagte Mom.

»Wieso nicht?«

»Weil wir ihn nicht verkaufen.«

Sie wolle ihn behalten, erklärte sie, als Ersatz für den Ehering, den ihre Mutter ihr geschenkt hatte und der von Dad kurz nach ihrer Hochzeit versetzt worden war.

»Aber, Mom«, sagte ich. »Der Ring könnte uns lange satt machen.«

»Das stimmt«, sagte Mom, »aber er könnte auch meine Selbstachtung verbessern. Und in Zeiten wie diesen ist Selbstachtung noch wichtiger als Essen.«

Moms Selbstachtung konnte damals wirklich etwas Auftrieb gebrauchen. Manchmal bekam Mom ihren Moralischen und verkroch sich für mehrere Tage im Bett, wo sie nur weinte und ab und zu Sachen nach uns warf. Sie könnte längst eine berühmte Künstlerin sein, schrie sie, wenn sie keine Kinder hätte, und keiner von uns wüsste zu schätzen, was sie für ein Opfer gebracht hatte. Wenn ihre deprimierte Stimmung am nächsten Tag verflogen war, malte und summte sie vor sich, als wäre nichts gewesen.

Einmal, an einem Samstagmorgen, kurz nachdem Mom angefangen hatte, den Diamantring zu tragen, war sie ausgesprochen guter Laune und beschloss, dass wir alle zusammen das Haus putzen sollten. Ich war begeistert. Ich schlug vor, wir sollten jedes Zimmer ausräumen, es gründlich sauber machen und nur die Sachen wieder einräumen, die wir wirklich brauchten. Auf diese Weise könnten wir, so hoffte ich insgeheim, den ganzen überflüssigen Kram loswerden. Aber Mom fand meine Idee zu zeitaufwendig, und so lief unsere Putzaktion darauf hinaus, dass wir Papierstapel gerade richteten und schmutzige Klamotten in die Kommode stopften. Mom bestand darauf, dass wir bei der Arbeit Ave-Marias sangen. »So reinigen wir nicht nur das Haus, sondern auch unsere Seele«, sagte sie. »Und schlagen zwei Fliegen mit einer Klappe.«

Dass sie in letzter Zeit manchmal ein wenig niedergeschlagen war, erklärte sie dann, lag nur daran, dass sie nicht genug Bewegung hatte. »Ich werde mit Gymnastik anfangen«, verkündete sie. »Wenn das Blut schön zirkuliert, sieht man die Welt mit ganz anderen Augen.« Und sie beugte sich nach vorn und berührte ihre Zehen.

Als sie wieder hochkam, sagte sie, sie fühle sich schon besser, und berührte noch einmal ihre Zehen. Ich saß mit vor der Brust verschränkten Armen am Schreibtisch und sah zu. Ich wusste, dass unser Problem nicht in einer schlechten Blutzirkulation lag. Wir brauchten keine Gymnastikübungen, wir brauchten drastische Maßnahmen. Ich war inzwischen zwölf, und um unsere Möglichkeiten abzuwägen, hatte ich in der Stadtbücherei ein wenig recherchiert und Augen und Ohren offen gehalten, wie sich andere Familien in unserer Straße durchs Leben schlugen. Ich hatte mir einen Plan überlegt und wartete nur noch auf die Gelegenheit, ihn Mom zu unterbreiten. Der Augenblick schien günstig.

»Mom, wir können so nicht weiterleben«, sagte ich.

»So schlecht geht's uns doch gar nicht«, sagte sie. Sie streckte jetzt vor jeder Zehenberührung die Arme in die Luft.

»Seit drei Tagen haben wir bloß Popcorn gegessen«, sagte ich.

»Du bist immer so negativ«, sagte sie. »Du erinnerst mich an meine Mutter – nörgel, nörgel, nörgel.«

»Ich bin nicht negativ«, sagte ich. »Ich versuche bloß, realistisch zu sein.«

»Ich tue mein Bestes, unter den gegebenen Umständen«, sagte sie. »Warum machst du nie deinen Vater für irgendwas verantwortlich? Der ist nämlich kein Heiliger.«

»Das weiß ich«, sagte ich. Ich fuhr mit einem Finger an der Tischkante entlang, wo Dad immer seine Zigaretten ablegte, sodass sie mit schwarzen Brandstellen übersät war und wie eine Zierleiste aussah. »Mom, du musst Dad verlassen«, sagte ich.

Sie hörte abrupt mit ihren Dehnübungen auf. »Ich hab mich wohl verhört«, sagte sie. »Ausgerechnet du wendest dich gegen deinen Vater.« Ich sei doch Dads letzte Verteidigerin, fuhr sie fort, die Einzige, die so tat, als würde sie ihm seine ganzen Ausflüchte und seine Geschichten abkaufen, und die ihm das Gefühl gab, dass sie an seine Pläne für die

Zukunft glaube. »Er liebt dich über alles«, sagte Mom. »Wie kannst du ihm das antun?«

»Ich mache Dad keinen Vorwurf«, sagte ich. Und das stimmte auch. Aber Dad war offenbar wild entschlossen, sich selbst zu zerstören, und ich hatte Angst, dass er uns alle mit ins Verderben zog. Es war ein einfaches physikalisches Gesetz. Das hatte er mir selbst beigebracht. »Mom, wir müssen weg von ihm.«

»Aber ich kann euren Vater nicht verlassen!«, sagte sie.

Wenn sie Dad verlassen würde, erklärte ich Mom, hätte sie Anrecht auf Sozialhilfe, was jetzt nicht der Fall war, weil sie einen arbeitsfähigen Ehemann hatte. Einige aus meiner Schule – ganz zu schweigen von der Hälfte der Leute in unserer Straße – lebten von Sozialhilfe, und das war gar nicht so schlecht. Ich wusste, dass Mom nichts von Sozialhilfe hielt, aber die Kinder, deren Eltern Sozialhilfe bezogen, bekamen Essensmarken und Zuschüsse für Kleidung. Der Staat bezahlte die Kohle für sie und das Essen in der Schule.

Mom wollte nichts davon hören. Sozialhilfe, so sagte sie, würde uns Kindern irreparable psychische Schäden zufügen. Man kann ruhig ab und zu mal Hunger haben, aber wenn man dann was isst, geht's einem wieder gut, meinte sie. Und man kann ruhig ab und zu mal frieren, irgendwann wird man auch wieder warm. Aber bezieht man erst mal Sozialhilfe, dann verändert man sich. »Selbst wenn man später keine Sozialhilfe mehr bekommt, das Stigma, dass man ein Sozialfall war, wird man nie wieder los«, sagte sie. »Da ist man fürs Leben gezeichnet.«

»Na gut«, sagte ich. »Wenn wir keine Sozialfälle sind, dann such dir einen Job.« In McDowell County herrschte Lehrermangel wie damals in Battle Mountain. Sie könnte im Handumdrehen eine Stelle finden, sagte ich, und wenn sie ein regelmäßiges Gehalt hätte, könnte sie mit uns Kindern in eine kleine Wohnung in der Stadt ziehen.

»Das hört sich aber nach einem furchtbaren Leben an«, sagte Mom.

»Schlimmer als jetzt?«, fragte ich.

Mom wurde still. Sie schien nachzudenken. Dann blickte sie auf. Sie lächelte heiter. »Ich kann euren Vater nicht verlassen«, sagte sie schließlich. »Das ist gegen den katholischen Glauben.« Dann seufzte sie. »Und überhaupt, du kennst doch deine Mom. Ich bin süchtig nach Aufregung.«

MOM ERZÄHLTE DAD NIE, dass ich ihr geraten hatte, ihn zu verlassen. In diesem Sommer hielt er mich noch immer für seinen größten Fan, was vermutlich auch stimmte, da es sonst keinen Anwärter gab.

An einem Nachmittag im Juni saßen Dad und ich auf der Veranda, ließen die Beine über den Rand baumeln und schauten auf die Häuser unter uns. In jenem zweiten Sommer war es so heiß, dass ich kaum richtig Luft bekam. Es war heißer als in Phoenix oder Battle Mountain, wo die Temperaturen regelmäßig auf vierzig Grad kletterten. Als Dad sagte, wir hätten bloß zweiunddreißig Grad, sagte ich, dass das Thermometer kaputt sein müsse. Aber er erklärte mir, wir seien trockene Wüstenhitze gewohnt und das hier sei feuchte Hitze.

Noch viel heißer, sagte Dad, sei es unten im Tal auf der Stewart Street, die von diesen hübschen Backsteinhäusern gesäumt wurde, mit ihren ordentlichen, viereckigen Rasen und einem mit Aluminium überdachten Weg zur Garage. Die Täler schlossen die Hitze ein, sagte Dad. Unser Haus lag am Berghang am höchsten und war ergo die kühlste Stelle in Welch. Auch bei Überschwemmungen war es – wie wir gesehen hatten – am sichersten. »Du hättest wohl nicht gedacht, dass ich mir so viele Gedanken darüber gemacht habe, wo wir am besten wohnen, was?«, fragte er mich. »Bei Immobilien kommt es auf drei Dinge an, Bergziege: die Lage, die Lage, die Lage.«

Dad fing an zu lachen. Es war ein lautloses Lachen, das seine Schultern beben ließ, und je mehr er lachte, desto komischer fand er es, und er lachte noch heftiger. Ich musste auch lachen, und schließlich kriegten wir uns beide nicht mehr ein. Wir lagen auf dem Rücken, Tränen liefen uns über die Wangen, und wir trampelten mit den Füßen auf die Veranda. Wenn uns die Puste ausging und wir Seitenstiche hatten und dachten, der Lachanfall wäre vorüber, fing einer von uns wieder an und riss den anderen mit, und dann kreischten wir am Ende wieder wie die Hyänen.

Die größte Erleichterung von der Hitze fanden die Kinder von Welch im Freibad unten an den Eisenbahnschienen neben der Esso-Tankstelle. Brian und ich waren einmal schwimmen gewesen, aber Ernie Good und seine Freunde waren dort, und sie erzählten jedem, dass wir Walls im Müll lebten und von uns das Wasser im Becken fürchterlich stinken würde. Das war Ernie Goods Rache für die verlorene »Schlacht auf der Little Hobart Street«. Einer von seinen Freunden hatte irgendwo den Ausdruck »Gesundheitsepidemie« aufgeschnappt, und sie redeten auf die Eltern und Bademeister ein, wir müssten Badeverbot kriegen, damit im Freibad keine Gesundheitsepidemie ausbrach. Brian und ich beschlossen zu gehen. Als wir das Freibad verließen, kam Ernie Good an den Zaun gerannt. »Haut ab nach Hause auf eure Müllhalde!«, rief er. »Haut ab und lasst euch nie wieder hier blicken!«

Eine Woche später, als es noch immer so heiß war, traf ich zufällig Dinita Hewitt in der Stadt. Sie kam vom Schwimmen und trug die nassen Haare nach hinten gekämmt unter einem Kopftuch. »Mann, war das Wasser eine Wohltat«, sagte sie und zog das Wort »Wohltat« so in die Länge, als hätte es an die fünfzehn »Os«. »Gehst du nie schwimmen?«

»Die wollen uns da nicht haben«, sagte ich.

Dinita nickte, obwohl ich nicht erklärt hatte, was ich meinte. Dann sagte sie: »Komm doch morgens mit uns schwimmen.«

Mit »uns« meinte sie natürlich die anderen Schwarzen. Es gab zwar keine Rassentrennung im Freibad, jeder konnte zu jeder Zeit schwimmen gehen, zumindest theoretisch, aber in der Praxis sah es so aus, dass alle Schwarzen morgens schwimmen gingen, wenn der Eintritt kostenlos war, und alle Weißen nachmittags, wenn der Eintritt fünfzig Cent kostete. Niemand hatte das so geplant, und es war auch nicht offiziell so geregelt. Es war einfach so.

Natürlich wollte ich nichts lieber als wieder ins kühle Wasser, aber irgendwie hatte ich das Gefühl, dass ich gegen eine Art Tabu verstoßen würde, wenn ich Dinitas Angebot annahm.

»Wäre denn keiner sauer?«, fragte ich.

»Weil du weiß bist?«, fragte sie. »Deine Leute vielleicht, aber wir nicht. Und deine Leute sind ja nicht da.«

Am nächsten Morgen traf ich mich mit Dinita am Eingang des Freibads. Meinen Badeanzug aus dem Secondhand-Laden hatte ich in mein verschlissenes Handtuch eingerollt. Das weiße Mädchen im Kassenhäuschen sah mich verblüfft an, als wir durchs Tor gingen, aber es sagte nichts. Der Umkleideraum für Frauen war dunkel und roch nach Reinigungsmittel, die Wände waren aus Beton, und der Zementboden war nass. Ein Tonbandgerät spielte ein Soul-Stück, und alle schwarzen Frauen, die sich zwischen den altersschwachen Holzbänken drängten, sangen und tanzten zu der Musik.

In den Umkleideräumen, die ich bisher kennen gelernt hatte, hatten sich die weißen Frauen immer schamhaft ein Handtuch um die Hüfte gewickelt, bevor sie ihre Unterhose auszogen, hier aber waren die meisten Frauen splitternackt. Manche waren mager, mit knochigen Hüften und vorstehendem Schlüsselbein. Andere hatten dick gepolsterte Hintern und große, schwingende Brüste, und manche stießen beim Tanzen ihre Hintern aneinander, hoben die Brüste und berührten sich gegenseitig.

Als die Frauen mich sahen, hörten sie sofort mit dem Tanzen auf. Eine von den Nackten kam zu mir und baute sich vor mir auf, Hände auf den Hüften, die Brüste so nah, dass ich schon fürchtete, ihre Brustwarzen würden mich berühren. Aber Dinita erklärte, dass ich zu ihr gehörte und in Ordnung war. Die Frauen blickten einander an und zuckten die Achseln.

Ich war bald dreizehn und gehemmt, daher hatte ich vor, mir erst den Badeanzug unter dem Kleid an- und dann das Kleid auszuziehen, aber ich hatte Sorge, dass ich dadurch noch mehr auffallen würde, also holte ich tief Luft und zog mich aus. Dinita bemerkte sofort meine Narbe. Ich erzählte ihr, was mir mit drei Jahren passiert war, dass ich sechs Wochen im Krankenhaus gewesen war und Hauttransplantationen bekommen hatte und dass ich wegen der Narbe nie einen Bikini anzog. Dinita fuhr mit den Fingern leicht über das Narbengewebe.

»Ist nicht so schlimm«, sagte sie.

»He, Nitia!«, rief eine von den Frauen. »Deine weiße Freundin kriegt da unten ja rote Haare!«

»Was denn sonst?«, sagte Dinita.

»Stimmt«, sagte ich. »Der Kragen muss zu den Manschetten passen.«

Den Spruch hatte ich schon mal von Dinita gehört. Sie schmunzelte, und alle Frauen kreischten vor Lachen. Eine von den Tänzerinnen stieß scherzhaft mit der Hüfte gegen mich. Ich fasste das als Willkommensgruß auf und erwiderte kess die Geste.

Dinita und ich blieben den ganzen Vormittag im Becken, planschten, übten Rückenschwimmen und Schmetterling. Sie schlug beim Schwimmen fast genauso wild mit den Armen wie ich. Wir drehten uns unter Wasser, machten Handstand, sodass die Beine aus dem Wasser ragten, und schwammen und tauchten mit den anderen Kindern um die Wette. Wir machten Hocksprünge und Bauchplatscher vom Beckenrand und versuchten dabei, große Fontänen aufspritzen zu lassen, damit möglichst viele Leute, die am Becken saßen, nass wurden. Das blaue Wasser glitzerte und schäumte weiß auf. Als die kostenlose Badezeit um war, hatte ich schrumpelige Finger und Zehen und rote, brennende Augen von dem vielen Chlor, das man förmlich sehen konnte, weil es wie Dunst aus dem Becken aufstieg. Ich hatte mich noch nie im Leben so sauber gefühlt.

AM NACHMITTAG DESSELBEN TAGES war ich allein zu Hause, genoss noch immer das juckende, trockene Gefühl meiner chlorgetränkten Haut und das wackelige Gefühl in den Beinen, das man bekommt, wenn man viel Sport getrieben hat, als ich ein Klopfen an der Tür hörte. Das Geräusch schreckte mich auf. Wir kriegten fast nie Besuch in der Little Hobart Street 93. Ich öffnete die Tür einen Spalt und lugte hinaus. Ein Mann mit schütterem Haar stand auf der Veranda, mit einer Aktenmappe unter dem Arm. Irgendetwas an ihm verriet mir, dass er von einer Behörde kam – eine Sorte Mensch, die wir meiden sollten, wie wir von Dad gelernt hatten.

»Sind deine Eltern da?«, fragte er.

»Wer sind Sie denn?«, fragte ich zurück.

Der Mann lächelte wie jemand, der schlechte Nachrichten beschönigen will. »Ich bin vom Jugendamt, und ich möchte mit Rex oder Rose Mary Walls sprechen«, sagte er.

»Die sind nicht da«, sagte ich.

»Wie alt bist du?«, fragte er.

»Zwölf.«

»Kann ich reinkommen?«

Ich sah, dass er versuchte, einen Blick ins Haus zu werfen, und ich zog die Tür so weit zu, dass nur noch ein ganz schmaler Spalt offen war. »Mom und Dad würden nicht wollen, dass ich Sie reinlasse«, sagte ich. »Nicht ehe sie mit ihrem Anwalt gesprochen haben«, fügte ich hinzu, um Eindruck zu schinden. »Sagen Sie mir doch einfach, worum es geht, und ich richte es meinen Eltern aus.«

Der Mann erklärte, jemand, dessen Namen er nicht nennen dürfe, habe das Jugendamt angerufen und eine Überprüfung der Zustände unseres Haushalts empfohlen, da der Verdacht auf Vernachlässigung minderjähriger Kinder bestehe.

»Uns vernachlässigt keiner«, sagte ich.

»Bist du sicher?«

»Ganz sicher, Mister.«

»Hat dein Vater Arbeit?«

»Natürlich«, sagte ich. »Er macht Gelegenheitsjobs. Und er ist Unternehmer. Er entwickelt eine Technik, mit der sich minderwertige Bitumenkohle sicher und wirtschaftlich verbrennen lässt.«

»Und deine Mutter?«

»Die ist Künstlerin«, sagte ich und fügte hinzu: »Und Schriftstellerin und Lehrerin.«

»Wirklich?« Der Mann notierte sich etwas auf einem Block. »Wo?«

»Ich glaube nicht, dass es Mom und Dad recht wäre, wenn ich ohne ihr Beisein mit Ihnen spreche«, sagte ich. »Kommen Sie wieder, wenn sie da sind. Sie werden Ihre Fragen beantworten.«

»Gut«, sagte der Mann. »Ich komme wieder. Sag ihnen das.«

Er reichte mir ein Kärtchen durch den Türspalt. Ich sah ihm nach, wie er nach unten stieg. »Vorsicht auf der Treppe«, rief ich. »Wir bauen gerade eine neue.«

Sobald der Mann gegangen war, lief ich vor lauter Wut den Hang hoch und warf Steine – große Steine, die ich nur mit beiden Händen hochheben konnte – in die Abfallgrube. Außer Erma hatte ich niemanden mehr gehasst als diesen Mann vom Jugendamt. Nicht mal Ernie Good. Wenn Ernie und seine Bande kamen und brüllten, wir wären Abfall, dann konnten wir sie wenigsten mit Steinen verjagen. Aber wenn der Mann vom Jugendamt sich in den Kopf setzte, wir wären als Familie untauglich, hatten wir keine Möglichkeit, ihn zu vertreiben. Er würde eine Untersuchung anstellen und am

Ende mich und Brian und Lori und Maureen in verschiedenen Familien unterbringen, obwohl wir alle gute Noten hatten und das Morsealphabet kannten. Das durfte ich nicht zulassen. Nie im Leben wollte ich Brian und Lori und Maureen verlieren.

Schade, dass wir nicht einfach türmen konnten. Wenn wir früher in der Klemme saßen, verkündete Dad, es sei an der Zeit weiterzuziehen, und wir packten einfach alles zusammen und fuhren noch in derselben Nacht los. Brian, Lori und ich dachten immer, wir würden Welch genauso verlassen. Alle zwei Monate fragten wir Dad, ob wir weiterziehen würden. Er sprach manchmal von Australien oder Alaska, aber er machte keinerlei Anstalten zum Aufbruch, und wenn wir Mom fragten, fing sie an, irgendein Lied zu trällern, dass unsere Zeiten des Auf und Davon aus und vorbei seien. Vielleicht hatte die Rückkehr nach Welch Dads Selbstbild als ewig Umherfahrender ein für alle Mal zerstört. Die Wahrheit war, wir saßen fest.

Als Mom nach Hause kam, gab ich ihr die Karte des Mannes und erzählte ihr von seinem Besuch. Ich war noch immer wütend. Ich sagte, da weder sie noch Dad Lust hätten zu arbeiten und sie sich weigerte, Dad zu verlassen, würde eben das Jugendamt ihr die Mühe abnehmen, die Familie zu trennen.

Ich rechnete fest mit einer von Moms treffsicheren Bemerkungen, doch sie hörte sich meine Tirade schweigend an. Dann sagte sie, sie müsse nachdenken. Sie setzte sich an ihre Staffelei. Sie hatte keine Leinwand mehr und malte jetzt auf Sperrholz. Also nahm sie ein Brett, griff nach ihrer Palette, drückte ein paar Farben darauf und wählte einen Pinsel aus.

»Was machst du da?«, fragte ich.

»Ich denke nach«, sagte sie.

Mom arbeitete flink, automatisch, als wüsste sie genau, was sie malen wollte. Eine Figur nahm auf dem Brett Gestalt an. Es war eine Frau von der Taille an aufwärts, mit erhobenen Armen. Blaue konzentrische Kreise erschienen um ihre

Taille. Das Blau war Wasser. Mom malte eine Frau, die in einem stürmischen See ertrinkt. Als sie fertig war, saß sie lange schweigend vor dem Bild und starrte es an.

»Und, was willst du jetzt machen?«, fragte ich schließlich.

»Jeannette, deine Zielstrebigkeit ist unheimlich.«

»Du hast meine Frage nicht beantwortet«, sagte ich.

»Ich werd mir Arbeit suchen, Jeannette«, erwiderte sie schroff. Sie warf den Pinsel in das Marmeladenglas mit Terpentin und blieb sitzen, den Blick auf die ertrinkende Frau gerichtet.

Im McDowell County gab es so wenige ausgebildete Lehrkräfte, dass zwei von den Lehrerinnen, die ich auf der Highschool von Welch haben würde, nie ein College von innen gesehen hatten und Moms Stellensuche schon Ende der Woche erfolgreich war. In der Zwischenzeit versuchten wir verzweifelt, das Haus zu putzen, bevor der Mann vom Jugendamt wieder aufkreuzte. Bei dem Ramsch, den Mom gehortet hatte, dem Loch in der Decke und dem widerlichen gelben Eimer in der Küche war es jedoch ein hoffnungsloses Unternehmen.

Mom fand eine Stelle an einer Grundschule in Davy, einer Kohlensiedlung zwölf Meilen nördlich von Welch, wo sie eine Förderklasse unterrichten sollte. Da wir noch immer kein Auto hatten, organisierte die Schulleiterin für Mom eine Mitfahrgelegenheit bei einer Kollegin namens Lucy Jo Rose, die frisch vom Bluefield State College kam und so dick war, dass sie sich kaum hinter das Lenkrad ihres braunen Dodge Dart quetschen konnte. Lucy Jo, die von der Schulleiterin mehr oder weniger genötigt worden war, diesen Fahrdienst zu übernehmen, fand Mom auf Anhieb unsympathisch. Sie sprach auf der Fahrt kaum ein Wort mit Mom, spielte stattdessen Barbara-Mandrell-Kassetten ab und rauchte eine Zigarette nach der anderen. Sobald Mom ausgestiegen war, sprühte sie Moms Sitz ostentativ mit Desinfektionsspray ein. Mom ihrerseits hielt Lucy Jo für jämmerlich ungebildet. Als Mom einmal Jackson Pollock erwähnte, sagte Lucy Jo, sie sei polnischer Abstammung und würde Mom dringend bitten, keine abfälligen Bezeichnungen für Polen zu benutzen.

Mom hatte die gleichen Probleme wie damals an der Schule in Battle Mountain; sie bekam weder den Papierkram geregelt, noch konnte sie ihre Schüler disziplinieren. Mindestens einmal die Woche bekam sie morgens einen Anfall und weigerte sich, zur Arbeit zu gehen, und Lori, Brian und ich mussten sie wieder beruhigen und nach unten zur Straße bringen, wo Lucy Jo mit finsterer Miene in dem Dart wartete, aus dessen verrostetem Auspuff blauer Rauch quoll.

Aber wir hatten wenigstens Geld. Mom verdiente rund siebenhundert Dollar im Monat, und als ich das erste Mal ihren graugrünen Gehaltsscheck sah, mit dem abtrennbaren Abschnitt an der Seite und den aufgedruckten Unterschriften, dachte ich, unsere Sorgen hätten ein Ende. An jedem Zahltag ging Mom mit uns Kindern zu der großen Bank gegenüber vom Gerichtsgebäude, um den Scheck einzulösen. Nachdem der Kassierer ihr das Geld gegeben hatte, verzog sich Mom in eine Ecke der Bank und stopfte es in einen Socken, den sie mit einer Sicherheitsnadel an ihrem BH befestigte. Dann eilten wir zum Vermieter und zu den Stadtwerken und bezahlten unsere Rechnungen mit Zehnern und Zwanzigern. Die Angestellten wendeten die Augen ab, wenn Mom den Socken aus ihrem BH angelte und allen in Hörweite erklärte, so wäre sie sicher vor Taschendieben.

Mom kaufte auch elektrische Heizöfen und einen Kühlschrank, das heißt, sie zahlte die Geräte an und ließ sie zurücklegen. Jeden Monat gingen wir zu dem Laden und zahlten ein paar Dollar ab. Bis zum Winter, so dachten wir, würden die Sachen dann uns gehören. Mom stotterte auch immer noch wenigstens eine »Extravaganz« ab, etwas, das wir nicht unbedingt brauchten – eine Seidendecke mit Quasten oder eine rote Kristallvase –, weil sie meinte, um sich wirklich reich zu fühlen, müsse man in teure Nebensächlichkeiten investieren. Anschließend gingen wir zum Supermarkt unten am Berg und stockten unsere Vorräte an Grundnahrungsmitteln wie Bohnen und Reis, Milchpulver und Konserven auf. Mom kaufte immer die Dosen, die eine Delle hatten, auch wenn sie nicht runtergesetzt waren, weil sie meinte, dass auch die Liebe brauchten.

Zu Hause kippten wir Moms Portemonnaie auf der Schlafcouch aus und zählten das restliche Geld. Es müssten noch einige hundert Dollar übrig sein, mehr als genug, um unsere Ausgaben bis zum Monatsende zu decken, dachte ich immer. Aber Monat für Monat war das Geld alle, bevor der nächste Gehaltsscheck kam, und ich musste erneut die Mülleimer in der Schule nach Essbarem durchforsten.

Irgendwann an einem Monatsende im Herbst sagte Mom, wir hätten nur noch einen Dollar fürs Abendessen. Das reichte für eine Familienpackung Eiscreme, und Eiscreme, so meinte Mom, sei nicht nur köstlich, sondern habe auch jede Menge Kalzium, was gut für unsere Knochen wäre. Wir kauften das Eis, und Brian öffnete die Packung, teilte das Eis in fünf Portionen auf, und ich erhob Anspruch darauf, mir die erste auszusuchen. Mom sagte, wir sollten es bewusst genießen, weil wir kein Geld mehr für das Essen am nächsten Tag hatten.

»Mom, wo ist das ganze Geld geblieben?«, fragte ich, während wir uns das Eis schmecken ließen.

»Weg, weg, weg!«, sagte sie. »Es ist alles weg.«

»Aber wie kommt das?«, fragte Lori.

»Ich habe ein Haus voller Kinder und einen Schluckspecht als Mann«, sagte Mom. »Da über die Runden zu kommen ist schwerer, als ihr denkt.«

So schwer konnte es nicht sein, dachte ich. Andere Mütter schafften das auch. Ich nahm Mom ins Verhör. Gab sie das Geld für sich aus? Gab sie es Dad? Oder gaben wir es einfach zu schnell aus? Ich bekam keine Antwort. »Dann gib uns das Geld«, sagte ich. »Wir stellen einen Haushaltsplan auf und halten uns dran.«

»Du hast leicht reden«, erwiderte Mom.

Lori und ich erarbeiteten tatsächlich einen Haushaltsplan, in dem wir eine großzügige Summe für Mom berücksichtigten, damit sie Luxusartikel wie extragroße Schokoriegel und rote Kristallvasen kaufen konnte. Wenn wir uns an den Plan hielten, so glaubten wir, könnten wir uns nicht nur neue Anziehsachen, Schuhe und Mäntel kaufen, sondern uns auch noch eine Tonne von der billigen Kohle außerhalb der Saison leisten. Irgendwann könnten wir das Dach isolieren, eine Wasserleitung ins Haus legen und vielleicht sogar einen Heißwasserboiler einbauen lassen. Aber Mom vertraute uns das Geld nie an. Und so lebten wir, obwohl sie eine feste Stelle hatte, im Grunde nicht viel anders als vorher.

Im Herbst kam ich in die siebte Klasse und damit auf die Highschool von Welch. Es war eine große Schule, die unterhalb einer Hügelspitze mit Blick auf die Stadt lag und über eine steile Straße zu erreichen war. Die Kinder und Jugendlichen aus der weiteren Umgebung und aus kleinen Kohlensiedlungen wie Davy und Hemphill, wo es keine eigene Highschool gab, wurden mit Bussen hergebracht. Manche Schüler sahen so arm aus wie ich, mit selbst geschnittenen Haaren und Löchern vorn an den Schuhen, und mir fiel die Eingewöhnung um einiges leichter als an der Grundschule.

Dinita Hewitt war auch da. Der Vormittag, an dem ich im Sommer mit Dinita im Freibad gewesen war, war das schönste Erlebnis, das ich in Welch gehabt hatte, aber sie hatte mich danach nie wieder gefragt, ob ich noch einmal mitkommen wollte, und obwohl es ein öffentliches Bad war, hatte ich mich ohne sie nicht getraut, in der kostenlosen Zeit hinzugehen. Ich sah sie erst wieder, als im Herbst die Schule anfing, und wir sprachen nie von dem Tag im Freibad. Uns war wohl beiden klar, dass es bei der in Welch vorherrschenden Einstellung zu Kontakten zwischen Schwarzen und Weißen zu eigenartig gewesen wäre, wenn wir versucht hätten, enge Freundinnen zu werden. In der Mittagspause war Dinita mit den anderen schwarzen Schülerinnen zusammen, aber wir hatten zusammen Stillarbeit im Lesesaal und steckten uns heimlich Zettel zu.

Dinita hatte sich verändert, seit sie zur Highschool ging. Sie versprühte nicht mehr so viel Lebensfreude. Sie fing an, in der Schule Bier zu trinken. Sie füllte es in eine Limodose und nahm es mit in den Unterricht. Ich wollte wissen, was mit ihr los war, aber ich bekam lediglich aus ihr heraus, dass der Freund ihrer Mutter jetzt bei ihnen wohnte und alles ein wenig eng geworden war.

Dann, eines Tages kurz vor Weihnachten, steckte Dinita mir im Lesesaal einen Zettel zu, auf dem sie fragte, welche Mädchennamen ich kennen würde, die mit »D« anfangen. Ich schrieb alle auf, die mir einfielen – Donna, Dora, Dreama, Diandra –, und dann schrieb ich: *Warum?* Auf ihrem Antwortzettel stand: *Ich glaube, ich bin schwanger.*

Nach Weihnachten kam Dinita nicht wieder in die Schule. Als ein Monat vergangen war, ging ich zu ihr nach Hause und klopfte an die Tür. Ein Mann machte auf und starrte mich an. Seine Haut sah aus wie eine Eisenbratpfanne, und seine Augen waren nikotingelb. Er ließ die Windfangtür zu, sodass ich durch das Drahtgitter sprechen musste.

»Ist Dinita da?«, fragte ich.

»Wieso?«

»Ich will sie sprechen.«

»Sie will dich aber nicht sprechen«, sagte er und schloss die Tür.

Ich sah Dinita danach noch ein oder zwei Mal in der Stadt, und wir winkten uns zu, aber wir sprachen nie mehr miteinander.

Die anderen Mädchen unterhielten sich ständig darüber, wer noch Jungfrau war und wie weit sie ihre Freunde gehen lassen würden. Die Welt war klar unterteilt in Mädchen mit und Mädchen ohne Freund. Darauf kam es an, nichts anderes zählte mehr. Aber ich wusste, dass Jungen gefährlich waren. Sie sagten, sie würden dich lieben, aber sie waren immer auf irgendwas aus.

Ich hatte zwar kein Vertrauen zu Jungs, aber ich wünschte mir trotzdem, dass sich mal einer für mich interessieren würde. Kenny Hall, der ältere Typ auf unserer Straße, der noch immer nach mir schmachtete, zählte nicht. Und falls sich doch mal ein Junge für mich interessieren und versuchen würde, zu weit zu gehen, so fragte ich mich, ob ich es fertig brächte, ihm zu sagen, dass ich nicht zu der Sorte Mädchen gehörte. Aber eigentlich brauchte ich mir keine allzu großen Gedanken zu machen, was das Abwehren von Annäherungsversuchen anging, denn schließlich war ich – wie Ernie Good mir bei jeder sich bietenden Gelegenheit versicherte – schweinekoteletthässlich. Und damit meinte er, so hässlich, dass ein Hund nur mit mir spielen würde, wenn ich mir ein Schweinekotelett um den Hals binden würde.

Ich sah, wie Mom sich ausdrückte, unverwechselbar aus. Eine schmeichelhafte Formulierung. Ich war fast ein Meter achtzig groß, blass wie ein Froschbauch, und ich hatte leuchtend rotes Haar. Meine Ellbogen waren gefährlich spitz und meine Knie groß wie Untertassen. Aber mein auffälligstes – und schlimmstes – Merkmal waren meine Zähne. Sie waren nicht verfault oder schief. Im Gegenteil, sie waren groß und gesund. Aber sie standen einfach zu weit vor. Die obere Zahnreihe drängte sich so energisch nach vorn, dass ich den Mund kaum ganz zumachen konnte, und ich streckte ständig die Oberlippe, um sie zu bedecken. Wenn ich lachte, hielt ich mir die Hand vor den Mund.

Lori meinte, ich würde übertreiben, so schlimm sähen meine Zähne gar nicht aus. Sie sind ein bisschen bockig, sagte sie, sie haben einen gewissen Pippi-Langstrumpf-Charme. Mom sagte, mein Überbiss würde meinem Gesicht Charakter verleihen. Brian sagte, sie wären ganz praktisch, falls ich je mal einen Apfel durch eine Masche im Zaun hindurch essen müsste.

Ich wusste, dass ich eine Zahnspange brauchte. Jedes Mal, wenn ich in den Spiegel schaute, sehnte ich mich nach einem so genannten Stacheldrahtmund, wie die anderen Kinder sagten. Mom und Dad hatten natürlich kein Geld für eine Zahnspange – keins von uns Kindern war je bei einem Zahnarzt gewesen –, aber ich hatte angefangen, zu babysitten und für Mitschüler gegen Bares die Hausaufgaben zu machen, um mir das Geld für eine Spange zusammenzusparen. Ich hatte keine Ahnung, wie teuer Zahnspangen waren, daher fragte ich, nachdem ich ihr ein Kompliment über ihre Gebissregulierung gemacht hatte, das einzige Mädchen in meiner Klasse, das eine Spange trug, was ihre Eltern dafür hatten aufbringen müssen. Als sie sagte, zwölfhundert Dollar, hätte es mich fast umgehauen. Das war mehr, als unser Haus kostete. Ich verdiente als Babysitter einen Dollar die Stunde. Ich arbeitete fünf oder sechs Stunden die Woche, somit würde ich, wenn ich jeden Cent sparte, das Geld in etwa fünf Jahren zusammenhaben.

Ich beschloss, mir selbst eine Zahnspange zu machen.

Ich ging in die Stadtbücherei und fragte nach einem Buch über Orthodontie. Die Bibliothekarin musterte mich irgendwie komisch und sagte, sie habe keins, also blieb mir nichts anderes übrig, als mein Glück auf eigene Faust zu versuchen. Meine Experimente liefen nicht ohne Rückschläge ab. Zunächst nahm ich ein einfaches Gummiband. Bevor ich ins Bett ging, wickelte ich es mir um die gesamte obere Zahnreihe. Das Gummiband war klein, aber dick und saß schön straff. Leider drückte es mir unangenehm auf die Zunge, und manchmal sprang es mitten in der Nacht ab, und ich wurde wach, weil es einen Würgereiz auslöste. Meistens jedoch blieb es die ganze Nacht sitzen, und mir tat morgens von dem Druck auf die Zähne das Zahnfleisch weh.

Das fasste ich als viel versprechendes Zeichen auf, aber ich hatte Angst, dass das Gummiband vielleicht meine hinteren Zähne nach vorn zog statt meine vorderen nach hinten. Also nahm ich größere Gummibänder und wickelte sie mir so um den Kopf, dass sie gegen die Vorderzähne drückten. Das Problem bei dieser Methode war, dass die Gummibänder sehr stramm saßen – sonst wäre die Wirkung gleich null gewesen – und ich morgens deshalb mit Kopfschmerzen aufwachte und auf den Wangen tiefe rote Gummibandstriemen hatte.

Ich erkannte, dass eine fortschrittlichere Technik erforderlich war. Ich bog einen Drahtbügel in die Form eines Hufeisens, damit er um meinen Hinterkopf passte, und die zwei Enden nach außen, sodass sie, wenn ich den Bügel um den Kopf trug, vom Gesicht abstanden und Haken bildeten, die das Gummiband hielten. Als ich die Vorrichtung ausprobierte, drückte der Bügel mir gegen den Hinterkopf, und ich polsterte die Stelle mit einer Damenbinde aus.

Meine Erfindung funktionierte einwandfrei, nur dass ich flach auf dem Rücken schlafen musste, was ich noch nie gut konnte, vor allem wenn es kalt war und ich mich gern tief in die Decken kuschelte. Und manchmal sprang das Gummiband ab, während ich schlief. Ein weiterer Nachteil war, dass es zeitaufwendig war, die Vorrichtung korrekt anzubringen, und ich immer wartete, bis es dunkel war, damit mich niemand sah.

Eines Abends lag ich mit meiner ausgetüftelten Kleiderbügel-Zahnspange im Bett, als die Tür aufging. Ich konnte undeutlich eine Gestalt in der Dunkelheit erkennen. »Wer ist da?«, rief ich, aber weil ich die Spange trug, hörte es sich an wie: »Wisch da?«

»Dein alter Herr«, rief Dad. »Wieso nuschelst du so?« Er kam an mein Bett, hielt sein Feuerzeug hoch und machte es an. Eine kleine Flamme schoss hoch. »Was zum Henker trägst du denn da um den Kopf?«

»Meine Schahnschwange«, sagte ich.

»Deine was?«

Ich nahm die Vorrichtung ab und erklärte Dad, dass ich eine Zahnspange bräuchte, weil meine Vorderzähne so weit vorstünden, aber eine Spange kostete zwölfhundert Dollar, deshalb hätte ich mir selbst eine gebastelt.

»Setz das Ding wieder auf«, sagte Dad. Er sah sich meine Konstruktion ganz genau an und nickte dann. »Deine Zahnspange ist ein ausgeklügelter Geniestreich«, sagte er. »Du schlägst ganz nach deinem alten Herrn.«

Er fasste mein Kinn und zog mir den Mund auf. »Und ich glaube, es funktioniert tatsächlich.«

Im selben Jahr fing ich an, für die Schülerzeitung *The Maroon Wave* zu arbeiten. Ich wollte einem Club oder einer Gruppe oder einem Verein beitreten, wo ich das Gefühl haben konnte, dazuzugehören, wo nicht immer alle wegrückten, wenn ich mich neben sie setzte. Ich war noch immer eine gute Läuferin, und ich überlegte, in die Leichtathletikmannschaft zu gehen, aber da musste sich jeder sein Trikot selbst kaufen, und Mom sagte, das könnten wir uns nicht leisten. Bei der Schülerzeitung konnte man mitmachen, ohne sich ein Trikot oder ein Musikinstrument anzuschaffen oder Beiträge zu bezahlen.

Miss Jeanette Bivens unterrichtete Englisch an unserer Schule und war die fachliche Beraterin von der *Wave*. Sie war eine ruhige, penible Frau und bereits so lange an der Highschool von Welch, dass schon Dad sie als Englischlehrerin gehabt hatte. Sie war der erste Mensch in seinem Leben gewesen, so erzählte er mir einmal, der an ihn geglaubt hatte. Sie hielt große Stücke auf sein schriftstellerisches Talent und hatte ihn ermutigt, bei einem landesweiten Lyrikwettbewerb mitzumachen. Er hatte ein vierundzwanzigzeiliges Gedicht mit dem Titel »Sommergewitter« verfasst und eingereicht. Als er damit den ersten Preis gewann, äußerte eine andere Lehrerin laut ihre Zweifel, ob der Sohn von zwei asozialen Alkoholikern wie Ted und Erma Walls das Gedicht wirklich selbst geschrieben hatte. Dad war tief gekränkt und wollte die Schule schmeißen. Miss Bivens gelang es, ihn zum Weitermachen zu bewegen und dazu, seinen Abschluss zu machen, indem sie ihm versicherte, dass er das Zeug dazu hätte, eine große Persönlichkeit zu werden. Dad hatte mich nach ihr benannt, und Mom schlug vor, meinen Namen mit zwei »n« zu schreiben, weil das eleganter und französisch wirkte.

Miss Bivens sagte zu mir, wenn sie sich recht erinnere, sei ich die erste Siebtklässlerin, die je bei der *Wave* mitgemacht hatte. Ich begann als Korrekturleserin. An Winterabenden setzte ich mich nun nicht mehr zu Hause mit den anderen um den Ofen, sondern ging in die warmen, trockenen Redaktionsbüros von der *Welch Daily News*, wo *The Maroon Wave* gesetzt, layoutet und gedruckt wurde. Ich fand die arbeitsintensive Atmosphäre in der Nachrichtenredaktion toll. An der Wand ratterten Fernschreiber, aus denen sich Papier mit den neuesten Meldungen aus aller Welt schlängelte und sich auf dem Fußboden türmte. Neonröhren hingen knapp dreißig Zentimeter über den schrägen Layout-Tischen mit Glasoberfläche, an denen sich Männer mit grünen Augenschirmen über Stapel mit Reproduktionen und Fotos berieten.

Ich saß mit den *Wave*-Fahnenabzügen, die eine von den Setzerinnen der *Daily News* vorbereitet hatte, an einem der Schreibtische, den Rücken gerade, Bleistift hinter dem Ohr, und sah die Seiten auf Druckfehler durch. Ich besaß reichlich Übung darin, da ich Mom ja schon immer geholfen hatte, die Hausaufgaben ihrer Schüler auf Rechtschreibfehler hin zu korrigieren. Die Korrekturen auf den Fahnen machte ich mit einem hellblauen Filzstift, der von der Kamera, mit der die Seiten für den Druck fotografiert wurden, nicht erfasst werden konnte. Die Setzerinnen, die ihre Arbeit nur sehr ungern noch einmal machten, tippten die Zeilen, die ich korrigiert hatte, neu und druckten sie aus. Ich ließ die korrigierten Zeilen durch die Heißwachsmaschine laufen, die die Rückseite klebrig machte, schnitt sie mit einem Schneidemesser aus und klebte sie über die ursprünglichen Zeilen.

Ich verhielt mich zwar möglichst unauffällig in der Nachrichtenredaktion, doch eine von den Setzerinnen, eine mürrische Frau, die eine Zigarette nach der anderen rauchte und immerzu ein Haarnetz trug, konnte mich nicht leiden. Sie hielt mich für schmutzig. Wenn ich an ihr vorbeiging, drehte sie sich manchmal zu ihren Kollegen um und sagte: »Findet ihr nicht, dass es hier komisch riecht?« Genau wie Lucy Jo, die Mom im Auto mitnahm, sprühte sie mit einem Desinfektions- und Raumspray in meine Richtung. Dann beschwerte sie sich bei dem Chefredakteur Mr. Muckenfuss, ich hätte vielleicht Läuse und könnte sie auf alle in der Redaktion übertragen. Mr. Muckenfuss beriet sich mit Miss Bivens, und sie sagte zu mir, wenn ich immer schön sauber bliebe, würde sie sich für mich einsetzen. Von da an ging ich wieder einmal die Woche bei Grandpa und Onkel Stanley baden, machte aber jedes Mal einen großen Bogen um Onkel Stanley.

Immer wenn ich bei der *Daily News* war, schaute ich den Redakteuren und Reportern bei der Arbeit zu. Sie hörten die ganze Zeit den Polizeifunk ab, und wenn ein Unfall oder ein Brand oder eine Straftat gemeldet wurde, schickte die Redaktion einen Reporter los. Der kam dann gut zwei Stunden später zurück und tippte einen Artikel, der in der nächsten Ausgabe der Zeitung erschien. Ich war begeistert. Bis dahin waren Texteschreiber für mich Leute wie Mom, die vor ihrer Schreibmaschine hockten und an ihren Romanen, Theaterstücken und an ihrer Lebensphilosophie arbeiteten und ab und zu ein Absageschreiben erhielten. Die Zeitungsreporter dagegen verkrochen sich nicht vor der Welt da draußen, sondern hatten Kontakt zu ihr. Was der Reporter schrieb, beeinflusste das, was die Leute dachten und worüber sie am nächsten Tag sprachen. Er wusste, was wirklich los war, und ich wollte auch zu den Leuten gehören, die wussten, was wirklich los war.

Wenn ich meine Arbeit erledigt hatte, las ich die Artikel von den Nachrichtenagenturen. Da wir zu Hause keine Zeitungen oder Zeitschriften bezogen, hatte ich gar nicht richtig mitbekommen, was in der Welt passierte, nur das, was wir aufschnappten, wenn Mom und Dad irgendwelche Ereignisse kommentierten, und für sie waren alle Politiker Gauner, alle Cops Schläger und alle Kriminellen Opfer von Polizeiwillkür. Ich hatte plötzlich das Gefühl, zum ersten Mal die ganze Geschichte zu erfahren, als würden mir die fehlenden Teile eines Puzzles gereicht, und die Welt wurde für mich endlich ein wenig verständlicher.

MANCHMAL HATTE ICH DAS GEFÜHL, Maureen im Stich zu lassen, als würde ich mein Versprechen nicht halten, sie immer zu beschützen – das Versprechen, das ich ihr gegeben hatte, als wir sie nach ihrer Geburt aus dem Krankenhaus abholten und ich sie auf der Fahrt nach Hause auf dem Arm halten durfte. Ich konnte ihr nicht einmal das Wichtigste verschaffen: ein regelmäßiges heißes Bad, ein warmes Bett und morgens vor der Schule einen dampfenden Teller Grießbrei, aber ich versuchte es mit kleinen Dingen. In dem Jahr wurde sie sieben, und ich sagte zu Brian und Lori, wir sollten Maureens Geburtstag besonders schön feiern. Wir wussten, dass Mom und Dad ihr nichts schenken würden, also sparten wir über Monate und kauften ihr Spielzeug-Küchengeräte, die ziemlich echt aussahen: Die Trommel in der Waschmaschine drehte sich, und der Kühlschrank hatte kleine Metallregale drin. Wir dachten, so könnte sie beim Spielen wenigstens so tun, als hätte sie saubere Anziehsachen und regelmäßige Mahlzeiten.

»Erzählt mir noch mal von Kalifornien«, sagte Maureen, nachdem sie die Geschenke ausgepackt hatte. Sie war zwar da geboren, aber ihre früheste Erinnerung hatte sie an Battle Mountain. Sie hörte unsere Geschichten über unser Leben in der kalifornischen Wüste nur zu gern, und wir erzählten ihr immer wieder, wie es da war: wie jeden Tag die Sonne schien und es so warm war, dass wir sogar mitten im Winter barfuß herumliefen, wie wir Salat auf den Feldern aßen und Unmengen Weintrauben pflückten und auf Decken unter dem Sternenhimmel schliefen. Wir erzählten ihr, sie hätte deshalb blondes Haar, weil sie in einem Bundesstaat zur Welt gekommen war, wo man Unmengen Gold gefunden hatte, und ihre

Augen wären so blau wie die Farbe des Ozeans, der an die kalifornischen Strände brandete. »Da möchte ich leben, wenn ich mal groß bin«, sagte Maureen, wie immer, wenn sie die Geschichten hörte.

Sosehr sie sich auch nach Kalifornien sehnte, diesem magischen Land voller Licht und Wärme, in Welch fühlte sie sich anscheinend wohler als wir übrigen Kinder. Sie war ein Bilderbuchmädchen mit ihren langen blonden Haaren und den erstaunlich blauen Augen. Sie verbrachte so viel Zeit bei ihren Freundinnen zu Hause, dass sie gar nicht mehr richtig zu uns zu gehören schien.

Die Eltern von vielen ihrer Freundinnen waren Pfingstler und hielten Mom und Dad für absolut unverantwortlich, sodass sie sich berufen fühlten, Maureens Seele zu retten. Sie behandelten Maureen wie eine Ersatztochter und nahmen sie mit zu Erweckungsversammlungen und Gottesdiensten drüben in Jolo, wo sie mit Schlangen beteten.

Unter dem Einfluss der Pfingstler entwickelte Maureen eine ausgeprägte religiöse Ader. Sie wurde mehr als ein Mal getauft und verkündigte jedes Mal, wenn sie nach Hause kam, sie sei wiedergeboren. Einmal war sie felsenfest davon überzeugt, der Teufel hätte sie in Gestalt einer Natter, die ihren Schwanz im Mund hatte, den Berg hinunter verfolgt und gezischt, er würde ihre Seele holen. Brian sagte zu Mom, wir müssten Maureen von diesen durchgedrehten Pfingstlern fern halten, aber Mom meinte, jeder würde seinen Glauben anders leben und wir müssten die religiösen Praktiken anderer respektieren, da schließlich jeder Mensch seinen Weg in den Himmel selbst finden müsse.

Mom konnte so weise sein wie ein Philosoph, aber ihre Stimmungen gingen mir langsam auf die Nerven. Manchmal war sie tagelang glücklich und sagte, sie habe beschlossen, nur noch positiv zu denken, denn wenn man positiv denkt, passieren einem positive Dinge. Aber dann wichen die positiven Gedanken den negativen, und diese negativen Gedanken machten sich in ihrem Kopf breit wie eine große Schar schwarzer Krähen, die plötzlich eine ganze Landschaft in Beschlag nehmen, indem sie sich scharenweise in Bäumen und auf Gartenzäunen und Rasenflächen niederlassen und dich mit bedrohlichem Schweigen anstarren. Wenn das passierte, war Mom morgens nicht zum Aufstehen zu bewegen, selbst wenn Lucy Jo kam, um sie zur Schule mitzunehmen, und ungeduldig auf der Straße hupte.

Eines Morgens gegen Ende des Schuljahres hatte Mom einen totalen Zusammenbruch. Sie sollte Beurteilungen für ihre Schüler schreiben, aber stattdessen hatte sie jede freie Minute gemalt, und jetzt war der Abgabetermin da, und sie hatte noch keine einzige Beurteilung fertig. Die Finanzierung für ihre Förderklasse würde eingestellt werden, und die Schulleiterin würde entweder wütend reagieren oder einfach völlig angewidert sein, und Mom brachte es nicht fertig, der Frau gegenüberzutreten. Lucy Jo, die in ihrem Dart auf Mom gewartet hatte, fuhr ohne sie davon, und Mom lag in Decken eingepackt auf der Schlafcouch und schluchzte, wie sehr sie ihr Leben hasste.

Dad war nicht da, ebenso wenig Maureen. Brian äffte Mom nach, wie sie jammerte und schluchzte, aber als niemand lachte, nahm er seine Bücher und ging nach draußen. Lori setzte sich neben Mom aufs Bett und versuchte sie zu beruhigen. Ich blieb einfach mit verschränkten Armen in der Tür stehen und starrte sie an.

Ich konnte es kaum glauben, dass die Frau da, die die Bettdecke über den Kopf gezogen hatte, in Selbstmitleid ertrank und wie eine Fünfjährige heulte, meine Mutter war. Mom war achtunddreißig, nicht mehr jung, aber auch noch nicht alt. In fünfundzwanzig Jahren, sagte ich mir, würde ich so alt sein wie sie jetzt. Ich hatte keine Ahnung, wie mein Leben dann sein würde, aber als ich meine Schulsachen nahm und zur Tür hinausging, schwor ich mir, dass ich nie so leben würde wie Mom, dass ich mir niemals die Augen in einer ungeheizten Bruchbude in irgendeinem gottverlassenen Nest ausweinen würde.

Ich ging die Little Hobart Street hinunter. In der Nacht hatte es geregnet, und das einzige Geräusch war das Gurgeln des Wassers, das durch die ausgewaschenen Rinnen am Hang hinabrann. Schlammiges Wasser floss in dünnen Bächen über die Straße, drang mir in die Schuhe und durchtränkte meine Socken. An meinem rechten Schuh hatte sich die Sohle gelöst, und es klatschte bei jedem Schritt.

Lori holte mich ein, und wir gingen eine Weile schweigend nebeneinander her. »Arme Mom«, sagte Lori schließlich. »Sie hat es ganz schön schwer.«

»Nicht schwerer als wir«, sagte ich.

»Oh doch«, sagte Lori. »Schließlich ist sie mit Dad verheiratet.«

»Sie hat es ja so gewollt«, sagte ich. »Sie muss strenger werden, feste Regeln für Dad aufstellen, statt immer nur einen hysterischen Anfall zu kriegen. Dad braucht eine starke Frau.«

»Selbst eine Karyatide wäre für Dad nicht stark genug.«

»Was ist denn das?«

»Säulen in Frauenform«, sagte Lori. »Diese Statuen, die auf den Köpfen die griechischen Tempel tragen. Ich hab neulich ein Foto davon gesehen und mir gedacht: Die Frauen haben den zweithärtesten Job der Welt.«

Ich war anderer Meinung als Lori. Ich dachte, eine starke Frau wäre in der Lage, Dad zu lenken. Er brauchte jemanden, der zielstrebig und entschlossen war, der Ultimaten setzte und auf deren Einhaltung bestand. Ich hielt mich für stark genug, Dad im Zaum zu halten. Als Mom zu mir gesagt hatte, meine Zielstrebigkeit sei ihr unheimlich, war das nicht als Kompliment gemeint, das war mir klar, aber für mich war es das.

Mit dem Ferienbeginn in jenem Sommer bekam ich die Chance zu beweisen, dass ich mit Dad fertig werden würde. Mom musste für acht Wochen nach Charleston zu einer pädagogischen Fortbildung an der Uni. Das sagte sie zumindest.

Ich fragte mich, ob sie nicht einfach mal ihre Ruhe von uns haben wollte. Lori durfte dank ihrer guten Noten und ihrer Kunstmappe in ein staatlich gefördertes Sommercamp für Schüler mit besonderen Begabungen. Somit war ich mit meinen dreizehn Jahren der Haushaltsvorstand.

Bevor Mom abreiste, gab sie mir zweihundert Dollar. Das sei eine Stange Geld, sagte sie, und es würde reichen, um Brian, Maureen und mich zwei Monate lang zu ernähren und die Wasser- und Stromrechnungen zu bezahlen. Ich rechnete es durch. Ich kam auf fünfundzwanzig Dollar die Woche oder etwas mehr als drei Dollar fünfzig am Tag. Ich stellte einen Haushaltsplan auf und kalkulierte, dass wir tatsächlich so eben über die Runden kommen könnten, wenn ich mit Babysitten noch was hinzuverdiente.

In der ersten Woche lief alles nach Plan. Ich kaufte ein und kochte für Brian, Maureen und mich. Es war fast ein Jahr her, seit der Mann vom Jugendamt uns einen solchen Schrecken eingejagt hatte, dass wir das Haus von oben bis unten geputzt hatten, und nun sah es wieder aus, als hätte eine Bombe eingeschlagen. Mom hätte einen Anfall bekommen, wenn ich irgendwas weggeworfen hätte, aber ich verbrachte Stunden damit, aufzuräumen und das ganze Gerümpel halbwegs zu verstauen.

Dad kam meistens erst nach Hause, wenn wir schon im Bett waren, und er schlief noch, wenn wir morgens aufstanden und aus dem Haus gingen. Aber eines Nachmittags, gut eine Woche nachdem Mom nach Charleston gefahren war, bekam er mich allein im Haus zu fassen.

»Schätzchen, ich brauch ein bisschen Geld«, sagte er.

»Wofür?«

»Bier und Zigaretten.«

»Ich hab so wenig Haushaltsgeld, Dad.«

»Ich brauch ja nicht viel. Nur fünf Dollar.«

Davon konnte ich für zwei Tage Lebensmittel kaufen. Zwei Liter Milch, ein Brot, ein Dutzend Eier, zwei Dosen Räuchermakrelen, einen kleinen Beutel Äpfel und Popcorn. Und Dad erwies mir nicht mal die Ehre, so zu tun, als bräuchte er das Geld für etwas Wichtiges. Er argumentierte auch nicht oder beschwatzte mich oder bettelte oder ließ seinen ganzen Charme spielen. Er wartete einfach, dass ich mit dem Geld rausrückte, als wüsste er genau, dass ich es nicht fertig bringen würde, Nein zu sagen. Und ich konnte es auch nicht. Ich nahm mein grünes Plastikportemonnaie und fischte einen zerknüllten Fünfer heraus, den ich ihm langsam reichte.

»Du bist ein Engel«, sagte Dad und gab mir einen Kuss.

Ich zog den Kopf zurück. Es stank mir, dass ich ihm das Geld gegeben hatte. Ich war sauer auf mich, aber noch saurer war ich auf Dad. Er wusste, dass ich, anders als Lori oder Brian, eine Schwäche für ihn hatte, und er zog seinen Vorteil daraus. Ich fühlte mich ausgenutzt. Die Mädchen in der Schule sprachen oft über Jungs, die ein Mädchen ausgenutzt hatten, und jetzt begriff ich zum ersten Mal richtig, was damit gemeint war.

Als Dad mich ein paar Tage später erneut um fünf Dollar bat, gab ich sie ihm. Mir wurde richtig schlecht bei dem Gedanken, dass mir jetzt zehn Dollar in der Haushaltskasse fehlten. Wieder ein paar Tage später wollte er zwanzig Dollar haben.

»Zwanzig Dollar?« Ich war fassungslos, dass Dad es so weit trieb. »Wieso zwanzig Dollar?«

»Verdammt, seit wann muss ich mich vor meinen Kindern rechtfertigen?«, fragte Dad und erklärte mir dann beim nächsten Atemzug, er hätte sich von einem Freund den Wagen ausgeliehen und müsse tanken, um zu einem Geschäftstermin nach Gary zu fahren. »Ich brauche Geld, um Geld zu verdienen. Ich zahl es dir zurück.« Er blickte mich herausfordernd an, als wollte er sagen, glaubst du mir etwa nicht?

»Ich muss Rechnungen bezahlen«, sagte ich. Ich hörte, wie meine Stimme schrill wurde, aber ich konnte es nicht verhindern. »Ich muss Kinder satt machen.«

»Mach dir bloß keine Sorgen wegen Lebensmitteln und Rechnungen«, sagte Dad. »Das ist meine Sache. Klar?«

Ich steckte die Hand in die Tasche. Ich wusste nicht, ob ich nach Geld greifen oder es beschützen wollte.

»Hab ich dich je enttäuscht?«, fragte Dad.

Die Frage hatte ich mindestens schon zweihundert Mal gehört, und ich hatte ihm immer so geantwortet, wie er es hören wollte, weil ich dachte, dass es mein Vertrauen war, das Dad all die Jahre Auftrieb gegeben hatte. Jetzt wollte ich zum ersten Mal ehrlich zu ihm sein, ihm sagen, dass er uns schon oft enttäuscht hatte, aber ich bremste mich. Ich brachte es einfach nicht übers Herz. Und Dad sagte, er würde mich nicht um das Geld bitten, er würde mir sagen, ich solle es ihm geben. Er brauchte es. Ob ich etwa dachte, es wäre gelogen, dass er es mir zurückzahlen würde?

Ich gab ihm die zwanzig Dollar.

An dem Samstag sagte Dad zu mir, um mir das Geld zurückzuzahlen, müsse er erst welches verdienen, und er wollte, dass ich mit ihm zu einem Geschäftstermin fuhr. Er sagte, ich solle mir was Hübsches anziehen. Er ging meine Kleider durch, die an meinem Rohr-Schrank hingen, und suchte eins mit blauen Blumen aus, das vorn geknöpft wurde. Er hatte sich einen Wagen ausgeliehen, einen alten erbsengrünen Plymouth mit kaputtem Beifahrerfenster, und wir fuhren durch die Berge zu einem benachbarten Ort, wo wir an einer Straßenkneipe hielten.

Die Kneipe war dunkel und völlig verräuchert. An den Wänden leuchtete Neonreklame für die Biersorten Pabst Blue Ribbon und Old Milwaukee. Hagere Männer mit faltigen Wangen und Frauen mit dunkelrotem Lippenstift saßen an der Theke. Zwei Typen mit Stahlkappenschuhen spielten Poolbillard.

Dad und ich setzten uns an die Theke. Dad bestellte für sich und mich ein Budweiser, obwohl ich sagte, dass ich ein Sprite wolle. Nach einer Weile stand er auf, um Billard zu spielen, und kaum hatte er seinen Hocker verlassen, als auch schon ein Mann kam und sich neben mich setzte. Er hatte einen schwarzen Schnurrbart, der sich um seine Mundwinkel bog, und Kohlenstaub unter den Fingernägeln. Er schüttete sich Salz ins Bier, was, wie ich von Dad wusste, einige Männer taten, weil sie gern mehr Schaum hatten.

»Ich heiße Robbie«, sagte er. »Ist das dein Alter da?« Er deutete auf Dad.

»Ich bin seine Tochter«, sagte ich.

Er leckte etwas Schaum von seinem Bier, dann fing er an, mir Fragen zu stellen, und beugte sich dabei dicht zu mir.

»Wie alt bist du, Mädchen?«

»Was schätzen Sie?«, fragte ich.

»Um die siebzehn.«

Ich lächelte, wobei ich die Hand vor den Mund hielt.

»Kannst du tanzen?«, fragte er. Ich schüttelte den Kopf. »Klar kannst du das«, sagte er und zog mich vom Hocker. Ich sah zu Dad hinüber, der bloß grinste und winkte.

Aus der Jukebox tönte Kitty Wells, die von verheirateten Männern und Bardamen sang. Robbie drückte mich eng an sich und legte eine Hand auf meinen unteren Rücken. Wir tanzten noch einen zweiten Song, und als wir uns anschließend wieder auf die Hocker setzten, mit dem Gesicht zum Billardtisch und dem Rücken zur Theke, schlang er seinen Arm um mich. Ich verkrampfte, als ich den Arm spürte, war aber nicht direkt unglücklich. Seit Billy Deel hatte keiner mehr mit mir geflirtet, wenn ich Kenny Hall nicht mitzählte.

Trotzdem, ich wusste, worauf Robbie es abgesehen hatte. Ich wollte ihm schon erklären, dass ich nicht zu der Sorte Mädchen gehörte, aber dann dachte ich, er würde bloß erwidern, dass ich vorschnelle Schlüsse zog. Er hätte schließlich nur mit mir getanzt und seinen Arm um mich gelegt. Ich fing Dads Blick auf. Ich dachte, er würde gleich rübergestürmt kommen und Robbie eine mit dem Billardstock verpassen, weil der sich bei seiner Tochter Freiheiten erlaubte. Stattdessen rief er ihm zu: »Mach endlich was Nützliches mit deinen Händen, Mann. Komm her und spiel 'ne Runde mit mir.«

Sie bestellten zwei Whiskey und rieben die Spitze ihrer Billard-Queues mit Kreide ein. Dad hielt sich zunächst zurück und verlor etwas Geld an Robbie, dann erhöhte er den Einsatz und gewann. Nach jeder Partie wollte Robbie wieder mit mir tanzen. So ging es zwei Stunden weiter. Robbie wurden langsam betrunken, verlor gegen Dad und begrapschte mich, wenn wir tanzten oder zwischen den Partien an der Theke saßen. Dad sagte zu mir: »Halt immer schön die Beine gekreuzt, Schätzchen, so fest du kannst.«

Nachdem Dad ihm gut achtzig Dollar abgeknöpft hatte, fing Robbie an, wütend vor sich hin zu knurren. Er knallte die Kreide so fest hin, dass eine kleine blaue Wolke aufstieg, und vermasselte auch das letzte Spiel. Er warf den Billardstock auf den Tisch und erklärte, er habe genug. Dann setzte er sich erneut neben mich. Seine Augen waren trüb. Er sagte immer wieder, er könne nicht fassen, dass der alte Sack ihm achtzig Mäuse abgeluchst hatte, als wüsste er selbst nicht genau, ob er stinksauer oder beeindruckt sein sollte.

Dann sagte er zu mir, seine Wohnung liege direkt über der Kneipe. Er habe eine Platte von Roy Acuff, die nicht in der Jukebox wäre, und er würde sie mir gern oben bei sich vorspielen. Falls er nur vorhatte, noch ein bisschen zu tanzen und, vielleicht, mich zu küssen, wäre ich damit klargekommen. Aber ich hatte das Gefühl, dass er meinte, ein Recht auf Entschädigung für das viele verlorene Geld zu haben.

»Ich weiß nicht«, sagte ich.

»Ach, komm schon«, sagte er und rief Dad zu: »Ich verschwinde mit deinem Mädchen nach oben.«

»Klar«, sagte Dad. »Aber tu nichts, was ich nicht auch tun würde.« Er zeigte mit seinem Billardstock auf mich. »Schrei, wenn du mich brauchst«, sagte er und zwinkerte mir zu, als wollte er sagen, er wisse genau, dass ich schon auf mich aufpassen konnte und das bloß Teil meines Jobs war.

Also ging ich mit Dads Segen nach oben. In der Wohnung traten wir durch einen Vorhang aus Schnüren, auf die Bierdosen-Verschlussringe aufgereiht waren. Zwei Männer saßen auf einer Couch und kuckten einen Ringkampf im Fernsehen. Als sie mich sahen, grinsten sie anzüglich. Robbie legte die Roy-Acuff-Platte auf, ohne den Fernseher leiser zu stellen. Er presste mich an sich und fing wieder an zu tanzen, aber ich wusste, dass es eine Richtung nahm, die ich nicht wollte, und ich sträubte mich. Dann rutschten seine Hände nach unten. Er packte meinen Hintern, schob mich aufs Bett und fing an, mich zu küssen. »Gut so!«, sagte einer von den beiden Männern, und der andere brüllte: »Mach schon!«

»Ich bin nicht so ein Mädchen«, sagte ich, aber er ignorierte es. Als ich mich wegrollen wollte, hielt er meine Arme fest. Dad hatte gesagt, ich sollte brüllen, wenn ich ihn bräuchte, aber ich wollte nicht schreien. Ich war so wütend auf Dad, dass ich die Vorstellung unerträglich fand, von ihm gerettet zu werden. Robbie sagte jetzt irgendwas in der Art, ich wäre ihm zum Bumsen zu knochig.

»Ja, die meisten Jungs mögen mich nicht«, sagte ich. »Ich bin nicht nur spindeldürr, ich hab auch noch die Narben.«

»Ja, klar«, sagte er. Aber er hielt inne.

Ich rollte mich vom Bett, knöpfte rasch mein Kleid an der Taille auf und zeigte ihm die Narbe an meiner rechten Seite. Sie war nicht viel größer als meine Hand, aber sie mussten glauben, mein ganzer Oberkörper wäre ein einziges Narbengewebe. Robbie blickte seine Freunde unsicher an. Es war, als täte sich eine Lücke im Zaun auf.

»Ich glaube, mein Dad hat gerufen«, sagte ich und eilte zur Tür.

Im Auto zählte Dad das Geld ab, das er gewonnen hatte, und gab mir vierzig Dollar.

»Wir sind ein prima Team«, sagte er.

Am liebsten hätte ich ihm das Geld ins Gesicht geworfen, aber wir brauchten es, also steckte ich die Scheine in mein Portemonnaie. Wir hatten Robbie nicht direkt übers Ohr gehauen, aber wir hatten ihn richtig mies drangekriegt, und ich hätte beinahe dafür bezahlen müssen. Wenn Robbie von Dad reingelegt worden war, dann ich ebenfalls.

»Bist du wegen irgendwas sauer, Bergziege?«

Einen Moment lang überlegte ich, Dad nichts zu sagen. Ich hatte Angst, es würde Blut fließen, da Dad immer getönt hatte, er würde jeden umlegen, der mich auch nur anfasste. Dann beschloss ich, den Typen ans Messer zu liefern. »Dad, der Widerling ist zudringlich geworden, als wir oben waren.«

»Er hat dich bestimmt nur ein bisschen begrapscht«, sagte Dad, als wir losfuhren. »Ich hab gewusst, dass du allein klarkommst.«

Die Straße zurück nach Welch war dunkel und leer. Der Wind pfiff durch die kaputte Autoscheibe neben mir. Dad steckte sich eine Zigarette an. »Genau wie damals, als ich dich in die Schwefelquelle geworfen hab, um dir Schwimmen beizubringen«, sagte er. »Du hast bestimmt gedacht, du ertrinkst, aber ich wusste, du würdest es schaffen.«

AM NÄCHSTEN ABEND VERSCHWAND DAD. Einige Tage später wollte er, dass ich wieder mit ihm zu einer Kneipe fuhr, aber ich sagte Nein. Dad ging an die Decke und sagte, wenn ich schon nicht mit ihm zusammenarbeiten wollte, sollte ich ihm wenigstens etwas Geld für den Einsatz beim Billard geben. Widerwillig rückte ich einen Zwanziger raus und ein paar Tage später noch einen.

Mom hatte gesagt, Anfang Juli würde ein Scheck von der Firma kommen, die auf ihrem Stück Land in Texas nach Öl bohrte. Sie hatte mich auch gewarnt, dass Dad versuchen würde, den Scheck in die Finger zu kriegen. Und wirklich, Dad fing den Postboten unten am Hügel ab und ließ sich den Scheck aushändigen, doch als der Postbote es mir gleich darauf erzählte, lief ich die Little Hobart Street hinunter und erwischte Dad noch, bevor er in der Stadt war. Ich sagte, Mom habe mich gebeten, den Scheck zu verstecken, bis sie zurück sei. »Verstecken wir ihn zusammen«, sagte Dad und schlug vor, ihn in Moms Lexikon *World Book* von 1933 zu stecken – unter »Währung«.

Als ich den Scheck am nächsten Tag woanders verstecken wollte, war er weg. Dad schwor, keine Ahnung zu haben, wo der Scheck abgeblieben war. Ich wusste, dass er log, aber ich wusste auch, er würde es einfach abstreiten, wenn ich ihm Vorhaltungen machte, und wir würden uns nur fetzen, was mich auch nicht weiterbringen würde. Zum ersten Mal konnte ich mir sehr gut vorstellen, was Mom auszuhalten hatte. Eine starke Frau zu sein war schwerer, als ich gedacht hatte. Mom würde noch über einen Monat in Charleston bleiben, das Geld für Lebensmittel war fast alle, und mein Verdienst als Babysitter reichte vorn und hinten nicht.

Ich hatte im Schaufenster von Becker's Jewel Box, einem Schmuckladen auf der McDowell Street, ein Schild mit der Aufschrift »Aushilfe gesucht« gesehen. Ich legte jede Menge Make-up auf, zog mein bestes Kleid an – es war lila mit winzigen weißen Punkten und einer Schärpe, die auf dem Rücken gebunden wurde – und ein Paar von Moms hochhackigen Schuhen, da wir die gleiche Größe hatten. Dann zog ich los, um mich für den Job zu bewerben.

Als ich die Tür öffnete, bimmelten die Glocken, die darüber hingen. Becker's Jewel Box war schicker als jeder Laden, den ich bis dahin betreten hatte, mit einer summenden Klimaanlage und surrenden Neonleuchten. In verschlossenen Vitrinen lagen Ringe, Halsketten und Broschen, und um das Warenangebot zu erweitern, hingen ein paar Gitarren und Banjos an den mit Kiefernholz verkleideten Wänden. Mr. Becker lehnte mit verschränkten Händen an der Theke. Er hatte einen so dicken Bauch, dass sein dünner schwarzer Gürtel mich an die Äquatorlinie auf einem Globus erinnerte.

Ich hatte Angst, dass Mr. Becker mir den Job nicht geben würde, wenn ich ihm sagte, dass ich erst dreizehn war, deshalb gab ich mich als siebzehn aus. Er stellte mich auf der Stelle ein, für vierzig Dollar die Woche bar auf die Hand. Ich war völlig aus dem Häuschen. Es war mein erster richtiger Job. Babysitten und Nachhilfe und für andere die Schulaufgaben machen, Rasen mähen und Pfandflaschen und Schrott sammeln, das alles zählte nicht. Vierzig Dollar die Woche war richtig viel Geld.

Die Arbeit machte mir Spaß. Leute, die Schmuck kauften, waren immer gut gelaunt, und obwohl Welch eine arme Stadt war, hatte Becker's Jewel Box eine große Kundschaft: ältere Bergleute, die ihrer Frau eine Brosche schenken wollten, junge Pärchen, die sich Verlobungsringe kauften, wobei die Mädchen aufgeregt kicherten und die Jungs sich stolz und männlich gaben.

Wenn wenig zu tun war, verfolgten Mr. Becker und ich auf einem kleinen Schwarzweißfernseher die Anhörungen in der Watergate-Affäre. Mr. Becker war ganz hingerissen von John Deans Frau Maureen, die, elegant gekleidet und das blonde Haar zu einem straffen Knoten gebunden, hinter ihrem Mann saß, wenn er als Zeuge aussagte. »Meine Fresse, das ist ein Rasseweib«, sagte Mr. Becker. Und manchmal war Mr. Becker so aufgegeilt, nachdem er Maureen Dean im Fernsehen gesehen hatte, dass er mir den Hintern tätschelte, wenn ich die Vitrinen putzte. Ich stieß dann seine Hände weg und entfernte mich ohne ein Wort, und dieser Lustmolch ging zurück zum Fernseher, als wäre nichts geschehen.

Wenn Mr. Becker zum Lunch in den Mountaineer Diner auf der anderen Straßenseite ging, nahm er immer den Schlüssel von der Vitrine mit, in der die Diamantringe lagen. Falls Kundschaft kam und sich die Ringe ansehen wollte, musste ich über die Straße laufen und ihn holen. Einmal vergaß er, den Schlüssel mitzunehmen, und als er wiederkam, zählte er die Ringe demonstrativ vor meinen Augen ab.

Damit wollte er mir zu verstehen geben, dass er mir nicht im Geringsten über den Weg traute. Einmal, als Mr. Becker aus der Mittagspause zurückgekommen war und ostentativ die Vitrinen überprüfte, wurde ich so wütend, dass ich mich nach irgendetwas in dem verflixten Laden umsah, was zu stehlen sich lohnen würde. Halsketten, Broschen, Banjos – mit nichts von alledem konnte ich was anfangen. Und dann fiel mein Blick auf die Vitrine mit den Armbanduhren.

Ich hatte mir schon immer eine Uhr gewünscht. Anders als Diamanten waren Uhren nützlich. Sie waren für Leute, die es eilig hatten, Leute mit Terminen und Zeitplänen. Zu diesen Leuten wollte ich gehören. Dutzende Armbanduhren tickten in der Vitrine hinter der Kasse, darunter eine, die es mir besonders angetan hatte. Es gab sie mit vier verschiedenfarbigen Armbändern – schwarz, braun, blau und weiß –, sodass man das Armband passend zur Garderobe wechseln konnte. Sie sollte 29,95 Dollar kosten, zehn Dollar weniger als mein

Wochenlohn. Aber wenn ich wollte, könnte sie sofort mir gehören, und zwar gratis. Je mehr ich über die Uhr nachdachte, desto mehr zog sie mich an.

Eines Tages kam die Frau vorbei, die in Mr. Beckers Filiale in Pineville arbeitete. Mr. Becker wollte, dass sie mir ein paar Schönheitstipps gab. Während die Frau, die steifes platinblondes Haar und mit Mascara voll gekleisterte Wimpern hatte, mir ein paar Make-up-Tricks zeigte, sagte sie, ich müsse ja ein Vermögen an Provision kassieren. Als ich fragte, was sie meinte, sagte sie, dass sie zusätzlich zu den vierzig Dollar in der Woche zehn Prozent des Ladenpreises von allem, was sie verkaufte, erhielt. Manchmal waren ihre Provisionen doppelt so hoch wie ihr Gehalt. »Mädchen, Sozialhilfeempfänger kriegen mehr als vierzig Dollar die Woche«, sagte sie. »Wenn Becker dir keine Provision zahlt, bescheißt er dich.«

Als ich Mr. Becker auf die Provision ansprach, sagte er, nur Verkäuferinnen würden Provision erhalten und ich wäre bloß eine Aushilfe. Als Mr. Becker am nächsten Tag zum Lunch ging, öffnete ich die Vitrine und nahm die Uhr mit den vier Armbändern heraus. Ich steckte sie in meine Handtasche und arrangierte die übrigen Uhren so, dass die Lücke verschwunden war. Ich hatte schon so oft etwas verkauft, wenn Mr. Becker zu tun hatte. Und da er mir die Provision vorenthalten hatte, nahm ich mir nur, was mir zustand.

Als Mr. Becker aus der Pause zurückkam, nahm er wie immer die Diamantring-Vitrine unter die Lupe, schenkte aber den Uhren keinerlei Beachtung. Beschwingt und schwindelig ging ich nach Ladenschluss mit der Uhr in der Handtasche nach Hause. Nach dem Abendessen kletterte ich hoch in mein Bett, wo keiner mich sehen konnte, und legte die Uhr mit je einem anderen Armband an, bewegte die Hand und gestikulierte so, wie es meiner Meinung nach reiche Leute taten.

Die Uhr zur Arbeit anzuziehen kam natürlich nicht in Frage. Da ich Mr. Becker auch in der Stadt über den Weg laufen konnte, nahm ich mir vor, die Uhr bis zum Ferienende nur zu Hause zu tragen. Dann fiel mir ein, dass Brian, Lori, Mom und Dad fragen würden, woher ich die Uhr hatte. Ich bekam auch Angst, dass Mr. Becker vielleicht einen diebischen Zug in meiner Miene entdecken würde. Früher oder später würde er merken, dass eine Uhr fehlte, und mich ins Verhör nehmen, und ich würde überzeugend lügen müssen, was ich nicht gut konnte. Und wenn ich nicht überzeugend war, würde ich ins Erziehungsheim kommen zu Leuten wie Billy Deel, und Mr. Becker hätte die Genugtuung, dass es die ganze Zeit richtig gewesen war, mir nicht zu trauen.

Diese Genugtuung wollte ich ihm nicht geben. Am nächsten Morgen nahm ich die Uhr aus der Holzkiste, wo ich meine Geode aufbewahrte, steckte sie in meine Handtasche und nahm sie wieder mit in den Laden. Den ganzen Vormittag wartete ich nervös darauf, dass Mr. Becker zum Lunch ging. Als er endlich weg war, öffnete ich die Vitrine, legte die Uhr hinein und arrangierte die anderen Uhren drum herum neu. Ich beeilte mich. Am Vortag hatte ich die Uhr gestohlen, ohne feuchte Hände zu kriegen. Aber jetzt hatte ich panische Angst, dabei erwischt zu werden, wie ich sie zurücklegte.

Ende August, ich war gerade dabei, Wäsche in dem Blechtrog im Wohnzimmer zu waschen, hörte ich, wie jemand singend die Treppe hochkam. Es war Lori. Sie rauschte ins Wohnzimmer, Seesack über der Schulter, und grölte lachend eins dieser blöden Lieder, die man im Sommercamp am Lagerfeuer singt. Ich hatte Lori noch nie so ausgelassen erlebt. Sie strahlte übers ganze Gesicht, als sie mir erzählte, dass sie jeden Tag etwas Warmes gegessen und heiß geduscht und sogar Freundschaften geschlossen hatte. Sie hatte sogar einen Freund, der sie geküsst hatte. »Alle haben mich für einen ganz normalen Menschen gehalten«, sagte sie. »Es war irre.« Und dann erzählte Lori mir, ihr sei klar geworden, dass sie, wenn sie aus Welch raus- und von ihrer Familie wegkam, vielleicht doch eine Chance auf ein glückliches Leben hatte. Von da an freute sie sich auf den Tag, an dem sie die Little Hobart Street verlassen und selbstständig leben würde.

Ein paar Tage danach kam Mom nach Hause, und auch sie wirkte verändert. Sie hatte im Studentenwohnheim auf dem Campus gewohnt, ohne vier Kinder, um die sie sich kümmern musste, und sie hatte es richtig genossen. Sie war zu Vorlesungen gegangen, und sie hatte gemalt. Sie habe stapelweise Selbsthilfebücher gelesen, sagte sie, und ihr sei bewusst geworden, dass sie bisher nur für andere gelebt hatte. Deshalb habe sie beschlossen, als Lehrerin aufzuhören und sich ganz der Kunst zu widmen. »Es wird Zeit, dass ich etwas für mich mache«, erklärte sie. »Es wird Zeit, dass ich anfange, für mich zu leben.«

»Mom, du hast den ganzen Sommer über eine Lehrerfortbildung gemacht.«

»Gott sei Dank, sonst hätte ich die Erkenntnis nie gewonnen«, sagte sie.

»Du kannst nicht kündigen«, sagte ich. »Wir brauchen das Geld.«

»Warum muss immer ich diejenige sein, die das Geld verdient?«, fragte Mom. »Du hast auch einen Job. Verdien du das Geld. Auch Lori kann Geld verdienen. Ich habe Wichtigeres zu tun.«

Ich dachte, Mom hätte bloß wieder einen ihrer Anfälle. Ich war sicher, dass sie am ersten Schultag zu Lucy Jo Rose ins Auto steigen und zur Arbeit fahren würde, auch wenn wir sie erst beschwatzen mussten. Doch als der Tag kam, weigerte sie sich glattweg, aufzustehen. Dad war nicht da, also zogen Lori, Brian und ich Mom die Decke weg und versuchten sie aus dem Bett zu ziehen, aber sie rührte sich nicht von der Stelle.

Brian sagte, sie habe eine Verantwortung. Ich sagte, das Jugendamt würde uns wieder Ärger machen, wenn sie nicht arbeiten ging. Sie verschränkte die Arme vor der Brust und starrte uns trotzig an. »Ich gehe nicht in die Schule«, sagte sie.

»Wieso nicht?«, fragte ich.

»Ich bin krank.«

»Was hast du denn?«, fragte ich.

»Mein Schleim ist gelb«, sagte Mom.

»Wenn jeder, der gelben Schleim hat, zu Hause bleiben würde, dann wären die Schulen ziemlich leer«, erwiderte ich.

Moms Kopf schnellte hoch. »So darfst du nicht mit mir reden«, sagte sie. »Ich bin deine Mutter.«

»Wenn du wie eine Mutter behandelt werden willst«, sagte ich, »dann benimm dich auch so.«

Mom wurde selten wütend. Normalerweise sang oder weinte sie, doch jetzt verzog sich ihr Gesicht vor Wut. Wir wussten beide, dass ich zu weit gegangen war, aber das war mir egal. Auch ich hatte mich im Laufe des Sommers verändert.

»Was unterstehst du dich?«, rief sie. »Jetzt kriegst du Ärger – großen Ärger. Das sage ich deinem Dad. Warte nur, bis er nach Hause kommt.«

Moms Drohung ließ mich kalt. So wie ich das sah, war Dad mir was schuldig. Ich hatte mich den ganzen Sommer um seine Kinder gekümmert, ich hatte ihn mit Geld für Bier und Zigaretten versorgt, und ich hatte ihm geholfen, diesen Bergmann Robbie auszunehmen. Ich war mir sicher, Dad in der Tasche zu haben.

Als ich am Nachmittag von der Schule kam, lag Mom noch immer im Bett, neben sich einen kleinen Stapel Taschenbücher. Dad saß am Zeichentisch und drehte sich eine Zigarette. Er winkte mir, ihm in die Küche zu folgen. Mom sah uns nach.

Dad schloss die Tür und blickte mich ernst an.

»Deine Mutter hat mir beunruhigende Sachen erzählt«, sagte er. »Du sollst ihr freche Antworten gegeben haben.«

»Ja«, sagte ich. »Das stimmt.«

»Ja, Sir«, verbesserte er mich, aber ich sagte nichts.

»Ich bin enttäuscht von dir«, sprach er weiter. »Du weißt ganz genau, dass du deine Eltern respektieren sollst.«

»Dad, Mom ist nicht krank, sie macht bloß blau«, sagte ich. »Sie muss ihre Verpflichtungen ernster nehmen. Sie muss ein bisschen erwachsen werden.«

»Für wen hältst du dich?«, fragte er. »Sie ist deine Mutter.«

»Warum benimmt sie sich dann nicht wie eine?« Ich blickte Dad einen unerträglich langen Augenblick an, und dann sagte ich mit Nachdruck: »Und wieso benimmst du dich nicht wie ein Dad?«

Ich konnte sehen, wie ihm das Blut ins Gesicht schoss. Er packte mich am Arm. »Dafür entschuldigst du dich sofort!«

»Und wenn nicht?«, fragte ich.

Dad stieß mich gegen die Wand. »Dann zeig ich dir, wer hier der Boss ist.«

Sein Gesicht war nur Zentimeter von meinem entfernt. »Und wie willst du mich bestrafen?«, fragte ich. »Mich nicht mehr mit in Kneipen nehmen?«

Dad hob die Hand, als wollte er mich ohrfeigen. »Pass auf, was du sagst, junge Dame. Ich kann dir noch immer den Hintern versohlen, und denk ja nicht, ich trau mich nicht.«

»Das ist nicht dein Ernst«, sagte ich.

Dad senkte die Hand. Er zog seinen Gürtel aus den Schlaufen der Arbeitshose und wickelte ihn sich zweimal um die Hand.

»Entschuldige dich bei mir und deiner Mutter«, sagte er.

»Nein.«

Dad hob den Gürtel. »Entschuldige dich.«

»Nein.«

»Dann beug dich vor.«

Dad stand zwischen mir und der Tür. Der einzige Fluchtweg war an ihm vorbei. Aber ich hatte weder vor zu fliehen noch zu kämpfen. Meiner Ansicht nach steckte er mehr in der Klemme als ich. Er musste einen Rückzieher machen, denn wenn er sich auf Moms Seite stellte und mir eine Tracht Prügel verabreichte, würde er mich für immer verlieren.

Wir starrten einander an. Dad wartete anscheinend, dass ich die Augen senkte, mich entschuldigte und ihm sagte, dass ich Unrecht hatte. Dann könnten wir so weitermachen wie bisher, aber ich hielt seinem Blick stand. Um ihn zu zwingen, Farbe zu bekennen, drehte ich mich schließlich um, beugte mich leicht nach vorn und legte die Hände auf die Knie.

Ich rechnete fest damit, dass er gehen würde, aber dann folgten sechs schmerzhafte Schläge hinten auf meine Oberschenkel, jeder begleitet von einem Pfeifen in der Luft. Noch bevor ich mich wieder aufrichtete, konnte ich spüren, wie die Striemen anschwollen.

Ich ging aus der Küche, ohne Dad anzuschauen. Mom stand direkt hinter der Tür. Sie hatte gelauscht. Auch sie würdigte ich keines Blickes, aber aus den Augenwinkeln konnte ich ihre triumphierende Miene sehen. Ich biss mir auf die Lippen, um nicht zu weinen.

Sobald ich draußen war, lief ich in den Wald, stieß Zweige und wild wuchernde Ranken beiseite. Ich dachte, ich würde weinen, sobald ich ein Stück vom Haus entfernt war, doch stattdessen musste ich mich übergeben. Ich kaute ein bisschen Wilde Minze gegen den unangenehmen Geschmack im Mund und streifte lange, mir kam es wie Stunden vor, durch die lautlosen Hügel. Die Luft war klar und kühl, und der Waldboden war bedeckt mit dem Laub von Rosskastanien und Pappeln. Am späten Nachmittag setzte ich mich auf einen umgestürzten Baumstamm, vorsichtig, weil mir die Rückseite der Oberschenkel noch von den Schlägen wehtat. Die ganze Zeit im Wald hatten die Schmerzen meine Gedanken auf Trab gehalten, und als ich bei dem Baum ankam, hatte ich zwei Entscheidungen getroffen.

Die erste war die, dass das meine letzte Tracht Prügel gewesen war. Ich würde mich von niemandem mehr schlagen lassen.

Die zweite Entscheidung war, dass ich wie Lori aus Welch weggehen würde, je früher, desto besser. Wenn möglich, noch bevor ich mit der Highschool fertig war. Ich hatte keine Ahnung, wohin ich sollte, aber ich wusste, dass ich gehen würde. Ich wusste auch, dass es nicht leicht sein würde. Viele blieben irgendwie in Welch hängen. Ich hatte gedacht, dass Mom und Dad uns rausbringen würden, aber mir war jetzt klar, dass damit nicht mehr zu rechnen war. Ich musste es allein durchziehen. Dazu waren Geld und gute Planung erforderlich. Ich beschloss, gleich am nächsten Tag zum Billigladen G. C. Murphy zu gehen und das rosa Sparschwein zu kaufen, das ich dort gesehen hatte. Ich würde die fünfundsiebzig Dollar hineintun, die ich von meinem Gehalt bei Becker's Jewel Box hatte sparen können. Das wäre der Grundstock meiner Fluchtkasse.

Im selben Herbst kamen zwei Typen nach Welch, die anders waren als alle Leute, die ich kannte. Die beiden waren Filmemacher aus New York und waren im Rahmen eines Regierungsprogramms nach Welch geschickt worden, um im ländlichen Appalachia für kulturellen Aufschwung zu sorgen. Sie hießen Ken Fink und Bob Gross.

Ken und Bob redeten wie ein Wasserfall, und ständig ließen sie Namen wie Stanley Kubrick und Woody Allen fallen, die ich noch nie gehört hatte, sodass ich ihnen manchmal kaum folgen konnte. Sie waren außerdem richtige Spaßvögel, auch wenn es nicht die Art von Humor war, die ich von der Highschool kannte, wo man sich Polenwitze erzählte und die Jungs mit der hohlen Hand unter den Achseln Furzgeräusche machten. Ken und Bob dagegen lieferten sich richtige Witzschlachten; einer machte eine Bemerkung, und der andere konterte, woraufhin der Erste noch einen draufsetzte. In dem Stil ging es manchmal weiter, bis sich mir der Kopf drehte.

An einem Wochenende zeigten Ken und Bob einen schwedischen Film in der Schulaula. Es war ein Schwarzweißfilm mit Untertiteln und symbolträchtiger Handlung, weshalb nicht mal ein Dutzend Schüler kamen, obwohl der Film kostenlos war. Irgendwann zeigte Lori den beiden ein paar von ihren Illustrationen. Sie sagten, sie habe Talent, und wenn es ihr ernst damit sei, Künstlerin zu werden, müsse sie nach New York gehen. Das sei eine Stadt voller Energie und Kreativität und intellektueller Stimulation, wie wir garantiert noch keine gesehen hätten. Und es lebten viele Menschen dort, die einfach nirgendwo anders hinpassten, weil sie so einzigartige Individuen seien.

Am Abend lagen Lori und ich in unseren Seilbetten und sprachen über New York. Nach dem, was ich so alles gehört hatte, musste es eine große, laute Stadt sein, mit verpesteter Luft und Massen von Geschäftsleuten, die sich auf den Bürgersteigen gegenseitig anrempelten. Aber Lori sah New York auf einmal als eine Art smaragdene Stadt – als einen hellen, lebendigen Ort am Ende einer langen Straße, wo sie endlich der Mensch werden konnte, der sie sein wollte.

An Ken und Bobs Beschreibung von New York gefiel Lori vor allem, dass die Stadt Menschen anlockte, die anders waren. Lori war so anders, wie man es in Welch nur sein konnte. Während ihre Altersgenossen Jeans, Converse-Turnschuhe und T-Shirts trugen, kreuzte sie in Armeestiefeln, einem weißen Kleid mit roten Punkten und einer Jeansjacke auf, auf die sie hinten ein unheilschwangeres Gedicht gepinselt hatte. Die anderen warfen mit Seife nach ihr, schubsten sich ihr gegenseitig in den Weg und schrieben Sprüche über sie an die Toilettenwände. Sie wiederum beschimpfte sie auf Lateinisch.

Zu Hause las und malte Lori bis spät in die Nacht, oft bei Kerzenlicht oder im Schein der Kerosinlampe, wenn der Strom mal wieder abgestellt war. Sie mochte gruselige Details: Nebelschwaden über einem stillen See, knorrige Wurzeln, die sich aus der Erde hoben, eine einsame Krähe in den Ästen eines kahlen Baumes am Ufer. Ich hielt Lori für außergewöhnlich und war mir sicher, dass sie eine erfolgreiche Künstlerin werden würde, wenn sie nach New York ging. Ich beschloss, auch dorthin zu gehen, und im Laufe des Winters entwickelten wir einen Plan. Lori würde im Juni nach ihrem Schulabschluss allein nach New York aufbrechen. Sie würde dort Fuß fassen, eine Wohnung für uns suchen, und ich würde so bald wie möglich nachkommen.

Ich erzählte Lori von meiner Fluchtkasse, den hundertfünfzig Dollar, die ich bisher gespart hatte. Von nun an, sagte ich, wäre es unsere gemeinsame Kasse. Wir würden nach der Schule jobben und alles, was wir verdienten, ins Sparschwein stecken. Lori könnte mit dem Geld nach New York gehen und sich als Künstlerin einen Namen machen, und wenn ich dann nachkäme, wäre alles klar.

Lori hatte schon etliche tolle Plakate gemacht, für Football-Matches und Aufführungen der Theatergruppe und für die Kandidaten bei der Schulsprecherwahl. Jetzt bot sie welche für einen Dollar fünfzig das Stück an. Sie war zu schüchtern, um Aufträge einzuholen, also erledigte ich das für sie. Viele Jugendliche an unserer Highschool wollten auf sie persönlich zugeschnittene Poster, die sie in ihrem Zimmer aufhängten: Plakate mit dem Namen des Freundes oder der Freundin drauf, vom eigenen Auto oder von Sternzeichen oder von der Lieblings-Popgruppe. Lori zeichnete die Namen in großen, fetten, ineinander greifenden dreidimensionalen Buchstaben wie die auf Rockalben, malte sie dann in Neonfarben aus und zog die Konturen mit Tusche nach, sodass die Buchstaben richtig knallig wirkten. Anschließend umgab sie alles mit Sternen und Punkten und Schnörkellinien, was den Eindruck erweckte, dass die Buchstaben sich bewegten. Als sich herumsprach, wie gut die Plakate waren, konnte sich Lori bald kaum noch retten vor Aufträgen und arbeitete täglich bis ein oder zwei Uhr nachts daran.

Ich verdiente Geld mit Babysitten und indem ich für andere die Hausaufgaben erledigte. Ich schrieb Referate, Aufsätze und löste Matheaufgaben. Pro Auftrag kassierte ich einen Dollar und garantierte mindestens eine Zwei – andernfalls zahlte ich das Geld vollständig zurück. Fürs Babysitten nach der Schule nahm ich einen Dollar die Stunde und konnte dabei meistens die Hausaufgaben machen. Ich gab auch Nachhilfe für zwei Dollar die Stunde.

Wir erzählten Brian von der Fluchtkasse, und er beteiligte sich. Wir bezogen ihn allerdings nicht in unsere Pläne mit ein, weil er erst in der siebten Klasse war. Er mähte bei anderen Leuten den Rasen oder hackte Holz oder schnitt auf den Hängen Gestrüpp mit einer Sense. Er jobbte nach der Schule, bis die Sonne unterging, und den ganzen Samstag und Sonntag. Wenn er dann nach Hause kam, hatte er die Arme und das Gesicht zerkratzt, und ohne ein Lob oder ein Dankeschön zu erwarten, tat er sein verdientes Geld still und leise ins Sparschwein, das wir »Oz« getauft hatten.

Wir stellten Oz auf die alte Nähmaschine in unserem Zimmer. Oz hatte unten keinen Verschluss, und der Schlitz oben war zu schmal, um Scheine herauszupulen, nicht mal mit einem Messer. Das Geld, das wir in Oz reinsteckten, blieb also, wo es war. Wir probierten es vorsichtshalber aus. Wir konnten das Geld nicht zählen, aber da Oz durchscheinend war, konnten wir sehen, wie unser Geld immer mehr wurde, wenn wir es ins Licht hielten.

Als ich in dem Winter eines Tages von der Schule kam, parkte ein goldfarbener Cadillac Coupe de Ville vor dem Haus. Ich fragte mich, ob das Jugendamt millionenschwere Pflegeeltern für uns gefunden hatte, die uns jetzt abholen wollten, aber Dad war da und ließ einen Schlüsselring an seinem Finger kreisen. Er erklärte, der Cadillac sei das neue, offizielle Fahrzeug der Familie Walls. Mom zeterte, es sei schon schlimm, in einer beengten Bruchbude ohne Strom zu wohnen, aber Armut hatte wenigstens eine gewisse Würde, doch in einer beengten Bruchbude zu wohnen und einen goldfarbenen Cadillac zu besitzen, damit stempelte man sich eindeutig als primitives, asoziales Pack ab.

»Wo hast du den her?«, fragte ich Dad.

»Ich hatte beim Pokern ein Superblatt auf der Hand«, sagte er, »und ich hab noch besser geblufft.«

Wir hatten zwei, drei Autos gehabt, seit wir nach Welch gezogen waren, aber das waren richtige Schrottmühlen gewesen, mit stotterndem Motor und gesprungener Windschutzscheibe, und während der Fahrt konnten wir durch ein Loch im durchgerosteten Boden den dahinsausenden Asphalt sehen. Diese Autos hielten nie länger als zwei Monate, und wir gaben ihnen, genauso wenig wie dem Oldsmobile aus Phoenix, einen Namen, noch meldeten wir sie an oder brachten sie über den TÜV. Der Coupe de Ville hatte sogar noch eine gültige TÜV-Plakette. Er war so wunderschön, dass Dad meinte, die Zeit sei gekommen, die Tradition, unseren Autos einen Namen zu geben, wieder aufleben zu lassen. »Für den Caddy da«, sagte er, »würde Elvis gut passen.«

Mir kam der Gedanke, dass Dad Elvis verkaufen sollte, um von dem Geld eine Innentoilette einbauen zu lassen und uns alle neu einzukleiden. Die schwarzen Lederschuhe, die ich für fünfzig Cent im Dollar General Store gekauft hatte, wurden mit Sicherheitsnadeln zusammengehalten, die ich mit Filzstift angemalt hatte, damit sie nicht auffielen. Ich hatte mir auch mit Filzstift farbige Flecken auf die Beine gemalt, um die Löcher in meinen Hosen zu kaschieren. Ich fand das weniger auffällig als aufgenähte Flicken. Ich hatte eine blaue und eine grüne Hose, und wenn ich sie auszog, waren meine Beine voll mit blauen und grünen Flecken.

Aber Dad war so vernarrt in Elvis, dass er ihn nie im Leben verkauft hätte. Und ehrlich gesagt, war ich genauso in Elvis vernarrt. Elvis war lang und schnittig wie eine Rennjacht. Er hatte eine Klimaanlage, goldfarbene Noppenpolster, Fenster, die sich auf Knopfdruck hoben und senkten, und einen funktionierenden Blinker, sodass Dad nicht immer den Arm rausstrecken musste. Wenn wir mit Elvis durch die Stadt fuhren, nickte ich den Leuten auf dem Bürgersteig huldvoll zu und lächelte, wobei ich mir vorkam wie eine reiche Erbin. »Du hast diese *noblesse oblige* richtig gut drauf, Bergziege«, sagte Dad dann.

Auch Mom schloss Elvis schließlich ins Herz. Sie hatte als Lehrerin aufgehört und widmete sich stattdessen ihrer Malerei, und an den Wochenenden fuhren wir durch ganz West Virginia auf Kunsthandwerksmärkte, wo bärtige Männer in Overalls Hackbrett spielten und Frauen in Omakleidern Rückenkratzer aus Maiskolben und Kohleskulpturen von schwarzen Bären und Bergleuten verkauften. Wir luden Elvis' Kofferraum mit Moms Bildern voll und boten sie auf den Märkten an. Mom malte auch vor Ort Pastellporträts von jedem, der bereit war, achtzehn Dollar zu zahlen, und ab und zu fand sie tatsächlich einen Kunden.

Wir schliefen alle in Elvis, wenn wir unterwegs waren, weil wir meistens gerade mal das Spritgeld verdienten, und oft nicht mal das. Trotzdem war es ein schönes Gefühl, wieder herumzukommen. Unsere Fahrten mit Elvis erinnerten mich daran, wie leicht es war, einfach seine Sachen zu packen und weiterzuziehen, wenn man den Drang dazu verspürte. Sobald man fest entschlossen war, zu gehen, war wirklich nichts dabei.

ALS DER FRÜHLING VOR DER TÜR STAND und sich Loris Schulabschluss unaufhaltsam näherte, lag ich abends im Bett und dachte über ihr Leben in New York nach. »In genau drei Monaten«, sagte ich zu ihr, »lebst du in New York.« In der Woche darauf sagte ich: »In genau zwei Monaten und drei Wochen lebst du in New York.«

»Würdest du bitte den Mund halten«, sagte sie.

»Du hast doch wohl keine Angst, oder?«, fragte ich.

»Was glaubst du denn?«

Lori hatte sogar richtig Panik. Sie wusste nicht, was genau sie in New York eigentlich machen sollte. An der Stelle war unser Fluchtplan immer ziemlich vage gewesen. Im letzten Herbst war ich sicher davon ausgegangen, dass sie ein Stipendium für eine der Unis in New York erhalten würde. Sie hatte sich für ein nationales Stipendienprogramm für begabte Schüler beworben und war in die Endauswahl gekommen. Doch für die letzte Prüfung hatte sie per Anhalter nach Bluefield fahren müssen und war von dem Fahrer begrapscht worden. Sie kam fast eine Stunde zu spät und fiel durch.

Mom, die Loris New-York-Pläne unterstützte und immer wieder sagte, wie gern sie selbst in die Metropole ziehen würde, schlug vor, Lori solle sich an der Kunsthochschule Cooper Union bewerben. Lori stellte eine Mappe mit ihren Zeichnungen und Gemälden zusammen, doch kurz vor dem Abgabetermin kippte sie eine Kanne Kaffee darüber, was Mom veranlasste, sich laut zu fragen, ob Lori Angst vor Erfolg hatte.

Dann hörte Lori von einem Stipendium, das von einem Literaturverein gesponsert wurde. Die Bewerber mussten ein Kunstwerk einreichen, das durch ein Genie der englischen

Sprache inspiriert wurde. Lori entschied sich, eine Tonbüste von Shakespeare zu machen. Sie arbeitete eine Woche daran, für die leicht hervorquellenden Augen, den Ziegenbart, den Ohrring und das längere Haar benutzte sie den angespitzten Holzstiel von einem Eis. Als die Büste fertig war, sah sie genauso aus wie Shakespeare.

Wir saßen an diesem Abend gerade alle am Zeichentisch und schauten zu, wie Lori letzte Hand an Shakespeares Haare legte, als Dad betrunken nach Hause kam. »Der hat wirklich verblüffende Ähnlichkeit mit dem alten Billy«, sagte Dad. »Der einzige Haken, wie ich immer wieder sage, ist der, dass er ein verfluchter Schwindler war.«

Seit Jahren ließ Dad sich darüber aus, wenn Mom mal wieder Shakespeares Stücke hervorholte, dass sie nicht aus der Feder von William Shakespeare aus Stratford-upon-Avon stammten, sondern von mehreren Leuten geschrieben worden waren, unter anderem auch von einem gewissen Earl of Southhampton, weil nämlich kein Mensch im elisabethanischen England Shakespeares dreißigtausend Wörter umfassenden Wortschatz gehabt haben konnte. Das ganze Getue um den kleinen Billy Shakespeare, so Dad, das große Genie mit der dürftigen Schulausbildung, dem schlechten Latein und dem noch schlechteren Griechisch, sei nichts anderes als ein sentimentales Märchen.

»Und du hilfst mit, den Schwindel fortzusetzen«, sagte er zu Lori.

»Dad, es ist bloß eine Büste«, sagte Lori.

»Das ist ja das Problem«, sagte Dad.

Er studierte die Skulptur, streckte dann plötzlich die Hand aus und schmierte Shakespeares Mund mit dem Daumen weg.

»Was soll denn das, verdammt noch mal?«, schrie Lori.

»Jetzt ist es nicht mehr nur eine Büste«, sagte Dad. »Jetzt hat es einen symbolischen Wert. Du kannst dein Werk ›Stummer Barde‹ nennen.«

»Ich habe Tage dafür gebraucht«, rief Lori. »Und du machst alles kaputt!«

»Ich habe dein Werk verbessert«, sagte Dad. Er versprach Lori, ihr dabei zu helfen, einen Aufsatz zu schreiben, in dem sie mathematisch nachweisen würden, dass Shakespeares Stücke mehrere Verfasser hätten, genau wie Rembrandts Bilder mehrere Maler. »Damit stellst du die literarische Welt auf den Kopf«, sagte er.

»Ich will die Welt nicht auf den Kopf stellen!«, schrie Lori. »Ich will bloß ein blödes, kleines Stipendium gewinnen!«

»Menschenskind, du machst bei einem Pferderennen mit, aber du denkst wie ein Schaf«, sagte Dad. »Schafe können keine Pferderennen gewinnen.«

Lori konnte sich nicht mehr aufraffen, die Büste zu überarbeiten. Am nächsten Tag klatschte sie den Ton zu einem großen Klumpen zusammen, den sie auf dem Zeichentisch liegen ließ. Ich sagte zu Lori, sie solle auch ohne Stipendium nach New York gehen. Sie könne sich mit unserem gesparten Geld über Wasser halten, bis sie einen Job gefunden hatte, und dann könne sie sich an einer Hochschule bewerben. Das wurde unser neuer Plan.

Alle waren sauer auf Dad, was ihn schwer kränkte. Er sagte, er wüsste gar nicht, wieso er überhaupt noch nach Hause kommen sollte, da ja ohnehin keiner mehr was für seine Ideen übrig hätte. Er beteuerte, dass er Lori wirklich nicht davon abhalten wolle, nach New York zu gehen, aber wenn sie auch nur ein Fitzelchen Verstand hätte, würde sie bleiben, wo sie war. »New York ist ein stinkendes Drecksloch«, sagte er mehr als einmal, »voll mit Schwulen und Vergewaltigern.« Sie würde überfallen werden und auf der Straße landen, prophezeite er ihr, zur Prostitution gezwungen und als Rauschgiftsüchtige enden wie die meisten Teenager, die durchbrennen. »Ich sag dir das nur, weil ich dich liebe«, sagte er. »Und ich möchte nicht, dass dir was passiert.«

An einem Abend im Mai, als wir seit fast neun Monaten sparten, kam ich mit zwei Dollar vom Babysitten nach Hause und ging in unser Zimmer, um das Geld in Oz zu stecken. Das

Sparschwein stand nicht wie sonst auf der alten Nähmaschine. Ich suchte das ganze Gerümpel im Zimmer durch und fand Oz schließlich auf dem Fußboden. Jemand hatte das Schwein mit einem Messer aufgeschlitzt und das ganze Geld gestohlen.

Ich wusste, dass Dad das gewesen sein musste, aber gleichzeitig wollte ich nicht glauben, dass er so tief gesunken war. Lori hatte anscheinend noch keine Ahnung. Sie saß im Wohnzimmer und arbeitete fröhlich summend an einem Plakat. Mein erster Impuls war der, Oz zu verstecken. Ich hatte den abwegigen Gedanken, ich könnte das Geld irgendwie ersetzen, bevor Lori was merkte. Aber das war natürlich albern; wir drei hatten fast ein Jahr gebraucht, um das Geld zusammenzusparen. Ich würde in dem einen Monat bis zu Loris Schulabschluss nie und nimmer so viel verdienen können.

Ich ging ins Wohnzimmer und stellte mich neben sie, während ich mir den Kopf zermarterte, wie ich es ihr beibringen sollte. Sie hatte ein Plakat in Arbeit, auf dem in Neonfarben »TAMMY!« stand. Nach einem Moment blickte sie auf. »Was ist?«, sagte sie.

Lori sah mir an, dass irgendwas nicht stimmte. Sie stand so abrupt auf, dass sie ein Fläschchen Tusche umkippte, und lief in unser Zimmer. Ich wappnete mich innerlich, da ich einen Schrei erwartete, doch es folgte Stille, bis schließlich ein leises, zittriges Wimmern einsetzte.

Lori blieb die ganze Nacht auf, um Dad zur Rede zu stellen, doch er kam nicht nach Hause. Am nächsten Tag schwänzte sie die Schule, falls Dad zurückkkam, doch er ließ sich drei Tage nicht blicken. Schließlich hörten wir ihn die wackelige Treppe zur Veranda hochstapfen.

»Du Dreckschwein!«, rief Lori. »Du hast unser Geld geklaut!«

»Wovon zum Henker redest du?«, fragte Dad. »Und so spricht man nicht mit seinem Vater.« Er lehnte sich gegen die Tür und steckte sich eine Zigarette an.

Lori hielt das geschlachtete Sparschwein hoch und schleuderte es so fest sie konnte gegen Dad, aber es war leer und praktisch ohne Gewicht, sodass es ihn nur leicht an der Schulter traf und zu Boden fiel. Er bückte sich vorsichtig, als wüsste er, dass der Boden unter ihm jeden Augenblick nachgeben könnte, hob unser geplündertes Sparschwein auf und drehte es in den Händen. »Jemand hat den alten Oz ganz schön ausgeweidet, was?« Er blickte mich an. »Jeannette, weißt du, was passiert ist?«

Er grinste mich doch tatsächlich an. Nach der letzten Prügel hatte Dad bei mir richtig den Charmeur raushängen lassen, und obwohl ich vorhatte wegzugehen, konnte er mich noch immer zum Lachen bringen, wenn er wollte, und er sah in mir nach wie vor eine Verbündete. Aber jetzt hätte ich ihm am liebsten eins über den Schädel gezogen. »Du hast unser Geld genommen«, sagte ich. »Das ist passiert.«

»Na, das ist doch wohl die Höhe«, sagte Dad. Er jammerte los, dass ein Mann, der nach Hause kommt, nachdem er Drachen getötet hat, damit seine Familie in Sicherheit ist, für seine Mühsal und Aufopferung nicht mehr erwartet als ein bisschen Liebe und Respekt, aber das sei ja heutzutage offenbar schon zu viel verlangt. Er sagte, er habe unser New-York-Geld nicht genommen, aber wenn Lori unbedingt in diesem Sündenpfuhl leben wollte, würde er ihr die Reise finanzieren.

Er griff in seine Hosentasche und holte ein Bündel Dollarscheine heraus. Wir starrten ihn bloß an, also ließ er das zerknitterte Geld zu Boden fallen. »Macht, was ihr wollt«, sagte er.

»Warum tust du uns das an, Dad?«, fragte ich. »Warum?«

Sein Gesicht verhärtete sich vor Zorn, dann schwankte er zum Sofa und schlief auf der Stelle ein.

»Ich komm nie hier raus«, sagte Lori. »Ich komm nie hier raus.«

»Doch, das wirst du«, sagte ich. »Ganz bestimmt.« Und ich war fest davon überzeugt. Weil ich wusste, wenn Lori es nicht schaffte, aus Welch rauszukommen, dann ich auch nicht.

Am nächsten Tag ging ich zu G. C. Murphy und sah mir das Regal mit den Sparschweinen an. Sie waren alle aus Plastik oder Porzellan oder Glas, leicht zerbrechlich. Dann nahm ich ein paar abschließbare Metallschatullen in Augenschein. Die Scharniere waren zu schwach. Dad könnte sie mühelos aufbrechen. Stattdessen kaufte ich einen blauen Geldbeutel mit Schlaufe. Ich trug ihn ständig an einem Gürtel unter der Kleidung. Wenn er zu voll wurde, steckte ich das Geld in einen Socken, den ich in einem Loch in der Wand unter meinem Bett versteckte.

Wir fingen wieder an zu sparen, aber Lori war so niedergeschlagen, dass sie kaum Plakate malte. Das Geld kam also nicht schnell herein. Eine Woche vor Schulende hatten wir erst 37,20 Dollar im Socken. Dann sagte eine von den Frauen, für die ich babysittete, eine Lehrerin namens Mrs. Sanders, sie und ihre Familie würden zurück nach Iowa in ihre Heimatstadt ziehen, und sie fragte mich, ob ich nicht Lust hätte, die Sommerferien bei ihnen zu verbringen. Wenn ich ihr dort mit den beiden Kleinen helfen würde, würde sie mir anschließend zweihundert Dollar zahlen und eine Busfahrkarte zurück nach Welch spendieren.

Ich ließ mir das Angebot einen Moment durch den Kopf gehen. »Nehmen Sie Lori an meiner Stelle mit«, sagte ich. »Und kaufen Sie ihr anschließend eine Fahrkarte nach New York.«

Mrs. Sanders war einverstanden.

Am Morgen von Loris Abreise hingen tiefe blaugraue Wolken an den Gipfeln der Berge um Welch. Sie waren fast jeden Morgen dort, und als sie mir auffielen, wurde mir wieder mal bewusst, wie isoliert und vergessen die Stadt war, ein trauriger, verlorener Ort, hilflos hoch oben in den Wolken. Gegen Mittag, wenn die Sonne endlich über die steilen Hänge hervorlugte, war der Himmel meist klar, aber an manchen Tagen, wie an dem Tag, als Lori abfuhr, klebten die Wolken an den Bergen, und im Tal bildete sich ein feiner Dunst, der sich feucht auf Haare und Gesicht legte.

Als die Familie Sanders mit ihrem Kombi kam, war Lori startklar. Sie hatte ihre Anziehsachen, ihre Lieblingsbücher und ihre Kunstutensilien in einen einzigen Pappkarton gepackt. Sie umarmte uns alle bis auf Dad – sie hatte kein Wort mehr mit ihm gesprochen, seit er Oz geschlachtet hatte –, versprach zu schreiben und stieg in den Kombi ein.

Wir standen da und sahen dem Auto nach, als es die Little Hobart Street hinunterfuhr. Lori blickte kein einziges Mal zurück. Ich fasste das als ein gutes Zeichen auf. Als ich die Treppe zum Haus hochging, stand Dad auf der Veranda und rauchte eine Zigarette.

»Unsere Familie bricht auseinander«, sagte er.

»Worauf du dich verlassen kannst«, erwiderte ich.

ALS ICH IM HERBST DESSELBEN JAHRES in die zehnte Klasse kam, ernannte mich Miss Bivens zur Nachrichtenredakteurin der *Maroon Wave*. In der siebten war ich Korrekturleserin gewesen, in der achten hatte ich das Layout gemacht und in der neunten Klasse erste Artikel geschrieben und Fotos geschossen. Mom hatte sich eine Minolta gekauft, um von ihren Bildern Fotos zu machen, die sie Lori schicken wollte, damit die sie in New Yorker Galerien zeigen konnte. Wenn Mom die Minolta nicht brauchte, nahm ich sie überall mit hin, weil man nie wissen konnte, wann man auf etwas Berichtenswertes stieß. Das Gute an meinem Status als Reporterin war, dass es mir einen Vorwand verschaffte, überall aufzukreuzen, wo ich wollte. Da ich in Welch nicht viele Freunde hatte, ging ich so gut wie nie zu Football-Matches oder in Diskos oder zu irgendwelchen Kundgebungen. Ich kam mir allein immer komisch vor, wenn alle anderen mit Freunden zusammen waren. Aber als ich für die *Wave* arbeitete, hatte ich einen Grund, dabei zu sein. Ich hatte einen Auftrag, gehörte der Presse an, erschien mit meinem Notizblock in der Hand und der Minolta um den Hals.

Also ging ich zu fast jeder Freizeit- oder Sportveranstaltung an der Schule, und die Mitschüler, die mich bisher immer geschnitten hatten, akzeptierten mich jetzt und suchten manchmal sogar den Kontakt zu mir, indem sie sich in Pose stellten oder herumalberten, in der Hoffnung, dass ihr Bild in die Zeitung kam. Ich war jetzt jemand, der sie berühmt machen konnte, wenn er wollte, und mit dem man es sich besser nicht verscherzte.

Obwohl die *Wave* nur ein Mal im Monat erschien, arbeitete ich jeden Tag für die Zeitung. Ich versteckte mich in der Mittagspause nicht mehr auf dem Klo, sondern blieb in der Klasse, wo ich meine Artikel schrieb, die Artikel von anderen Schülern überarbeitete und die Buchstaben der Überschriften zählte, damit sie in die Spalten passten. Ich hatte endlich eine gute Ausrede, wenn ich gefragt wurde, warum ich mittags nicht in der Cafeteria aß. »Ich bin knapp dran mit einem Artikel«, sagte ich dann. Auch nach der Schule blieb ich länger, um in der Dunkelkammer meine Fotos zu entwickeln, und das hatte einen ungeahnten Vorteil. Ich konnte mich in die Küche der Cafeteria schleichen, wenn niemand mehr da war, und die Abfalleimer durchsuchen. Ich fand Großhandelsdosen Mais, die noch fast voll waren, und Riesenbehälter mit Krautsalat und Tapiokapudding. Ich brauchte von da an fast nie mehr hungern.

Als ich in die elfte Klasse kam, machte Miss Bivens mich zur Chefredakteurin, obwohl der Posten eigentlich für jemanden aus der zwölften gedacht war. Nur eine Hand voll Schüler und Schülerinnen wollte bei der *Wave* mitmachen, und so kam es, dass ich so viele Artikel selbst schrieb, dass ich die Verfasserangabe abschaffte; es sah ein bisschen albern aus, wenn mein Name vier Mal auf der ersten Seite auftauchte.

Die Zeitung kostete fünfzehn Cent, und ich verkaufte sie selbst. Ich ging von Klasse zu Klasse oder stand auf den Fluren, wo ich sie wie ein Zeitungsjunge verhökerte. Unsere Highschool hatte rund zwölfhundert Schüler, aber wir verkauften nur an die zweihundert Exemplare, und ich versuchte mit allen Tricks, die Auflage zu erhöhen: Ich veranstaltete Gedichtwettbewerbe, rief eine Mode-Rubrik ins Leben und schrieb polemische Leitartikel – einmal stellte ich Sinn und Zweck von Standardtests in Frage, was mir einen zornigen Brief von der Schulbehörde einbrachte. Es nutzte alles nichts.

Als ich eines Tages einen Schüler zum Kauf der *Wave* überreden wollte, sagte er, er könne mit der Zeitung nicht viel anfangen, da immer nur dieselben Namen darin auftauchten: die Sportler der Schule und die Cheerleader und eine Hand voll Schüler, die als Streber verschrien waren und sämtliche Auszeichnungen einheimsten. Also startete ich eine Rubrik, die ich »Geburtstagsecke« nannte, wo die Namen von den rund achtzig Schülerinnen und Schüler aufgelistet waren, die im kommenden Monat Geburtstag hatten. Die meisten von ihnen hatten noch nie in der Zeitung gestanden, und sie waren so aufgeregt, ihren Namen abgedruckt zu sehen, dass wir die ganze Auflage verkauften und sie bei der nächsten Ausgabe verdoppelten. Miss Bivens stellte sich laut die Frage, ob die Geburtstagsecke noch unter ernsthaften Journalismus fiel. Ich erwiderte, das sei mir egal – Hauptsache, das Blatt verkaufte sich.

In dem Jahr stattete Chuck Yeager der Highschool von Welch einen Besuch ab. Dad hatte mir schon so viel über Chuck Yeager erzählt. Er stammte aus West Virginia, wo er in Hamlin am Mud River im Lincoln County geboren wurde, er war Air-Force-Pilot im Zweiten Weltkrieg gewesen und hatte mit zweiundzwanzig schon dreizehn deutsche Flugzeuge abgeschossen. Dann wurde er Testpilot auf dem Air-Force-Stützpunkt Edwards in der kalifornischen Mojave-Wüste, und 1947 gelang es ihm mit seiner X-1 als erstem Piloten der Welt, die Schallmauer zu durchbrechen, obwohl er am Abend zuvor getrunken hatte und vom Pferd abgeworfen worden war und sich ein paar Rippen gebrochen hatte.

Dad würde niemals zugeben, dass er einen Helden hatte, aber der tollkühne, whiskeyliebende, kühl berechnende Chuck Yeager war der Mensch auf Erden, den er am meisten bewunderte. Als er hörte, dass Chuck Yeager an unserer Schule eine Rede halten und mir anschließend ein Interview geben würde, war Dad schier aus dem Häuschen. Am Tag vor dem großen Interview stand er mit Stift und Papier bewaffnet auf der Veranda und wartete auf mich, als ich aus der Schule kam. Dann half er mir, eine Liste mit intelligenten Fragen aufzustellen, damit ich mich bei dem bekanntesten Sohn von West Virginia nicht blamierte.

Was ging Ihnen durch den Kopf, als Sie zum ersten
Mal Mach 1 durchbrachen?
Was ging Ihnen durch den Kopf, als A. Scott Cross-
field Mach 2 durchbrach?
Welches ist Ihr Lieblingsflugzeug?
Halten Sie es für wahrscheinlich, dass irgendwann
mit Lichtgeschwindigkeit geflogen werden wird?

Dad schrieb fünfundzwanzig bis dreißig Fragen in der Art auf
und bestand dann darauf, das Interview mit mir zu proben. Er
spielte Chuck Yeager und antwortete mir ausführlich auf die
Fragen, die er notiert hatte. Sein Blick verschleierte sich ein
wenig, als er schilderte, wie es war, als er die Schallmauer
durchbrach. Dann meinte er, ich bräuchte eine gründliche Ein-
führung in die Geschichte der Luftfahrt, und belehrte mich bis
in die späten Abend hinein beim Licht einer Kerosinlampe
über das Testflugprogramm, über die Grundlagen der Aerody-
namik und den österreichischen Physiker Ernst Mach.

Am nächsten Tag stellte der Schulleiter Chuck Yeager der
versammelten Schülerschaft in der Aula vor. Der weltgrößte
Pilot ähnelte mit seinem wiegenden Gang und dem hageren,
ledrigen Gesicht eher einem Cowboy als einem Mann aus
West Virginia, doch als er das Wort ergriff, ließ seine Sprache
keinen Zweifel an seiner Herkunft aufkommen. Und als er
redete, hörten die zappeligen Schüler auf zu zappeln und
lauschten gebannt diesem legendären Mann, der die Welt gesehen hatte und uns erzählte, wie stolz er auf seine West-Vir-
ginia-Wurzeln war und dass auch wir auf diese Wurzeln stolz
sein sollten, auf unsere gemeinsamen Wurzeln, und dass wir,
ganz gleich, woher wir kamen, unseren Träumen folgen
könnten und sollten, genau wie er seinem Traum gefolgt war.
Am Ende seines Vortrags hätte der tosende Applaus beinahe
die Fensterscheiben zum Bersten gebracht.

Ich ging auf die Bühne, bevor die Schüler den Saal verließen. »Mr. Yeager«, sagte ich und streckte ihm die Hand hin,
»ich bin Jeannette Walls von der *Maroon Wave*.«

Chuck Yeager nahm meine Hand und grinste. »Schreib meinen Namen bloß richtig, Mädchen«, sagte er, »damit meine Verwandten auch wissen, über wen du schreibst.«

Wir setzten uns auf Klappstühle und unterhielten uns fast eine Stunde. Mr. Yeager nahm jede Frage ernst und benahm sich so, als hätte er alle Zeit der Welt für mich. Als ich verschiedene Flugzeuge erwähnte, die er geflogen hatte – die Informationen hatte ich von Dad –, grinste er wieder und sagte: »Alle Achtung, du bist ja eine richtige Fliegerexpertin.«

Anschließend kamen immer wieder Mitschüler zu mir und sagten, wie sehr sie mich beneideten. »Wie war er denn so?«, fragten sie. »Was hat er gesagt?« Die Schüler und auch die Lehrer behandelten mich mit einer Hochachtung, wie sie sonst nur die Sportasse der Schule genossen. Sogar der Quarterback unserer Football-Mannschaft nahm mich zur Kenntnis und nickte mir zu. Ich war die Schülerin, die doch tatsächlich mit Chuck Yeager gesprochen hatte.

Dad war so gespannt darauf, wie das Interview gelaufen war, dass er nicht nur zu Hause auf mich wartete, als ich von der Schule kam, sondern sogar nüchtern war.

Ich hatte bereits einen Aufmacher fertig formuliert im Kopf. Ich setzte mich an Moms Remington und tippte:

Die Seiten der Geschichtsbücher erwachten in diesem Monat zum Leben, als Chuck Yeager, der Mann, der als Erster die Schallmauer durchbrach, unsere Highschool besuchte.

Dad blickte mir über die Schulter, während ich schrieb. »So weit, so gut«, sagte er. Doch er bestand darauf, mir beim Rest des Artikels zu helfen, damit auch in technischer Hinsicht alles seine Richtigkeit hatte.

Lori schrieb regelmässig aus New York. Sie war begeistert. Sie wohnte in einem Frauenhotel in Greenwich Village, kellnerte in einem deutschen Restaurant und nahm Kunstkurse und sogar Fechtstunden. Sie hatte schon die verrücktesten Leute kennen gelernt, lauter Wahnsinnsgenies. Die Leute in New York waren so wild auf Kunst und Musik, sagte sie, dass Künstler auf den Bürgersteigen ihre Bilder verkauften, während gleich daneben ein Streichquartett Mozart spielte. Auch der Central Park war gar nicht so gefährlich, wie die Leute in West Virginia meinten. An jedem Wochenende wimmelte es dort nur so von Rollschuhläufern und Frisbee-Spielern, Jongleuren und Pantomimen mit weiß geschminkten Gesichtern. Sie wusste, dass ich es toll finden würde, wenn ich käme. Ich wusste es auch.

Seit ich in der elften Klasse war, zählte ich die Monate – zweiundzwanzig –, bis ich zu Lori konnte. Gleich nach meinem Schulabschluss würde ich nach New York ziehen, mich an einem College einschreiben und mir dann einen Job bei AP oder UPI beschaffen, den Nachrichtenagenturen, deren Meldungen in der Redaktion der *Welch Daily News* von den Fernschreibern ausgespuckt wurden, oder bei einer von den berühmten New Yorker Zeitungen. Manchmal bekam ich mit, wenn die Reporter bei den *Welch Daily News* Witze rissen über die eingebildeten Schreiberlinge, die für die Zeitungen arbeiteten. Ich war entschlossen, auch so einer zu werden.

Mitten im Schuljahr ging ich zu Miss Katona, der Vertrauenslehrerin, und bat sie um die Namen der Colleges in New York. Miss Katona hob die Brille, die sie an einer Kordel um den Hals baumeln hatte, und blickte mich durchdringend an. Das College Bluefield State sei nur sechsunddreißig Meilen entfernt, sagte sie, und mit meinen Noten würde ich bestimmt ein Vollstipendium erhalten.

»Ich möchte aber in New York studieren«, sagte ich.

Miss Katona zog verwirrt die Stirn kraus. »Wieso denn das?«, fragte sie.

»Ich möchte dort leben.«

Miss Katona sagte, das sei ihrer Ansicht nach eine schlechte Idee. Es wäre leichter, in dem Bundesstaat zu studieren, in dem man auf die Highschool gegangen war, erklärte sie. Als Bürger des jeweiligen Staates habe man bessere Chancen, aufgenommen zu werden, und auch die Studiengebühren seien niedriger.

Ich dachte kurz darüber nach. »Dann ist es vielleicht besser, wenn ich gleich nach New York gehe und dort meinen Highschool-Abschluss mache«, sagte ich. »Damit ich schon Bürgerin von New York bin.«

Miss Katona blickte mich aus zusammengekniffenen Augen an. »Aber du lebst hier«, sagte sie. »Du bist hier zu Hause.«

Miss Katona war eine feingliedrige Frau, die stets hochgeschlossene Pullover und feste Schuhe trug. Sie war in Welch auf der Highschool gewesen, und es war ihr anscheinend nie in den Sinn gekommen, woanders zu leben. Aus West Virginia, sogar aus Welch wegzuziehen wäre in ihren Augen undenkbar illoyal gewesen, als würde man die eigene Familie im Stich lassen.

»Nur weil ich jetzt hier lebe«, sagte ich, »heißt das doch nicht, dass ich nicht wegziehen kann.«

»Das wäre ein schrecklicher Fehler. Stell dir vor, was dir alles fehlen würde. Deine Familie und deine Freunde. Und die zwölfte Klasse ist der Höhepunkt deiner ganzen Schullaufbahn. Du würdest den Oberstufentag verpassen. Du würdest den Abschlussball verpassen.«

Nach der Schule ging ich langsam über die Old Road nach Hause und dachte darüber nach, was Miss Katona gesagt hatte. Es stimmte, viele Erwachsene schwärmten noch vom Oberstufenfest ihrer Highschool. Am Oberstufentag, eine Erfindung der Schule, damit die Jüngeren nicht das Handtuch warfen, zogen die Zwölftklässler witzige Klamotten an und schwänzten den Unterricht. Nicht gerade ein zwingender Grund, noch ein Jahr länger in Welch zu bleiben. Und was den Abschlussball betraf, standen meine Chancen, einen Jungen dafür zu finden, ungefähr genauso gut wie die von Dad, die Korruption in der Bergwerksgewerkschaft zu beenden.

Als ich zu Miss Katona gesagt hatte, ich sollte vielleicht besser ein Jahr früher nach New York gehen, war das rein hypothetisch gewesen. Doch auf einmal wurde mir klar, dass ich es ja einfach nur zu machen brauchte, wenn ich wollte. Vielleicht nicht gleich, nicht mitten im Schuljahr, aber sobald ich mit der elften Klasse fertig war. Dann wäre ich siebzehn. Mit Babysitten und Hausaufgabenmachen für andere Schüler hatte ich schon fast hundert Dollar gespart, was für den Anfang in New York reichen würde. Ich könnte Welch in weniger als fünf Monaten Lebewohl sagen.

Plötzlich war ich so aufgeregt, dass ich anfing zu rennen. Ich rannte immer schneller, die Old Road entlang, unter den kahlen Bäumen hindurch, dann zum Grand View und die Little Hobart Street hoch, vorbei an den bellenden Hofhunden und den mit Frost überzogenen Kohlenhaufen, vorbei am Haus der Noes und dem Haus der Scrotskys, dem Haus der Halls und dem Haus der Renkos, bis ich keuchend wie ein erschöpftes Rennpferd vor unserem Haus stehen blieb. Zum ersten Mal seit Jahren bemerkte ich wieder den halb fertigen gelben Anstrich. Ich hatte so viel Zeit und Mühe investiert, uns das Leben in Welch etwas zu verschönern, aber nichts hatte funktioniert.

Der Zustand unseres Hauses verschlimmerte sich immer mehr. Einer der Stützpfeiler hatte sich leicht verzogen. Die undichte Stelle im Dach über Brians Bett hatte sich deutlich vergrößert; bei Regen schlief Brian jetzt unter einem Schlauchboot, das Mom bei einem Preisausschreiben gewonnen hatte – sie hatte hundert Benson-&-Hedges-Packungen eingeschickt, die wir aus Mülleimern gefischt hatten. Wenn ich nicht mehr da war, könnte Brian mein Bett haben. Meine Entscheidung stand fest. Ich würde nach New York gehen, sobald das Schuljahr zu Ende war.

Ich stieg am Hang hoch zur Rückseite des Hauses – die Treppe war inzwischen völlig morsch – und kletterte durch das hintere Fenster, das wir als Tür benutzten. Dad saß am Zeichentisch und machte irgendwelche Berechnungen, Mom sah ihre Bilderstapel durch. Als ich ihnen von meinem New-York-Plan erzählte, drückte Dad seine Zigarette aus, stand auf und kletterte ohne ein Wort durch das Fenster nach draußen. Mom nickte und senkte den Blick, staubte dann eins ihrer Bilder ab und murmelte irgendwas vor sich hin.

»Und, was sagst du dazu?«

»Schön. Geh ruhig.«

»Was ist los?«

»Nichts. Du solltest das wirklich machen. Ein guter Plan.« Sie schien den Tränen nahe.

»Sei nicht traurig, Mom. Ich schreibe auch.«

»Ich bin nicht traurig, weil du mir fehlen wirst«, sagte Mom. »Ich bin traurig, weil du nach New York kannst und ich hier festsitze. Das ist nicht fair.«

Ich rief Lori an, und sie unterstützte meinen Plan. Ich könnte bei ihr wohnen, sagte sie, wenn ich jobben ging und was zu der Miete dazugab. Auch Brian fand meinen Plan gut, erst recht, als ich sagte, er könne mein Bett haben. Er machte mit näselnder Stimme Witze darüber, dass ich bald eine von diesen New Yorkerinnen werden würde, die sich in Pelze hüllten, den kleinen Finger abspreizten und die Nase hochtrugen. Er fing an, die Wochen zu zählen, bis ich ging, genau wie ich es bei Lori getan hatte. »In sechzehn Wochen bist du in

New York«, sagte er zum Beispiel. Und in der Woche darauf: »In drei Monaten und drei Wochen bist du in New York.«

Dad sprach kaum noch ein Wort mit mir, seit ich meine Entscheidung verkündet hatte. Dann, an einem Abend im Frühling, kam er in unser Zimmer, wo ich im Bett lag und lernte. Er hatte ein paar zusammengerollte Bögen Papier unter dem Arm.

»Hast du eine Sekunde Zeit?«, fragte er. »Ich will dir was zeigen.«

»Klar.«

Ich folgte ihm ins Wohnzimmer, wo er die Blätter auf dem Zeichenbrett ausbreitete. Es waren seine alten Entwürfe für das Schloss aus Glas, voller Flecken und mit Eselsohren. Ich konnte mich nicht erinnern, wann ich sie zuletzt gesehen hatte. Seit das Fundament, das wir ausgehoben hatten, zur Müllgrube gemacht worden war, hatten wir das Schloss nicht ein einziges Mal erwähnt.

»Ich glaube, ich hab endlich eine Lösung für das fehlende Sonnenlicht am Hang gefunden«, sagte Dad. Er wollte in die Solarzellen speziell gebogene Spiegel einbauen. Aber vor allen Dingen wollte er mit mir über mein Zimmer sprechen. »Jetzt, wo Lori nicht mehr da ist«, sagte er, »habe ich den Grundriss überarbeitet, und dein Zimmer wird erheblich größer.«

Dads Hände zitterten leicht, als er diverse Entwürfe entrollte. Er hatte Frontalansichten, Seitenansichten und Luftansichten vom Glasschloss gezeichnet. Er hatte Graphiken über den Verlauf von Stromkabeln und Wasserleitungen angefertigt. Er hatte die Zimmer von innen gezeichnet und sie gekennzeichnet und die jeweilige Größe bis auf den Zentimeter genau in seiner akkuraten, kantigen Handschrift notiert.

Ich blickte auf die Pläne.

»Dad«, sagte ich, »du wirst das Schloss aus Glas niemals bauen.«

»Soll das heißen, du hast kein Vertrauen in deinen alten Herrn?«

»Selbst wenn, ich werde nicht mehr da sein. In knapp drei Monaten gehe ich nach New York.«

»Ich hab nur gedacht, du musst ja nicht gleich gehen«, sagte Dad. Ich könnte doch meinen Schulabschluss in Welch machen und dann aufs College in Bluefield gehen, wie Miss Katona vorgeschlagen hatte, und danach bei der *Welch Daily News* anfangen. Er würde mir bei den Artikeln helfen, so wie er mir bei dem Interview mit Chuck Yeager geholfen hatte. »Und ich baue das Glasschloss, Ehrenwort. Und wir wohnen alle zusammen darin. Das ist doch um Klassen besser als jede Wohnung, die du je in New York findest, das garantier ich dir.«

»Dad«, sagte ich, »sobald ich die letzte Schulstunde in diesem Jahr hinter mir habe, steige ich in den nächsten Bus, der hier rausfährt. Wenn der Busverkehr bis dahin eingestellt sein sollte, fahr ich per Anhalter. Ich gehe auch zu Fuß, wenn es sein muss. Bau von mir aus das Glasschloss, aber nicht für mich.«

Dad rollte die Entwürfe zusammen und ging aus dem Zimmer. Gleich darauf hörte ich ihn den Hang hinunterlaufen.

Der Winter war mild gewesen, und es wurde früh Sommer in den Bergen. Schon Ende Mai standen die Tränenden Herzen und Rhododendronbüsche an den Hängen in voller Blüte, und der Duft von Geißblatt wehte in unser Haus. Noch vor Beginn der Ferien hatten wir die ersten richtig heißen Tage.

In den letzten zwei Wochen erlebte ich ein Wechselbad der Gefühle. Mal war ich völlig begeistert, dann nervös, daraufhin packte mich die nackte Panik, die gleich darauf wieder in Begeisterung umschlug, und das alles innerhalb weniger Minuten. Am letzten Schultag räumte ich meinen Spind leer und ging mich von Miss Bivens verabschieden.

»Ich bin ganz zuversichtlich, was dich angeht«, sagte sie. »Ich denke, du wirst in New York deinen Weg machen. Aber ich hab jetzt ein großes Problem. Wer soll nächstes Jahr bei der *Wave* deine Arbeit machen?«

»Sie finden bestimmt jemanden.«

»Ich hab schon daran gedacht, deinen Bruder zu fragen.«

»Dann denken die Leute vielleicht, die Familie Walls baut eine Dynastie auf.«

Miss Bivens schmunzelte. »Vielleicht ist da ja was dran.«

Abends machte Mom den Koffer leer, in dem sie ihre Sammlung Tanzschuhe aufbewahrte, und ich füllte ihn mit meinen Anziehsachen und dem Aktenordner mit meinen Ausgaben von der *Maroon Wave*. Ich wollte alles aus der Vergangenheit hinter mir lassen, sogar die guten Sachen, deshalb schenkte ich Maureen meine Geode. Der Stein war verstaubt und matt, aber ich sagte Maureen, wenn sie richtig fest dran rieb, würde er wie ein Diamant funkeln. Als ich die Holzkiste an der Wand neben meinem Bett leerte, sagte Brian: »Weißt du, was? In einem Tag bist du in New York.« Dann ahmte er Frank Sinatra nach, sang völlig schräg »New York, New York« und machte dabei seinen Cooler-Typ-Tanz.

»Klappe, du Blödmann!«, sagte ich und schlug ihm fest auf die Schulter.

»Selber Blödmann!«, sagte er und schlug mich ebenso fest. Wir tauschten noch ein paar Schläge mehr aus und blickten uns dann verlegen an.

Der einzige Bus, der von Welch abfuhr, ging morgens um sieben Uhr zehn. Ich musste vor sieben am Busbahnhof sein. Mom sagte, da sie von Natur aus keine Frühaufsteherin sei, würde sie nicht aufstehen, um sich von mir zu verabschieden. »Ich weiß, wie du aussiehst, und ich weiß, wie der Busbahnhof aussieht«, sagte sie. »Und große Abschiedsszenen sind mir zu sentimental.«

Ich machte in der Nacht kaum ein Auge zu. Brian auch nicht. Hin und wieder durchbrach er die Stille und verkündete, ich würde Welch in sieben Stunden verlassen, ich würde Welch in sechs Stunden verlassen, und wir prusteten beide los. Schließlich schlief ich ein, bis Brian, der genau wie Mom eigentlich kein Frühaufsteher war, mich im Morgengrauen weckte. »Jetzt wird's ernst«, sagte er. »In zwei Stunden bist du weg.«

Dad war in der Nacht nicht nach Hause gekommen, aber als ich mit meinem Koffer durch das hintere Fenster kletterte, sah ich ihn unten auf den Steinstufen sitzen und eine Zigarette rauchen. Er bestand darauf, meinen Koffer zu tragen, und wir gingen zusammen die Little Hobart Street hinunter.

Die menschenleeren Straßen waren feucht. Ab und zu blickte Dad mich an und zwinkerte, oder er schnalzte mit der Zunge, als ob ich ein Pferd wäre und er mich antreiben wollte. Anscheinend hatte er das Gefühl, etwas zu tun, was ein Vater tun sollte, nämlich seiner Tochter Mut machen, ihr ein wenig die Angst vor den Schrecken des Unbekannten nehmen.

Als wir am Busbahnhof waren, wandte Dad sich mir zu. »Schätzchen, das Leben in New York ist vielleicht nicht so einfach, wie du meinst«, sagte er.

»Ich komm schon klar«, erwiderte ich.

Dad griff in seine Tasche und holte sein Lieblingsklappmesser hervor, das geschwungene mit dem Horngriff und der Klinge aus bläulichem deutschem Stahl.

»Ich habe ein besseres Gefühl, wenn ich weiß, dass du das hier dabeihast.« Er drückte mir das Messer in die Hand.

Der Bus kam und hielt mit zischenden Bremsen vor dem Busbahnhof. Der Fahrer öffnete den Gepäckraum und schob meinen Koffer zu den anderen. Ich umarmte Dad. Als unsere Wangen sich berührten und ich seinen Geruch nach Tabak, Rasierwasser und Whiskey roch, merkte ich, dass er sich für mich rasiert hatte.

»Wenn es nicht so läuft, wie du dir das wünschst, kannst du jederzeit nach Hause kommen«, sagte er. »Ich bin für dich da. Das weißt du doch, oder?«

»Ja.« Ich wusste, dass er für mich da war, auf seine Art. Ich wusste auch, dass ich nie zurückkommen würde.

Im Bus saßen nur ein paar Fahrgäste, daher hatte ich einen schönen Platz am Fenster. Der Fahrer schloss die Tür, und wir fuhren ab. Ich hatte mir fest vorgenommen, mich nicht umzuschauen. Ich wollte nach vorn blicken, in die Richtung, in die ich fuhr, aber dann drehte ich mich doch um.

Dad steckte sich gerade eine Zigarette an. Ich winkte, und er winkte zurück. Dann schob er die Hände in die Taschen. Die Zigarette baumelte ihm vom Mund. Er stand da, mit leicht hängenden Schultern und gequältem Blick. Ich fragte mich, ob er gerade daran denken musste, wie er als Siebzehnjähriger aus Welch weggegangen war, voller Energie und genauso überzeugt wie ich jetzt, dass er nie wiederkommen würde. Ich fragte mich, ob er hoffte, dass seine Lieblingstochter wiederkam, oder ob er stattdessen hoffte, dass sie ihr Glück finden möge und anders als er nie wieder nach Hause zurückzukehren brauchte.

Ich steckte eine Hand in die Tasche und berührte den Horngriff des Klappmessers. Ich winkte erneut. Dad stand einfach da. Er wurde kleiner und kleiner, und dann bogen wir um eine Ecke, und er war verschwunden.

IV

NEW YORK

Es dämmerte schon, als ich in der Ferne, hinter einer Hügelkette, zum ersten Mal New York erahnen konnte. Ich sah nicht mehr als die Spitzen und die eckigen Dächer von Gebäuden. Und dann waren wir oben auf dem Kamm, und ich erblickte auf der anderen Seite eines breiten Flusses eine große Insel, auf der sich dicht an dicht Wolkenkratzer drängten, deren Scheiben in der untergehenden Sonne wie Feuer glühten.

Mein Herz raste, und meine Hände wurden feucht. Ich ging durch den Gang zur Toilette hinten im Bus und machte mich an dem Metallwaschbecken frisch. Ich inspizierte mein Gesicht im Spiegel und fragte mich, was die New Yorker wohl denken würden, wenn sie mich ansahen. Würden sie eine Landpomeranze sehen, ein großes, linkisches Mädchen, klapperdürr, mit vorstehenden Zähnen? Seit Jahren sagte Dad zu mir, ich hätte eine innere Schönheit. Die meisten Leute sahen die nicht. Auch ich hatte Mühe, sie zu sehen, aber Dad behauptete, er könnte sie ganz deutlich sehen, und das allein zählte. Und ich hoffte, wenn die New Yorker mich anblickten, würden sie das Gleiche sehen wie Dad, was immer das auch war.

Als der Bus am Busbahnhof hielt, holte ich meinen Koffer und ging ins Bahnhofsgebäude hinein. Ich stand in einem Strom vorbeihastender Menschen, sodass ich mir vorkam wie ein Stein in einem rauschenden Bach, und dann hörte ich jemanden meinen Namen rufen. Es war ein blasser Typ mit einer dicken schwarzen Brille, die seine Augen winzig wirken ließen. Er hieß Evan, und er war ein Freund von Lori. Sie musste arbeiten und hatte ihn gebeten, mich abzuholen. Evan bot an, meinen Koffer zu tragen, und ging mit mir hinaus auf die Straße, wo ein einziges lärmendes Chaos herrschte. Menschentrauben warteten dicht gedrängt an Fußgängerampeln, Autos stauten sich, und überall flog Papier herum. Ich folgte ihm mitten hinein.

An der ersten Querstraße setzte Evan meinen Koffer ab. »Ganz schön schwer«, sagte er. »Was hast du denn da drin?«

»Meine Kohlensammlung.«

Er blickte mich verständnislos an.

»War nur ein Scherz«, sagte ich und gab ihm einen Stups gegen die Schulter. Evan schaltete nicht gerade schnell, aber das fasste ich als gutes Zeichen auf. Es gab keinen Grund, automatisch vor dem Witz und dem Intellekt dieser New Yorker in Ehrfurcht zu erstarren.

Ich nahm meinen Koffer. Evan bestand nicht darauf, dass ich ihn ihm zurückgab. Ja, er wirkte geradezu erleichtert, dass ich mich nun damit abschleppte. Wir gingen weiter, und er warf mir andauernd Seitenblicke zu.

»Ihr Mädchen aus West Virginia seid ganz schön zäh«, sagte er.

»Das hast du richtig erkannt«, erwiderte ich.

Evan brachte mich zu einem deutschen Restaurant namens Zum Zum. Lori stand hinter der Theke, vier Bierkrüge in jeder Hand, die Haare zu zwei Knoten gebunden, und sprach mit einem starken deutschen Akzent, weil ihr das, wie sie mir später erklärte, mehr Trinkgeld einbrachte. Sie stellte mich den Männern an einem der Tische als ihre Schwester vor, und sie hoben ihre Bierkrüge und prosteten mir zu.

Da ich kein Wort Deutsch konnte, sagte ich: »Grazi!«

Sie lachten. Lori hatte erst die Hälfte ihrer Schicht hinter sich, also schaute ich mir ein wenig die Gegend an. Einige Male verlor ich die Orientierung und musste nach dem Weg fragen. In den letzten Monaten war ich mehrfach vor den unhöflichen New Yorkern gewarnt worden. Und da war was dran, wie ich nun selbst erfuhr. Wenn ich Leute auf der Straße ansprach, gingen viele einfach kopfschüttelnd weiter, und die, die stehen blieben, schauten dich zunächst gar nicht an. Sie blickten die Straße hinunter, mit verschlossener Miene. Aber sobald sie merkten, dass du ihnen nichts andrehen oder sie anbetteln wolltest, wurden sie augenblicklich freundlich. Sie blickten dir in die Augen und erklärten dir in aller Ruhe den Weg. Sie zeichneten dir notfalls sogar eine Karte. New Yorker, so begriff ich, taten nur so, als wären sie unfreundlich.

Später fuhren Lori und ich mit der U-Bahn nach Greenwich Village und gingen zum Evangeline, dem Frauenhotel, in dem sie wohnte. In der ersten Nacht wurde ich um drei Uhr wach und sah den Himmel leuchtend orange schimmern. Ich dachte, es gäbe irgendwo einen Großbrand, aber am Morgen klärte Lori mich auf. Der orangefarbene Schimmer, sagte sie, rühre daher, dass sich das Licht von den Straßen und den Gebäuden in der verschmutzten Luft breche. Der Nachthimmel habe hier immer diese Farbe, deshalb könne man in New York nie die Sterne sehen. Aber die Venus war kein Stern, und ich fragte mich, ob ich wenigstens die sehen konnte.

Gleich am nächsten Tag fand ich einen Job in einem Hamburger-Laden auf der Fourteenth Street. Abzüglich Steuern und Sozialversicherung verdiente ich über achtzig Dollar die Woche. Ich hatte mir so oft vorgestellt, wie es in New York sein würde, aber ich hätte nie gedacht, dass einem die Chancen geradezu in den Schoß fielen. Abgesehen davon, dass ich eine peinliche rot-gelbe Uniform mit passendem Schlapphut tragen musste, gefiel mir die Arbeit. Die Stoßzeiten mittags und abends waren immer aufregend. Dann bildeten sich an der Theke lange Schlangen, die Kassierer riefen Bestellungen über die Mikros, die Jungs am Grill schaufelten Hamburger auf das Förderband über den glühenden Grillstäben, und alle hetzten von der Beilagentheke zur Getränkestation und zum Infrarot-Pommes-Wärmer. Wenn Not am Mann war, sprang der Geschäftsführer immer mal wieder ein. Wir bekamen auf alle Speisen und Getränke zwanzig Prozent Rabatt, und in den ersten Wochen dort gönnte ich mir jeden Tag zum Lunch einen Cheeseburger und einen Schokoladen-Milchshake.

Das Evangeline war eine Übergangslösung für junge Frauen ohne feste Bleibe, und noch im Hochsommer suchte Lori uns eine erschwingliche Wohnung in einer bezahlbaren Gegend – in der South Bronx. Das gelbe Jugendstilhaus war früher sicherlich mal eine feine Adresse gewesen, aber jetzt war die Fassade mit Graffiti besprüht, und die gesprungenen Spiegel in der Eingangshalle wurden mit Isolierband zusammengehalten. Doch es hatte das, was Mom als kräftiges Rückgrat bezeichnete.

Unsere Wohnung war größer als das ganze Haus in der Little Hobart Street und wesentlich schicker. Sie hatte glänzendes Eichenparkett, einen kleinen Vorraum, das so genannte Foyer, von dem zwei Stufen nach unten ins Wohnzimmer führten, wo ich schlief, und seitlich in ein weiteres Zimmer, das Lori bekam. Wir hatten auch eine Küche mit einem funktionstüchtigen Kühlschrank und einem selbstzündenden Gasherd, für den man keine Streichhölzer brauchte. Wenn man an dem Schalter drehte, tickte es, und schon loderte die kreisrunde blaue Flamme durch die winzigen Löcher in dem Brenner auf. Doch am schönsten fand ich das Badezimmer. Es hatte einen schwarzweißen Fliesenboden, eine Toilette mit einer kräftig rauschenden Spülung, eine Wanne, in der man ganz untertauchen konnte, und heißes Wasser, das nie ausging.

Es störte mich nicht, dass wir in einem Viertel wohnten, wo es rau zuging – das kannte ich nicht anders. Junge Puerto Ricaner lungerten den ganzen Tag auf der Straße herum, spielten Musik, tanzten, hockten auf verlassenen Autos, lümmelten sich im Eingang zur hoch gelegenen U-Bahn-Station oder vor der Bodega, wo man Zigaretten einzeln kaufen konnte. Ich wurde einige Male überfallen. Falls jemand mich ausrauben wollte, so hatten mir die Leute immer wieder gesagt, sollte ich das Geld widerstandslos herausgeben, statt mein Leben aufs Spiel zu setzen. Aber ich dachte gar nicht daran, mein schwer verdientes Geld einfach so wegzugeben, und ich wollte mir in dem Viertel auch nicht den Ruf einhandeln, ein leichtes Opfer zu sein, also wehrte ich mich jedes Mal. Manchmal gewann ich, manchmal verlor ich. Die besten Chancen hatte ich, wenn ich einen klaren Kopf behielt. Einmal wollte ich gerade in die U-Bahn steigen, als ein Typ versuchte, mir meine Handtasche zu entreißen, aber ich hielt sie fest, und der Riemen riss. Der Bursche fiel auf den Bahnsteig, und als der Zug losfuhr, schaute ich durchs Fenster und winkte ihm spöttisch zu.

Im Herbst fand ich mit Loris Hilfe eine Schule, wo man keinen Unterricht hatte, sondern über die ganze Stadt verteilt Praktika machte. Eins meiner Praktika absolvierte ich beim *Phoenix*, einer Wochenzeitung, die in einem schäbigen Laden auf der Atlantic Avenue in Brooklyn, nicht weit von der alten ExLax-Fabrik, ihre Redaktion hatte. Der Besitzer, Verleger und Chefredakteur hieß Mike Armstrong. Er sah sich selbst als lästigen Zeitgenossen, der mit seinem Blatt Skandale aufdeckte, und hatte fünf Hypotheken auf sein Stadthaus aufgenommen, um den *Phoenix* am Leben zu halten. In der Redaktion schrieben alle auf mechanischen Schreibmaschinen mit abgenutzten Farbbändern und vergilbten Tasten. Das »E« auf meiner war kaputt, daher benutzte ich stattdessen das »@«. Wir hatten auch kein Schreibmaschinenpapier und schrieben auf weggeworfenen Pressemitteilungen, die wir aus dem Papierkorb fischten. Mindestens ein Mal im Monat platzte bei irgendeinem der Gehaltsscheck. Ständig kündigten Reporter beim *Phoenix*, weil sie die unmöglichen Zustände nicht mehr aushielten. Als Mr. Armstrong im Frühjahr mit einer Absolventin von einer Journalistenschule ein Vorstellungsgespräch führte, lief ihr plötzlich eine Maus über den Fuß, und sie kreischte auf. Nachdem sie gegangen war, blickte Mr. Armstrong mich an. Der Planfeststellungsausschuss für Brooklyn tagte am Nachmittag, und er hatte niemanden, der darüber berichtete. »Wenn Sie mich von jetzt an Mike statt Mr. Armstrong nennen«, sagte er, »können Sie den Job haben.«

Ich war gerade erst achtzehn geworden. Gleich am nächsten Tag kündigte ich in dem Hamburger-Laden und wurde Reporterin beim *Phoenix*. Ich war überglücklich. Ich arbeitete neunzig Stunden die Woche, mein Telefon klingelte ununterbrochen, ich hetzte von einem Termin zum nächsten, kuckte, um bloß nicht zu spät zu kommen, ständig auf meine Rolex, die ich für zehn Dollar auf der Straße gekauft hatte, hetzte zurück in die Redaktion, um meinen Artikel zu schreiben, und blieb dann bis vier Uhr morgens, um selbst noch den Satz zu machen, wenn der Setzer gekündigt hatte. Und ich brachte hundertfünfundzwanzig Dollar die Woche nach Hause. Falls der Scheck nicht platzte.

Ich schrieb Brian lange Briefe, in denen ich das süße Leben in New York schilderte. Er schrieb zurück und erzählte, dass zu Hause alles immer mehr den Bach runterging. Dad war ständig betrunken, wenn er nicht gerade in der Arrestzelle saß, Mom hatte sich völlig in ihre eigene Welt zurückgezogen, und Maureen lebte mehr oder weniger bei den Nachbarn. Die Decke in seinem Zimmer war eingestürzt, und Brian hatte sein Bett auf die Veranda gestellt. Er hatte Bretter an das Geländer genagelt, um Wände zu haben, aber auch da draußen regnete es ziemlich stark durch, sodass er noch immer unter dem Schlauchboot schlief.

Ich sagte zu Lori, ich fände es besser, wenn Brian auch nach New York käme und bei uns wohnte, und sie war einverstanden. Aber ich fürchtete, dass Brian lieber in Welch bleiben wollte. Er war einfach mehr ein Junge vom Lande als ein Stadtmensch. Er streifte gern im Wald herum, bastelte an einem alten Zweitaktmotor, hackte Holz oder schnitzte aus einem Stück einen Tierkopf. Er beklagte sich nie über Welch, und anders als ich hatte er viele Freunde dort. Dennoch dachte ich, es wäre langfristig in Brians Interesse, Welch den Rücken zu kehren, und ich stellte eine Liste mit Gründen zusammen, um ihm klar zu machen, warum er nach New York kommen sollte.

Ich rief ihn bei Grandpa an und unterbreitete ihm meine Argumente. Er bräuchte natürlich einen Job, um seinen Anteil an der Miete und den Lebensmitteln zu bezahlen, sagte ich, aber Jobs gäbe es in New York wie Sand am Meer. Er könnte bei mir im Zimmer schlafen – der Platz reichte dicke für ein zweites Bett –, das Klo hätte Wasserspülung, und die Decke wäre dicht.

Als ich fertig war, schwieg Brian einen Augenblick. Dann sagte er: »Wann kann ich frühestens kommen?«

Genau wie ich setzte Brian sich gleich am Morgen nach Abschluss der elften Klasse in den Bus. Am Tag nach seiner Ankunft in New York fand er einen Job in einer Eisdiele in Brooklyn, ganz in der Nähe vom *Phoenix*. Er sagte, Brooklyn gefalle ihm besser als Manhattan oder die Bronx. Er machte es sich zur Gewohnheit, mich nach Feierabend in der Redaktion abzuholen, auch wenn er manchmal bis drei oder vier Uhr morgens warten musste, damit wir zusammen mit der U-Bahn in die South Bronx fahren konnten. Er sagte es zwar nie, aber ich glaube, er dachte sich, dass wir, genau wie früher als Kinder, gemeinsam eine größere Chance hatten, mit der Welt fertig zu werden.

Da ich jetzt den Job beim *Phoenix* hatte, sah ich keinen Sinn mehr darin, aufs College zu gehen. Ein Studium war teuer und sollte mir schließlich nur den nötigen Abschluss verschaffen, um Journalistin zu werden. Aber ich war bereits Journalistin. Und was das Lernen anging, so dachte ich, brauchte man keinen College-Abschluss, um irgendwann zu den Menschen zu gehören, die Bescheid wussten. Wenn man Augen und Ohren offen hielt, konnte man vieles ganz allein rauskriegen. Wenn ich zum Beispiel mitbekam, dass jemand Begriffe verwendete, mit denen ich nichts anfangen konnte – koscher, Tammany Hall, Haute Couture –, recherchierte ich sie später. Ich notierte mir auch jiddische Ausdrücke, die Mike Armstrong benutzte, wie beispielsweise *kwetsch* und *schmatta*, und schlug sie nach. Einmal interviewte ich jemanden aus einer Bürgerinitiative, und er bezeichnete ein bestimmtes Arbeitsbeschaffungsprogramm als Rückfall in die Fortschrittsära. Ich hatte keinen Schimmer, was es mit der Fortschrittsära auf sich hatte, und sobald ich wieder im Büro war, nahm ich das Lexikon zur Hand. Mike Armstrong sah das und wollte wissen, was ich nachschlug, und als ich es ihm erklärte, fragte er, ob ich schon mal daran gedacht hätte zu studieren.

»Warum sollte ich diesen Job aufgeben, um zu studieren?«, fragte ich. »Sie beschäftigen doch Leute mit abgeschlossenem Studium, und die machen die gleiche Arbeit wie ich.«

»Auch wenn Sie's vielleicht nicht glauben«, sagte er, »aber es gibt bessere Jobs da draußen als den, den Sie hier haben. Vielleicht bekommen Sie ja eines Tages einen davon. Aber nicht ohne College-Abschluss.« Mike versprach mir, wenn ich aufs College ginge, könnte ich jederzeit wieder beim *Phoenix* anfangen. Aber, so fügte er hinzu, er glaubte nicht, dass ich das dann noch wollte.

Loris Freunde empfahlen mir die Columbia University, es sei die beste Hochschule in New York. Da die Columbia damals nur Männer aufnahm, bewarb ich mich am Barnard College, das der Columbia angegliedert war. Mit staatlichen Zuschüssen und Darlehen konnte ich den Großteil der Studiengebühren abdecken, die ganz schön happig waren, und ich hatte mir auch von meinem Gehalt bei *Phoenix* ein bisschen was zusammengespart. Aber um den Rest zu finanzieren, schuftete ich ein ganzes Jahr lang in der Telefonzentrale einer Wall-Street-Firma.

Als ich mit dem Studium anfing, konnte ich meinen Mietanteil nicht mehr bezahlen, aber ich lernte eine Psychologin kennen, die mir ein Zimmer in ihrer Wohnung auf der Upper West Side anbot, wenn ich dafür ab und zu auf ihre beiden kleinen Söhne aufpasste. Ich nahm an und jobbte am Wochenende in einer Kunstgalerie. Meine Seminare legte ich allesamt auf zwei Tage, sodass ich Zeit hatte, bei der Uni-Zeitung, dem *Barnard Bulletin*, als Nachrichtenredakteurin anzufangen. Doch damit hörte ich auf, als mich eine der größ-ten Zeitschriften der Stadt als Redaktionsassistentin für drei Tage in der Woche einstellte. Journalisten der Zeitschrift hat-ten Bücher veröffentlicht und über Kriege berichtet und Prä-sidenten interviewt. Ich war dafür zuständig, ihnen die Post nachzuschicken, für sie die Spesenabrechnung zu machen und in ihren Manuskripten die Wörter zu zählen. Ich hatte das Gefühl, dass ich am Ziel war.

Mom und Dad riefen ab und zu aus Grandpas Wohnung an und erzählten uns, was es zu Hause Neues gab. Mir graute ir-gendwann vor den Anrufen, da es jedes Mal ein neues Pro-blem gab: Ein Erdrutsch hatte die Treppe weggerissen; un-sere Nachbarn, die Freemans, hatten bei der Stadt beantragt, unser Haus für abbruchreif zu erklären; Maureen war von der Veranda gefallen und hatte sich den Kopf aufgeschlagen.

Als Lori das hörte, sagte sie, es sei an der Zeit, auch Mau-reen nach New York zu holen. Aber Maureen war erst zwölf, und ich fürchtete, dass sie noch zu jung war, um von zu Hause wegzugehen. Sie war vier gewesen, als wir nach West Virginia zogen, und sie kannte nichts anderes.

»Wer soll sich denn um sie kümmern?«, fragte ich.

»Ich«, sagte Lori. »Sie kann bei mir wohnen.«

Lori rief Maureen an, die vor Begeisterung kreischte, als sie von unserem Plan hörte, und dann sprach Lori mit Mom und Dad. Mom fand die Idee toll, aber Dad warf Lori vor, sie würde ihm seine Kinder stehlen, und erklärte, er würde sie enterben. Maureen traf Anfang des Winters ein. Brian war inzwischen in eine günstige Wohnung am Port Authority Bus Terminal gezo-gen, und wir gaben seine Adresse an, um Maureen in einer gu-ten Schule in Manhattan anzumelden. Am Wochenende trafen wir uns alle in Loris Wohnung. Wir brieten uns Schweinekote-letts oder kochten Riesenportionen Spaghetti mit Hackfleisch und unterhielten uns über Welch, und manchmal, wenn wir uns an all die verrückten Sachen erinnerten, mussten wir so heftig lachen, dass uns die Tränen kamen.

Eines Morgens, ich war mittlerweile seit drei Jahren in New York und machte mich gerade fertig, um zur Uni zu gehen, hörte ich, wie im Radio ein fürchterlicher Verkehrsstau auf dem New Jersey Turnpike gemeldet wurde. Ein Van hatte eine Panne gehabt, Kleidungsstücke und Möbel lagen verstreut auf der Straße herum, und die Autos stauten sich kilometerweit. Die Polizei war dabei, die Straße wieder freizuräumen, doch ein Hund war aus dem Wagen gesprungen und lief jetzt auf der Fahrbahn hin und her, während einige Officer versuchten, ihn einzufangen. Der Moderator schlachtete die Meldung weidlich aus und mokierte sich über die Provinzler, die mit ihren Klapperkisten und einem kläffenden Köter schuld daran waren, dass Tausende Pendler zu spät zur Arbeit kamen.

Am Abend rief die Psychologin mich ans Telefon.

»Jeannettielein!« Es war Mom. »Du wirst es nicht glauben«, sagte sie mit aufgeregter Stimme. »Dein Daddy und ich sind nach New York gezogen!«

Schlagartig fiel mir der Van ein, der am Morgen auf dem New Jersey Turnpike eine Panne gehabt hatte. Als ich Mom danach fragte, sagte sie, ja, sie und Dad hätten ein klitzekleines technisches Problem mit dem Wagen gehabt. Irgendein Riemen war gerissen, und das mitten im Berufsverkehr auf einem dicht befahrenen Highway, und Tinkle hatte es satt gehabt, im Auto eingesperrt zu sein, und war ausgebüchst, du kennst das ja, und die Polizei war gekommen, und Dad hatte sich mit denen angelegt, und sie hatten gedroht, ihn mit auf die Wache zu nehmen, und, Menschenskind, es war ein richtiges Chaos. »Woher weißt du das überhaupt?«

»Es ist im Radio gekommen.«

»Im Radio?«, fragte Mom. Sie konnte es nicht fassen. Bei allem, was heutzutage in der Welt passierte, war ein alter Van, der eine Panne hatte, eine Meldung wert? Aber in ihrer Stimme schwang heimliche Freude mit. »Wir sind kaum da und schon berühmt!«

Nach dem Telefonat mit Mom blickte ich mich in meinem Zimmer um. Es war das ehemalige Hausmädchenzimmer und ging von der Küche ab, und es war klein, mit einem schmalen Fenster und einem winzigen Bad. Aber es war meins. Ich hatte jetzt ein eigenes Zimmer, und ich hatte auch ein eigenes Leben, und in keinem von beiden war Platz für Mom und Dad.

Trotzdem, am nächsten Tag ging ich zu Lori, um die beiden zu begrüßen. Sie umarmten mich. Dad zog aus einer Papiertüte eine große Flasche Whiskey hervor, und Mom erzählte, was sie auf der langen Fahrt alles erlebt hatten. Am Vormittag hatten sie sich schon ein bisschen die Stadt angeschaut, und Dad erzählte von ihrer ersten Fahrt mit der U-Bahn, die er ein verdammtes Loch im Boden nannte. Mom sagte, die Art-déco-Wandbilder am Rockefeller Center wären enttäuschend und längst nicht so gut wie einige von ihren Bildern. Von uns Kindern trug kaum jemand etwas zu der Unterhaltung bei.

»Und was habt ihr jetzt vor?«, fragte Brian schließlich. »Zieht ihr nach New York?«

»Sind wir schon«, sagte Mom.

»Für länger?«, fragte ich.

»Na klar«, sagte Dad.

»Wieso?«, fragte ich. Die Frage entfuhr mir mit einem scharfen Unterton.

Dad blickte verwirrt, als läge die Antwort auf der Hand. »Damit wir wieder eine Familie sind«, sagte er. Er hob die Flasche. »Auf die Familie«, sagte er.

Mom und Dad suchten sich ein Zimmer in einer Pension nicht weit von Loris Wohnung. Die Vermieterin, eine Frau mit stahlgrauem Haar, half Mom und Dad beim Einzug, aber als die beiden einige Monate später mit der Miete in Rückstand gerieten, räumte sie ihre Habseligkeiten wieder auf die Straße und brachte an dem Zimmer ein Vorhängeschloss an. Daraufhin zogen Mom und Dad in eine sechsstöckige Absteige in einer noch heruntergekommeneren Gegend. Dort hielten sie ein paar Monate durch, doch als Dad mit einer brennenden Zigarette einschlief und einen Brand verursachte, landeten sie wieder auf der Straße. Brian meinte, wir müssten Mom und Dad zwingen, für sich selbst zu sorgen, sonst hätten wir sie für immer am Hals, und er weigerte sich, sie bei sich wohnen zu lassen. Lori jedoch, die mit Maureen von der South Bronx in die Nähe von Brian gezogen war, nahm sie vorübergehend bei sich auf. Nur für ein oder zwei Wochen, versicherten Mom und Dad, höchstens einen Monat, bis sie ein bisschen was beiseite gelegt und eine neue Bleibe gefunden hatten.

Aus dem einen Monat bei Lori wurden zwei und dann drei und dann vier. Jedes Mal, wenn ich vorbeischaute, war die Wohnung mit noch mehr Krempel voll gestopft. Mom hängte Bilder an die Wände, verstaute ihre Fundsachen von der Straße im Wohnzimmer und stellte die farbigen Flaschen ins Fenster wegen der Buntglaswirkung. Als sich der ganze Kram bis zur Decke türmte und im Wohnzimmer beim besten Willen kein Platz mehr war, breitete sich Mom auch in der Küche aus.

Aber am meisten litt Lori unter Dad. Er suchte sich keine feste Arbeit, ergatterte aber immer mit irgendwelchen rätselhaften Methoden etwas Taschengeld, kam spätabends betrunken nach Hause und suchte Streit. Brian sah, dass Lori kurz vor dem Durchdrehen war, und bot Dad an, bei ihm zu wohnen. Er schloss den Schrank mit den Alkoholika ab, aber Dad war noch keine Woche da, als Brian eines Abends nach Hause kam und sah, dass Dad die Scharniere der Schranktür abgeschraubt und sämtliche Flaschen leer getrunken hatte.

Brian fuhr nicht aus der Haut. Er sagte zu Dad, ihm sei klar, dass es ein Fehler gewesen sei, Alkohol in der Wohnung zu lassen. Er sagte weiter, Dad dürfe bleiben, aber er müsse sich an gewisse Regeln halten, und die erste lautete, keinen Tropfen Alkohol mehr, solange er da war. »Das ist deine Wohnung, und du hast hier das Sagen«, erwiderte Dad. »Aber eher fall ich tot um, als dass ich mir von meinem Sohn was vorschreiben lasse.« Er und Mom hatten noch immer den weißen Van, mit dem sie aus West Virginia gekommen waren, und Dad schlief fortan im Auto.

Lori hatte Mom inzwischen eine Frist gesetzt, die Wohnung zu entrümpeln. Aber die Frist verstrich und auch eine zweite und dann eine dritte. Außerdem kam Dad ständig vorbei, um Mom zu besuchen, aber irgendwann brüllten sie sich dann so laut an, dass die Nachbarn an die Wände klopften und Dad sich auch noch mit ihnen anlegte.

»Ich halt das nicht mehr aus«, sagte Lori eines Tages zu mir.

»Vielleicht solltest du Mom einfach vor die Tür setzen«, sagte ich, als sie schon über ein Jahr bei Lori wohnte.

»Aber sie ist meine Mutter.«

»Egal. Sie treibt dich in den Wahnsinn.«

Lori stimmte schließlich zu. Es kostete sie eine unendliche Überwindung, Mom zu sagen, dass sie ausziehen müsse, und sie bot ihr an, ihr so gut sie konnte zu helfen, etwas Neues zu finden, aber Mom beteuerte, sie käme schon allein klar.

»Lori hat genau das Richtige getan«, sagte sie zu mir. »Manchmal ist eine kleine Krise erforderlich, um das Adrenalin wieder in Schwung zu bringen, damit man seine Möglichkeiten erkennt.«

Mom und Tinkle zogen zu Dad in den Van. Sie wohnten ein paar Monate darin, doch eines Tages stellten sie das Auto im Parkverbot ab, und es wurde abgeschleppt. Da der Van nicht angemeldet war, bekamen sie ihn nicht zurück. In der Nacht schliefen sie auf einer Parkbank. Sie waren obdachlos.

Mᴏᴍ ᴜɴᴅ Dᴀᴅ ʀɪᴇꜰᴇɴ ʀᴇɢᴇʟᴍᴀ̈ꜱꜱɪɢ aus irgendeiner Telefonzelle an, um sich nach ihren Kindern zu erkundigen, und ein oder zwei Mal im Monat trafen wir uns alle bei Lori.

»Es ist eigentlich gar kein schlechtes Leben«, sagte Mom, als sie schon zwei Monate obdachlos waren.

»Macht euch um uns bloß keine Sorgen«, fügte Dad hinzu. »Wir haben uns schon immer irgendwie durchgeschlagen.«

Mom sagte, sie würden sich auch schon ganz gut auskennen. Sie hatten die verschiedenen Suppenküchen abgeklappert, die Qualität getestet und eine Lieblingsauswahl getroffen. Sie wussten, welche Kirchengemeinden Sandwiches verteilten und wann. Sie hatten die Stadtbüchereien mit guten Toiletten ausgekundschaftet, wo man sich die Zähne putzen und rasieren und gründlich waschen konnte – »Wir waschen uns bis möglichst weit unten und bis möglichst weit oben, aber möglichst waschen wir uns nicht«, wie Mom sich ausdrückte. Sie fischten Zeitungen aus Abfallkörben und suchten sich kostenlose Kulturveranstaltungen heraus. Sie gingen zu Theaterstücken, Opern und Konzerten in Parks, hörten sich Streichquartette und Klaviervorträge in Lobbys von großen Bürohäusern an, besuchten Filmvorführungen und Ausstellungen. Es war Anfang des Sommers, als sie obdachlos wurden, und seitdem schliefen sie auf Parkbänken und in den Büschen an Parkwegen. Manchmal wurden sie von einem Polizisten geweckt, der sie wegschickte, aber dann suchten sie sich einfach einen anderen Schlafplatz. Tagsüber versteckten sie ihr Bettzeug irgendwo im Gebüsch.

»Ihr könnt doch nicht einfach so leben«, sagte ich.

»Warum denn nicht?«, sagte Mom. »Obdachlos sein ist ein Abenteuer.«

Als der Herbst kam und die Tage kürzer und das Wetter kühler wurden, hielten Mom und Dad sich immer öfter in den Büchereien auf. Dort war es warm und gemütlich, und manche hatten bis zum späten Abend geöffnet. Mom arbeitete sich durch Balzacs Werk. Dad hatte Interesse an Chaostheorie gefunden und las die Fachzeitschriften *Los Alamos Science* und *Journal of Statistical Physics*. Er sagte, es habe bereits geholfen, er würde jetzt besser Poolbillard spielen.

»Was wollt ihr im Winter machen?«, fragte ich Mom.

Sie lächelte. »Der Winter ist eine meiner liebsten Jahreszeiten«, sagte sie.

Einerseits wollte ich mich so gut ich konnte um sie kümmern, und andererseits wollte ich sie bloß los sein. Die Kälte kam früh in diesem Jahr, und jedes Mal, wenn ich die Wohnung der Psychologin verließ, blickte ich unwillkürlich in die Gesichter der Obdachlosen, an denen ich vorbeikam, und fragte mich, ob sich einer von ihnen als Mom oder Dad entpuppen würde. Ich gab Obdachlosen meistens etwas Kleingeld, aber ich wurde das Gefühl nicht los, dass ich damit mein schlechtes Gewissen wegen Mom und Dad beruhigen wollte, weil sie durch die Straßen streiften, während ich eine feste Arbeit hatte und ein warmes Zimmer, das auf mich wartete.

Einmal ging ich mit einer Kommilitonin den Broadway entlang und gab einem jungen Obdachlosen ein paar Münzen. »Das solltest du lieber nicht tun«, sagte sie.

»Wieso?«

»Weil sie das bloß ermuntert«, sagte sie. »Das sind alles Trickbetrüger.«

Was weißt du denn schon?, hätte ich am liebsten gefragt. Ich war drauf und dran, ihr zu erzählen, dass meine Eltern auch auf der Straße lebten, dass sie keine Ahnung hatte, wie es war, wenn man ganz unten angekommen war, nicht mehr wusste, wohin, und nichts zu essen hatte. Aber dann hätte ich ihr erklären müssen, wer ich wirklich war, und das lag mir fern. Also beließ ich es dabei und verabschiedete mich an der nächsten Straßenecke von ihr.

Ich wusste, dass ich mich für Mom und Dad hätte stark machen müssen. Als Kind war ich ganz schön angriffslustig gewesen, und wir hatten einander nie im Stich gelassen, aber damals hatten wir eigentlich auch keine andere Wahl. Die Wahrheit war, dass ich es leid war, mich mit Leuten anzulegen, die uns wegen unserer Lebensweise verspotteten. Ich hatte einfach keine Energie mehr, Mom und Dad vor aller Welt zu verteidigen.

Aus diesem Grund bekannte ich mich auch Professor Fuchs gegenüber nicht zu meinen Eltern. Sie war eine meiner Lieblingsdozentinnen, eine kleine, dunkle, leidenschaftliche Frau mit Ringen unter den Augen, die Politikwissenschaft lehrte. In einem ihrer Seminare stellte Professor Fuchs einmal die Frage, ob Obdachlosigkeit die Folge von Drogenmissbrauch und fehlgeleiteten Sozialleistungen sei, wie die Konservativen behaupteten, oder ob sie, wie die Liberalen meinten, daher rühre, dass Sozialleistungen gekürzt wurden und es dem Staat nicht gelang, den Mittellosen berufliche Perspektiven zu eröffnen. Professor Fuchs rief mich auf.

Ich zögerte. »Ich denke, manchmal trifft weder das eine noch das andere zu«, sagte ich.

»Können Sie das näher erläutern?«

»Ich denke, dass die Menschen vielleicht manchmal das Leben bekommen, das sie haben wollen.«

»Meinen Sie, dass Obdachlose auf der Straße leben wollen?«, fragte Professor Fuchs. »Meinen Sie, sie wollen kein warmes Bett und kein Dach über dem Kopf?«

»Das nicht«, sagte ich. Ich suchte nach Worten. »Sie wollen das schon. Aber wenn einige von ihnen bereit wären, hart zu arbeiten und Kompromisse einzugehen, dann hätten sie zwar immer noch kein ideales Leben, doch sie kämen über die Runden.«

Professor Fuchs kam hinter ihrem Lesepult hervor. »Was wissen Sie denn über das Leben der Unterprivilegierten?«, fragte sie. Sie bebte förmlich vor Entrüstung. »Was wissen Sie denn von den Nöten und Hürden, mit denen die Unterschicht zu kämpfen hat?«

Die anderen Studenten blickten mich an.

»Da ist was dran«, sagte ich.

Im Januar wurde es so kalt, dass im Hudson River Eisbrocken so groß wie Autos trieben. An solchen Winterabenden füllten sich die Obdachlosenunterkünfte ziemlich schnell. Mom und Dad konnten diese Unterkünfte nicht ausstehen. Menschliche Jauchegruben nannte Dad sie, beschissene Wanzenlöcher. Mom und Dad schliefen lieber auf den Bänken in einer der Kirchen, die ihre Türen für Obdachlose öffneten, doch manchmal war jede Bank in jeder Kirche besetzt. Dann ging Dad doch ins Obdachlosenasyl, und Mom tauchte mit Tinkle bei Lori auf. In solchen Momenten zeigten sich Risse in ihrer heiteren Fassade, und sie fing an zu weinen und gestand Lori, dass das Leben auf der Straße manchmal hart war, richtig hart.

Eine Weile überlegte ich, mein Studium am Barnard College hinzuschmeißen, um ihnen zu helfen. Es kam mir unerträglich egoistisch und schlicht falsch vor, dass ich mir den Luxus eines geisteswissenschaftlichen Studiums an einem teuren Privat-College gönnte, während Mom und Dad auf der Straße lebten. Aber Lori überzeugte mich davon, dass der Abbruch des Studiums eine hirnrissige Idee war. Es würde nichts bringen, sagte sie, und außerdem würde es Dad das Herz brechen. Er war ungeheuer stolz, dass eine seiner Töchter aufs College ging, noch dazu auf ein Elite-College, und jedes Mal, wenn er neue Leute kennen lernte, schaffte er es, ihnen die Information nach nur wenigen Minuten unterzujubeln.

Mom und Dad, so meinte Brian, hatten noch andere Möglichkeiten. Sie könnten zurück nach West Virginia oder Phoenix gehen. Mom könnte arbeiten. Und sie war nicht mittellos.

Sie hatte ihre Sammlung alten indianischen Schmucks. Sie hatte einen zweikarätigen Diamantring, den, den Brian und ich unter dem verrotteten Baumstamm in Welch gefunden hatten und den sie auch dann trug, wenn sie auf der Straße schlief. Sie hatte noch immer das Haus in Phoenix, und sie hatte das Stück Land in Texas, das sie von ihrer Mutter geerbt hatte und das ihr einen regelmäßigen Scheck von der Ölfirma einbrachte.

Brian hatte Recht. Mom hatte tatsächlich Alternativen, und ich traf mich mit ihr in einem Café, um mit ihr darüber zu sprechen. Als Erstes machte ich den Vorschlag, dass sie sich eine Bleibe suchte, vielleicht so ein Arrangement, wie ich es hatte: ein Zimmer in der schönen Wohnung von jemandem, für den sie dann die Kinder hütete oder sich um alte Familienangehörige kümmerte.

»Ich hab mich mein Leben lang um andere gekümmert«, sagte Mom. »Jetzt bin ich mal dran.«

»Aber du kümmerst dich doch gar nicht um dich.«

»Können wir nicht über was anderes reden?«, fragte Mom. »Ich hab in letzter Zeit ein paar schöne Filme gesehen. Können wir nicht über die Filme reden?«

Ich schlug Mom vor, sie solle ihren indianischen Schmuck verkaufen. Sie wollte nichts davon hören. Sie liebte den Schmuck über alles. Außerdem waren es Erbstücke und hatten für sie einen Erinnerungswert.

Ich erwähnte das Stück Land in Texas.

»Das Land gehört der Familie seit Generationen«, sagte Mom, »und es bleibt in der Familie. So ein Stück Land verkauft man nicht.«

Ich fragte nach dem Haus in Phoenix.

»Das ist meine Notreserve für schlechte Zeiten.«

»Mom, die Zeiten sind hundsmiserabel.«

»Es sind nicht die besten Zeiten, zugegeben«, sagte sie, »aber es könnte noch schlimmer kommen.« Sie nippte an ihrem Tee. »Es wird schon alles gut gehen.«

»Und was, wenn nicht?«

»Das hieße nur, dass man noch nicht am Ende angekommen ist.«

Sie lächelte mich an, wie man Leute anlächelt, wenn man weiß, dass man auf all ihre Fragen eine Antwort hat. Und so redeten wir über Filme.

Mᴏᴍ ᴜɴᴅ Dᴀᴅ ʜᴀᴛᴛᴇɴ ᴅᴇɴ Wɪɴᴛᴇʀ ᴜ̈ʙᴇʀʟᴇʙᴛ, aber jedes Mal, wenn ich sie traf, sahen sie heruntergekommener aus: schmutziger, ramponierter, die Haare verfilzter.

»Mach dir keine Sorgen«, sagte Dad. »Hast du schon mal erlebt, dass dein alter Herr mit irgendeiner Situation nicht klargekommen ist?«

Ich redete mir immer wieder ein, dass Dad Recht hatte, sie konnten auf sich selbst und aufeinander aufpassen, aber dann rief Mom mich im Frühling an und sagte, Dad läge mit Tuberkulose im Krankenhaus.

Dad war so gut wie nie krank. Er wurde zwar ständig zusammengeschlagen, erholte sich dann aber rasch wieder, als könnte ihm nichts wirklich was anhaben, und tief in mir drin glaubte ich noch immer all die Geschichten, die er uns früher von seiner Unbesiegbarkeit erzählt hatte. Dad hatte sich jeden Besuch verbeten, aber Mom sagte, er würde sich bestimmt freuen, wenn ich vorbeischaute.

Im Krankenhaus musste ich warten, bis eine Krankenschwester ihm gesagt hatte, dass er Besuch hatte. Ich stellte mir Dad unter einem Sauerstoffzelt vor oder wie er Blut in ein weißes Taschentuch hustete, doch kurz darauf kam er mit schnellen Schritten den Flur hinunter. Er war blasser und hagerer als sonst, aber obwohl er all die Jahre mit seiner Gesundheit Schindluder getrieben hatte, war er nur wenig gealtert. Er hatte noch immer volles tiefschwarzes Haar, und seine dunklen Augen funkelten über dem Papiermundschutz, den er trug.

Er wollte nicht, dass ich ihn umarme. »Gott, Schätzchen, bleib schön auf Abstand«, sagte er. »Du bist zwar ein Lichtblick für meine trüben Augen, aber ich will nicht, dass du dir diesen bescheuerten Bazillus einfängst.«

Dad ging mit mir zurück auf die TB-Station und stellte mich seinen Freunden vor. »Ob ihr's glaubt oder nicht, der alte Rex Walls hat wahrhaftig was zustande gebracht, worauf er sich was einbilden kann, und hier ist sie«, sagte er zu ihnen. Dann musste er husten.

»Dad, wirst du wieder gesund?«, fragte ich.

»Hier kommt keiner von uns lebend raus, Schätzchen«, sagte Dad. Den Spruch benutzte er häufig, und jetzt schien er daraus eine besondere Genugtuung zu ziehen.

Dad führte mich zu seinem Bett. Daneben lag ein ordentlicher Stapel Bücher. Er sagte, seine TB-Infektion hätte ihn ins Grübeln gebracht über Sterblichkeit und das Wesen des Kosmos. Er wäre stocknüchtern, seit er im Krankenhaus lag, sagte er, und er hätte noch einiges mehr über die Chaostheorie gelesen, vor allem über die Arbeit von Mitchell Feigenbaum, einem Physiker in Los Alamos, der den Übergang von Ordnung in Turbulenz untersucht hatte. Dad meinte, der Teufel solle ihn holen, wenn Feigenbaum nicht ziemlich überzeugend nachgewiesen hätte, dass Turbulenz nicht willkürlich ist, sondern ein regelmäßiges Spektrum von unterschiedlichen Frequenzen aufweist. Wenn jede Handlung im Universum, die wir für willkürlich hielten, in Wahrheit einem rationalen Muster entsprach, sagte Dad, dann implizierte das die Existenz eines göttlichen Schöpfers, und er wäre dabei, seine atheistische Überzeugung zu überdenken. »Ich mein damit nicht, dass da oben in den Wolken ein bärtiger alter Kauz namens Jahwe hockt, der entscheidet, welche Football-Mannschaft den Super Bowl gewinnt«, sagte Dad. »Aber wenn die Physik – die Quantenphysik – behauptet, dass Gott existiert, bin ich durchaus gewillt, mich der Ansicht anzuschließen.«

Dad zeigte mir ein paar von seinen Berechnungen, an denen er arbeitete. Er sah, wie ich auf seine zitternden Finger blickte, und hielt sie hoch. »Alkoholmangel oder Gottesfurcht – keine Ahnung, was die Ursache ist«, sagte er. »Vielleicht beides.«

»Versprich mir, dass du hier bleibst, bis es dir wieder besser geht«, sagte ich. »Ich möchte nicht, dass du türmst.«

Dad brach in lautes Lachen aus, das in einen weiteren Hustenanfall mündete.

Dad blieb sechs Wochen im Krankenhaus. Inzwischen hatte er nicht nur die Tuberkulose erfolgreich bekämpft, sondern er war auch länger nüchtern, als er es seit seinem Entzug in Phoenix je wieder gewesen war. Er wusste, dass er rückfällig werden würde, wenn er zurück auf die Straße ging. Jemand aus der Krankenhausverwaltung verschaffte ihm einen Job als Hausmeister in einem Hotel im Norden des Staates New York, Unterkunft und Verpflegung inklusive. Er versuchte, Mom zu überreden mitzukommen, aber sie lehnte rundweg ab. »Was soll ich am Arsch der Welt?«, sagte sie.

Also fuhr Dad allein. Er rief mich ab und zu an, und es klang für mich so, als wäre er mit seinem neuen Leben zufrieden. Er hatte eine Einzimmerwohnung über einer Garage, seine Arbeit machte ihm Spaß – er war für Reparaturen und die Instandhaltung der alten Lodge zuständig –, genoss es, in wenigen Gehminuten in der freien Natur zu sein, und er rührte keinen Tropfen an. Dad arbeitete den ganzen Sommer hindurch und bis in den Herbst hinein in dem Hotel. Als es wieder kalt wurde, rief Mom ihn an und sagte, dass es für zwei Leute doch wesentlich einfacher sei, sich im Winter warm zu halten, und dass der Hund ihn vermissen würde. Im November, nach dem ersten harten Frost, rief Brian mich an und sagte, Mom hätte es endlich geschafft, Dad zu überreden, dass er seinen Job kündigte und zurückkam.

»Meinst du, er bleibt weiter trocken?«, fragte ich.

»Er hängt schon wieder an der Flasche«, sagte Brian.

Ein paar Wochen nach seiner Rückkehr traf ich Dad bei Lori. Er saß auf dem Sofa, hatte einen Arm um Mom gelegt und in der Hand eine Flasche Whiskey. »Was mach ich nur mit eurer bescheuerten Mutter?«, sagte er lachend. »Ich kann nicht mit ihr leben, ich kann nicht ohne sie leben. Und das Schlimme ist, ihr geht's mit mir genauso.«

Mittlerweile hatten wir alle unser eigenes Leben. Ich war auf dem College, Lori arbeitete als Illustratorin bei einem Comic-Verlag, Maureen lebte bei ihr und ging auf die Highschool. Brian, der schon immer zur Polizei wollte, seit er einmal einen Polizisten zu unserem Haus in Phoenix gerufen hatte, um einen Streit zwischen Mom und Dad zu schlichten, war Vorarbeiter in einem Lagerhaus und nebenbei als Hilfspolizist tätig, bis er alt genug war, um die Prüfung für den Polizeidienst abzulegen.

Mom schlug vor, wir sollten alle zusammen Weihnachten in Loris Wohnung feiern. Für Mom kaufte ich ein antikes Silberkreuz, aber für Dad ein Geschenk zu finden war wesentlich schwerer. Es sah ganz nach einem weiteren harten Winter aus, und da Dad selbst bei eisiger Kälte nur seine Bomberjacke trug, beschloss ich, ihm was Warmes zum Anziehen zu schenken. In einem Militärzubehörladen kaufte ich Flanellhemden, Thermounterwäsche, dicke Wollsocken, eine blaue Arbeitshose, wie sie Automechaniker trugen, und ein neues Paar Stahlkappenschuhe.

Lori schmückte ihre Wohnung mit bunten Lämpchen, Tannenzweigen und Papierengeln, Brian machte Eierflip, und Dad, der sich von seiner besten Seite zeigen wollte, ließ sich erst hoch und heilig versichern, dass auch kein Alkohol drin war, ehe er ein Glas annahm. Mom verteilte ihre Geschenke, die alle in Zeitungspapier eingepackt und mit Paketkordel zugebunden waren. Lori bekam eine gesprungene Lampe, die vielleicht mal eine Tiffany-Lampe war, Maureen eine alte Porzellanpuppe, die fast alle Haare verloren hatte, Brian ein Medizinlexikon mit kaputtem Einband. Mein Geschenk war ein orangefarbener Pullover mit rundem Ausschnitt. Er hatte ein paar Flecken, war aber, wie Mom beteuerte, aus echter Shetland-Wolle.

Als ich Dad meinen Stapel liebevoll verpackter Geschenk-kartons gab, protestiere er, dass er nichts brauche und nichts wolle. »Na los«, sagte ich. »Nun pack schon aus.«

Ich sah zu, wie er vorsichtig das Geschenkpapier entfernte. Er hob die Deckel und blickte auf die gefalteten Kleidungs-stücke. Sein Gesicht nahm den gekränkten Ausdruck an, den er immer aufsetzte, wenn die Welt ihn zwang, Farbe zu be-kennen. »Du musst dich ja für deinen alten Herrn ganz schön schämen«, sagte er.

»Wie kommst du denn darauf?«, fragte ich.

»Du hältst mich wohl für einen verdammten Sozialfall.«

Dad stand auf und zog seine Bomberjacke an. Er vermied es, irgendeinem von uns in die Augen zu blicken.

»Wohin gehst du?«, fragte ich.

Dad schlug bloß seinen Kragen hoch und verließ die Woh-nung. Ich lauschte auf das Geräusch seiner Schritte, als er die Treppe hinunterging.

»Was hab ich denn angestellt?«

»Sieh es mal aus seiner Sicht«, sagte Mom. »Du kaufst ihm all die hübschen Sachen, und er hat für dich nichts anderes als Gerümpel von der Straße. Er ist der Vater. Eigentlich müsste er sich um *dich* kümmern.«

Im Zimmer herrschte eine Weile Schweigen. »Dann willst du deine Geschenke wohl auch nicht«, sagte ich zu Mom.

»Oh, doch«, sagte sie. »Ich lass mich furchtbar gern be-schenken.«

Im Sommer darauf fing für Mom und Dad ihr drittes Jahr auf der Straße an. Inzwischen hatten sie sich mit diesem Leben arrangiert, und auch ich fand mich allmählich damit ab, dass die Dinge so bleiben würden, ob es mir nun gefiel oder nicht. »Die Stadtverwaltung ist mit dran schuld«, sagte Mom zu mir. »Die machen es einem so leicht, obdachlos zu sein. Wenn es wirklich unerträglich wäre, würden wir was anderes machen.«

Im August rief Dad mich an, um mit mir die Veranstaltungen durchzusprechen, die ich mir für das Herbstsemester ausgesucht hatte. Er wollte auch über ein paar von den Büchern auf den Lektürelisten sprechen. Seit ich studierte, ließ er sich von mir die Titel der Bücher nennen, die ich lesen musste, und kuckte nach, ob sie in der Stadtbücherei waren. Er lese sie alle, sagte er, damit er mir sämtliche Fragen beantworten könnte, falls ich welche hätte. Aber Mom meinte, das wäre seine Art, mit mir zusammen ein Studium zu machen.

Als er nach den Seminaren fragte, die ich belegen wollte, sagte ich: »Ich überlege aufzuhören.«

»Kommt gar nicht in die Tüte«, sagte Dad.

Ich erklärte ihm, dass die Studiengebühren zwar größtenteils durch Zuschüsse und Darlehen und Stipendien abgedeckt wurden, aber ich musste noch zweitausend Dollar im Jahr selbst zuschießen. Ich hatte im Sommer aber bloß tausend Dollar sparen können. Ich brauchte noch mal tausend und wusste nicht, wo ich die hernehmen sollte.

»Warum hast du nicht früher was gesagt?«, fragte Dad.

Eine Woche später rief er an und verabredete sich mit mir bei Lori. Als er zusammen mit Mom kam, hatte er eine große

Plastikmülltüte in der Hand und eine kleine Papiertüte unter den Arm geklemmt. Ich vermutete eine Flasche Whiskey darin, aber dann öffnete Dad die Tüte und kippte sie aus. Hunderte von Dollarnoten – Einer, Fünfer, Zehner, Zwanziger, alle zerknittert und eingerissen – fielen mir in den Schoß.

»Das sind neunhundertfünfzig Piepen«, sagte Dad. Er leerte die Plastiktüte, und ein Pelzmantel purzelte heraus. »Das ist ein Nerz. Dafür kriegst du im Pfandhaus mindestens fünfzig Mäuse.«

Ich starrte auf den Haufen Dollars. »Wo hast du das viele Geld her?«, fragte ich schließlich.

»In New York wimmelt es nur so von Pokerspielern, die dumm wie Bohnenstroh sind.«

»Dad«, sagte ich. »Ihr zwei braucht das Geld doch dringender als ich.«

»Es gehört dir«, sagte Dad. »Seit wann ist es falsch, wenn ein Vater für sein kleines Mädchen sorgt?«

»Aber das kann ich nicht annehmen.« Ich blickte Mom an.

Sie setzte sich neben mich und tätschelte mein Bein. »Ich fand schon immer, dass eine gute Ausbildung wichtig ist«, sagte sie.

Und so bezahlte ich meinen Anteil der Gebühren für mein letztes Studienjahr mit Dads zerknitterten Scheinen.

Einen Monat später rief Mom mich an. Sie sprach so aufgeregt, dass sich ihre Worte überschlugen. Jetzt erzählte sie mir, dass sie und Dad wieder ein Dach über dem Kopf hatten. Ihr neues Zuhause, sagte Mom, war ein leer stehendes Gebäude auf der Lower East Side. »Es ist ein bisschen runtergekommen«, räumte sie ein. »Aber es braucht bloß etwas liebevolle Pflege. Und das Allerbeste, wir wohnen umsonst.«

Es zogen auch noch andere Leute in die leer stehenden Häuser dort, sagte sie, und die wurden Hausbesetzer genannt. »Dein Vater und ich sind Pioniere«, sagte Mom. »Genau wie mein Ururgroßvater, der mitgeholfen hat, den Wilden Westen zu erobern.«

Ein paar Wochen später rief Mom wieder an und sagte, ihre Wohnung bräuchte zwar noch ein paar letzte Kleinigkeiten – zum Beispiel eine Eingangstür –, aber sie und Dad empfingen bereits offiziell Besuch. Also fuhr ich an einem Tag im späten Frühling mit der U-Bahn zum Astor Place und ging von dort weiter in östlicher Richtung. Mom und Dads Wohnung lag in einem sechsstöckigen Haus. Die Fenster im Erdgeschoss waren mit Brettern vernagelt. Die Haustür hatte dort, wo normalerweise das Schloss und der Knauf sitzen, lediglich ein Loch. Im Flur hing eine einsame nackte Glühbirne an einem Draht von der Decke. Von den Wänden bröckelte an manchen Stellen der Putz, sodass die Stromleitungen und Rohre frei lagen. Im zweiten Stock klopfte ich an die Tür von Mom und Dads Wohnung und hörte Dads gedämpfte Stimme. Die Tür öffnete sich daraufhin nicht nach innen, sondern an beiden Seiten tauchten Finger auf und hoben sie ganz aus dem Rahmen. Und dann stand Dad vor mir, strahlte übers ganze Gesicht und drückte mich, während er erklärte, er müsse noch die Scharniere anbringen, aber die Tür hätte er erst vor kurzem im Keller eines anderen leer stehenden Hauses aufgestöbert.

Mom kam angelaufen und grinste so breit, dass ihre Backenzähne zu sehen waren, und umarmte mich herzhaft. Dad scheuchte eine Katze von einem Stuhl – sie hatten bereits ein paar streunende Katzen aufgenommen – und bot mir einen Platz an. Der Raum war voll gestopft mit kaputten Möbeln, Kleiderbündeln, Bücherstapeln und Moms Malsachen. Vier oder fünf elektrische Heizöfchen bliesen vor sich hin. Mom sagte, Dad habe jede besetzte Wohnung im Haus an ein Kabel angeschlossen, mit dem er einen Strommast auf der Straße angezapft hatte. »Dank deinem Vater ist auch der Strom umsonst«, sagte Mom. »Ohne ihn könnte keiner hier im Haus überleben.«

Dad lachte bescheiden in sich hinein. Er sagte, das Ganze sei knifflig gewesen, weil die Elektroinstallationen im Haus uralt seien. »So was hab ich noch nie gesehen«, sagte er. »Die Schaltpläne waren bestimmt noch in Hieroglyphen geschrieben.«

Ich schaute mich um, und plötzlich fiel mir auf, dass es in dieser besetzten Wohnung an der Lower East Side ganz ähnlich aussah wie in dem Haus in der Little Hobart Street, man musste nur die Heizöfchen durch einen Kohleofen ersetzen. Ich war einmal aus Welch geflüchtet, und jetzt, als ich die altvertrauten Gerüche einatmete – Terpentin, Hundefell und schmutzige Wäsche, schales Bier, Zigarettenqualm und ungekühlte Lebensmittel, die langsam verrotten –, hätte ich am liebsten Reißaus genommen. Aber Mom und Dad waren sichtlich stolz auf ihre vier Wände, und während sie mir von den anderen Hausbesetzern und ihren neuen Freunden in der Nachbarschaft und dem gemeinsamen Kampf gegen das städtische Wohnungsamt erzählten – wobei sie sich vor lauter Begeisterung immer wieder gegenseitig ins Wort fielen, um irgendetwas richtig zu stellen und Lücken zu füllen –, begriff ich, dass sie hier auf eine ganze Gemeinschaft von Gleichgesinnten gestoßen waren, auf Menschen, die wie sie ein wildes Leben führten und sich gegen Bürokraten wehrten und die es gar nicht anders haben wollten. Nachdem sie so viele Jahre wie die Nomaden umhergestreift waren, hatten sie ein Zuhause gefunden.

Im selben Frühjahr machte ich am Barnard College mein Examen. Brian kam zu der Abschlussfeier, aber Lori und Maureen mussten arbeiten, und Mom sagte, es würden sowieso nur langweilige Reden über den beschwerlichen Weg des Lebens gehalten. Ich hätte Dad gern dabeigehabt, fürchtete aber, dass er betrunken zu der Feier auftauchen und den Festredner mit kritischen Einwänden unterbrechen könnte.

»Das kann ich einfach nicht riskieren, Dad«, sagte ich zu ihm.

»Dann eben nicht«, sagte er. »Ich muss nicht unbedingt sehen, wie meine Bergziege das Zeugnis überreicht bekommt, ich weiß auch so, dass sie ihren Abschluss in der Tasche hat.«

Die Zeitschrift, für die ich drei Tage in der Woche arbeitete, hatte mir eine volle Stelle angeboten. Jetzt brauchte ich auch eine richtige Wohnung. Seit einiger Zeit war ich mit einem Mann namens Eric zusammen, einem Freund von Loris exzentrisch genialen Freunden. Er stammte aus einer wohlhabenden Familie, hatte ein kleines Unternehmen und lebte allein in einer Wohnung auf der Park Avenue. Er war ein nüchtern denkender, fast obsessiv methodischer Mensch, der seinen Terminkalender akribisch führte und ohne Ende Baseball-Statistiken aufsagen konnte. Aber er war anständig und verantwortungsbewusst, spielte nie um Geld, verlor nie die Beherrschung und zahlte stets pünktlich seine Rechnungen. Als ich ihm erzählte, dass ich mir jemanden suchen wolle, mit dem ich mir eine Wohnung teilen könnte, schlug er vor, ich solle zu ihm ziehen. Schon die Hälfte der Miete sei für mich unerschwinglich, sagte ich, und ich würde nicht dort einziehen, wenn ich meinen Anteil nicht bezahlen könnte. Daraufhin schlug er vor, ich sollte am Anfang nur so viel zahlen, wie ich könnte, und den Betrag dann sukzessive bei jeder Gehaltserhöhung steigern. Er stellte es dar wie ein Geschäftsangebot – aber ein seriöses –, und nachdem ich eine Weile darüber nachgedacht hatte, sagte ich Ja.

Als ich Dad von meinen Plänen erzählte, nahm er mich beiseite und fragte, ob Eric mich glücklich machte und gut behandelte. »Falls nämlich nicht«, sagte er, »tret ich ihm so fest in den Hintern, dass er nicht mehr weiß, wo vorn und hinten ist.«

»Er behandelt mich gut, Dad«, sagte ich. Am liebsten hätte ich gesagt, dass ich bei Eric genau wusste, dass er mir nie den Gehaltsscheck klauen oder versuchen würde, mich aus dem Fenster zu werfen, dass ich immer Angst gehabt hatte, mich in einen saufenden, randalierenden, charismatischen Halunken wie Dad zu verlieben, und dass ich mir stattdessen einen Mann gesucht hatte, der das genaue Gegenteil von ihm war.

Meine gesamte Habe passte in zwei Plastikkästen und einen Müllsack. Ich trug alles auf die Straße, winkte ein Taxi heran und ließ mich zu Erics Adresse fahren. Der Pförtner, der in blauer Uniform mit Goldbesatz unter der Markise am Eingang stand, kam herbeigeeilt und ließ es sich nicht nehmen, die Kästen in die Eingangshalle zu tragen.

Erics Wohnung hatte frei liegende Deckenbalken und einen Kamin mit einem Jugendstilsims. Ich wohne wahrhaftig auf der Park Avenue, sagte ich mir immer wieder, als ich meine Sachen in den Schrank hängte, den Eric für mich leer geräumt hatte. Dann musste ich an Mom und Dad denken. Als sie in ihre besetzte Wohnung zogen – fünfzehn Minuten mit der U-Bahn und ungefähr ein halbes Dutzend Welten entfernt –, schien es, als hätten sie endlich ein Zuhause gefunden, einen Ort, wo sie hingehörten, und ich fragte mich, ob ich das auch von mir behaupten konnte.

Ich lud Mom und Dad zu mir ein. Dad sagte, er würde sich fehl am Platze fühlen, und kam nicht, aber Mom ließ sich nicht lange bitten. Sie drehte Geschirr um und las den Herstellernamen, hob die Ecke des Perserteppichs an, um die Knoten zu zählen. Sie hielt das Porzellan gegen das Licht und schaute hinüber zu den großen Ziegel- und Kalksandsteinhäusern auf der anderen Straßenseite. »Die Park Avenue gefällt mir nicht besonders«, sagte sie. »Die Architektur ist zu monoton. Die Architektur am Central Park West ist mir lieber.«

Ich erwiderte, sie sei die versnobteste Hausbesetzerin, die mir je untergekommen sei, und sie musste lachten. Wir setzten uns auf die Couch im Wohnzimmer. Ich sagte, ich müsse etwas mit ihr besprechen. Ich hätte jetzt eine gute Stelle, und ich wollte ihr und Dad helfen. Ich wollte ihnen irgendetwas kaufen, das für ihr Leben eine wirkliche Verbesserung war. Vielleicht ein kleines Auto. Vielleicht die Kaution und ein paar Monatsmieten für eine Wohnung. Oder die Anzahlung für ein Haus in einer preiswerten Gegend.

»Wir brauchen nichts«, sagte Mom. »Es geht uns gut.« Sie stellte ihre Teetasse ab. »Ich mache mir vielmehr Sorgen um dich.«

»*Du* machst dir Sorgen um *mich*?«

»Ja. Große Sorgen.«

»Mom«, sagte ich. »Mir geht es sehr gut. Ich fühle mich sehr, sehr wohl.«

»Genau das macht mir ja gerade Sorgen«, sagte Mom. »Schau doch nur, wie du lebst. Du hast dich verkauft. Als Nächstes wählst du noch die Republikaner.« Sie schüttelte den Kopf. »Wo sind die Werte geblieben, mit denen ich dich erzogen habe?«

Moms Sorgen um mich wurden noch größer, als mein Chefredakteur mir anbot, einmal die Woche eine Kolumne darüber zu schreiben, was sich bei den einflussreichen Leuten, wie er es formulierte, hinter den Kulissen abspielt. Mom fand, ich sollte Enthüllungsstorys über skrupellose Immobilienhaie, soziale Ungerechtigkeiten und den Klassenkampf an der Lower East Side schreiben. Aber ich sagte dem Redakteur begeistert zu, weil es bedeutete, dass ich zu den Leuten gehören würde, die über das, was wirklich lief, Bescheid wussten. Hinzu kam, dass die meisten Menschen in Welch zwar bestens darüber informiert gewesen waren, wie schlecht die Familie Walls dran war, aber sie selbst hatten auch ihre Probleme – sie konnten sie nur besser vertuschen als wir. Ich wollte der Welt die Augen öffnen, dass niemand ein vollkommenes Leben hatte, dass selbst die Leute, denen es scheinbar an nichts fehlte, ihre Geheimnisse hatten.

Dad fand es toll, dass ich eine Kolumne über die Stink- und Neureichen, wie er sie nannte, schrieb, und er wurde einer meiner treuesten Leser. Er ging in die Bücherei, um sich über die Leute, die ich erwähnte, schlau zu machen, und rief mich an, um mir Tipps zu geben. »Diese Astor-Schnepfe hat 'ne bewegte Vergangenheit«, sagte er einmal zu mir. »Da sollten wir vielleicht ein bisschen nachforschen.« Schließlich räumte sogar Mom ein, dass ich es einigermaßen zu was gebracht hatte. »Keiner hat große Erwartungen in dich gesetzt«, sagte sie zu mir. »Lori war die Intelligente, Maureen die Hübsche und Brian der Unerschrockene. Du hattest nie hervorstechende Eigenschaften, aber du warst schon immer ein Arbeitstier.«

Mein Job gefiel mir noch mehr als meine Park-Avenue-Adresse. Ich wurde jede Woche zu etlichen Partys eingeladen: Vernissagen, Benefizbällen, Filmpremieren, Buchpräsentationen und privaten Diners in marmorglänzenden Speisesälen. Ich lernte Immobilienmaklerinnen kennen, Literaturagenten, reiche Erbinnen, Anlageberater, Rechtsanwälte, Modedesigner, Basketballspieler, Fotografinnen, Filmproduzenten und Fernsehkorrespondenten. Ich begegnete Leuten, die eine ganze Häusersammlung hatten und für ein Essen im Restaurant mehr Geld ausgaben, als wir für unser Haus in der Little Hobart Street bezahlt hatten.

Ob es nun stimmte oder nicht, ich war jedenfalls überzeugt, dass ich meinen Job nicht weitermachen könnte, wenn all diese Leute erfuhren, wer meine Mom und mein Dad waren und wer ich eigentlich war. Also vermied ich es, über meine Eltern zu sprechen. Und wenn das nicht möglich war, log ich.

Ein Jahr nachdem ich mit der Kolumne angefangen hatte, saß ich in einem kleinen, überfüllten Restaurant einer älteren, eleganten Frau mit einem Seidenturban gegenüber, die für die »Liste der bestgekleideten Menschen« verantwortlich war.

»Und wo kommen Sie her, Jeannette?«

»West Virginia.«

»Wo genau?«

»Welch.«

»Wie schön. Was ist der Hauptwirtschaftszweig in Welch?«

»Kohleabbau.«

Während sie mich ausfragte, inspizierte sie genau, was ich anhatte, schätzte die Qualität und den Preis von jedem Kleidungsstück ein und bildete sich ein Urteil über meinen Geschmack im Allgemeinen.

»Und besitzt Ihre Familie Kohlebergwerke?«

»Nein.«

»Was machen Ihre Eltern denn?«

»Meine Mutter ist Künstlerin.«

»Und Ihr Vater?«

»Unternehmer.«

»Was macht er?«

Ich holte tief Luft. »Er entwickelt eine Technologie, mit der sich minderwertige Bitumenkohle wirtschaftlicher verbrennen lässt.«

»Und die beiden leben noch in West Virginia?«, fragte Eleanor.

Ich fand, dass es jetzt auch nicht mehr drauf ankam. »Sie fühlen sich dort sehr wohl«, sagte ich. »Sie haben ein herrliches altes Haus am Hang mit Blick auf einen schönen Fluss. Sie haben es jahrelang renoviert.«

MEIN LEBEN MIT ERIC VERLIEF RUHIG UND VORHERSEHBAR. Es gefiel mir so, und vier Jahre nach meinem Einzug bei ihm heirateten wir. Kurz nach der Hochzeit starb Moms Bruder, mein Onkel Jim, in Arizona. Mom kam zu mir nach Hause, um mir die Nachricht zu überbringen und mich um einen Gefallen zu bitten.

»Wir müssen Jims Land kaufen«, sagte sie.

Mom und ihr Bruder hatten von ihrem Vater, Grandpa Smith, jeweils die Hälfte von dem Stück Land in Westtexas geerbt, für das irgendeine Ölfirma die Bohrrechte gepachtet hatte und in regelmäßigen Abständen einen Scheck schickte. Unsere ganze Kindheit hindurch hatte Mom ein großes Geheimnis daraus gemacht, wie groß und wie wertvoll das Land war, aber ich hatte mir darunter immer ein paar hundert Hektar mehr oder weniger unbewohnbare Wüste meilenweit entfernt von irgendeiner Straße vorgestellt.

»Das Land muss in Familienbesitz bleiben«, sagte Mom zu mir. »Das ist wichtig, aus sentimentalen Gründen.«

»Na, dann sehen wir mal, ob wir es kaufen können«, sagte ich. »Wie viel soll es denn kosten?«

»Du kannst dir das Geld doch von Eric leihen, er ist ja jetzt dein Mann«, sagte Mom.

»Ich habe selbst ein bisschen Geld«, sagte ich. »Wie viel soll es kosten?« Ich hatte irgendwo gelesen, dass man einen Hektar unerschlossenes Land im dürren Westtexas schon für gerade mal hundert Dollar bekommen konnte.

»Du kannst es dir von Eric leihen«, sagte Mom wieder.

»Also, wie viel?«

»Eine Million Dollar.«

»Was?«

»Eine Million Dollar.«

»Aber Onkel Jims Land ist so groß wie dein Land«, sagte ich. Ich sprach langsam, weil ich sichergehen wollte, dass ich das, was Mom soeben gesagt hatte, richtig verstand. »Ihr habt jeder eine Hälfte von Grandpa Smith' Land geerbt.«

»Mehr oder weniger«, sagte Mom.

»Also, wenn Onkel Jims Land eine Million Dollar wert ist, dann ist dein Land auch eine Million Dollar wert.«

»Ich weiß es nicht.«

»Was soll das heißen, du weißt es nicht? Es ist so groß wie deins.«

»Ich weiß nicht, wie viel es wert ist, weil ich es nie hab schätzen lassen, weil ich es nie verkaufen würde. Von meinem Dad hab ich gelernt, dass man Land nicht verkauft. Deshalb müssen wir Onkel Jims Land kaufen. Es muss in der Familie bleiben.«

»Soll das heißen, du besitzt Land im Wert von einer Million Dollar?« Ich war wie vom Blitz getroffen. All die Jahre in Welch ohne genug zu essen, ohne Kohlen, ohne fließendes Wasser im Haus – und Mom hatte die ganze Zeit Land besessen, das eine Million Dollar wert war? Waren all die Jahre und auch die lange Zeit, die Mom und Dad sich auf der Straße rumgetrieben hatten – ganz zu schweigen von ihrem derzeitigen Leben in einer besetzten Wohnung –, nur eine Laune gewesen, die Mom uns zugemutet hatte? Hätte sie unsere finanziellen Probleme durch den Verkauf des Landes, das sie ja nie gesehen hatte, aus der Welt schaffen können? Aber sie wich meinen Fragen aus, und ich begriff, dass es für Mom keine Investitionsstrategie war, das Land zu behalten, sondern vielmehr eine Glaubensfrage, eine für sie unbestreitbare Wahrheit, die sie so tief empfand und so wenig in Zweifel zog wie ihren Katholizismus. Und ich bekam ums Verrecken nicht aus ihr heraus, wie viel dieses Land wert war.

»Ich hab doch gesagt, dass ich es nicht weiß«, sagte sie.

»Dann sag mir, wie viel Hektar es sind und wo genau es

liegt, und ich erkundige mich, was ein Hektar Land in der Gegend kostet.« Es ging mir nicht um ihr Geld, ich wollte – ja, ich musste – einfach die Antwort auf meine Frage herausfinden: Wie viel war das verdammte Stück Land wert? Vielleicht kannte sie den Wert des Landes ja wirklich nicht. Vielleicht hatte sie Angst davor, es zu erfahren. Vielleicht hatte sie Angst davor, was wir alle denken würden, wenn wir es wussten. Doch statt mir zu antworten, wiederholte sie immer nur, dass es wichtig sei, Onkel Jims Land – Land, das schon ihrem Vater und dessen Vater und dessen Vater gehört hatte – in der Familie zu behalten, und dass ich mir das Geld bei meinem Mann leihen müsse.

»Mom, ich kann Eric nicht um eine Million Dollar bitten.«

»Jeannette, ich habe dich nicht oft um einen Gefallen gebeten, aber jetzt bitte ich dich um einen. Ich würde es nicht tun, wenn es nicht wichtig wäre. Aber es ist wichtig.«

Ich sagte Mom, Eric würde mir bestimmt nicht eine Million Dollar leihen, um irgendein Stück Land in Texas zu kaufen, aber selbst wenn, würde ich es mir nicht von ihm leihen. »Es ist zu viel Geld«, sagte ich. »Was sollte ich überhaupt mit dem Land anfangen?«

»Es in der Familie behalten.«

»Ich begreife einfach nicht, dass du mich darum bittest«, sagte ich. »Ich hab das Land doch noch nie gesehen.«

»Jeannette«, sagte Mom, als sie schließlich einsehen musste, dass es nicht so lief, wie sie es sich vorgestellt hatte, »ich bin zutiefst von dir enttäuscht.«

Lori arbeitete jetzt als freiberufliche Künstlerin und hatte sich auf Fantasy spezialisiert. Sie illustrierte Kalender, Brettspiele und Buchumschläge. Brian hatte gleich nach seinem zwanzigsten Geburtstag bei der Polizei angefangen. Dad konnte nicht begreifen, was er bei der Erziehung falsch gemacht hatte, dass sein Sohn nun Mitglied der Gestapo wurde. Aber ich war furchtbar stolz auf meinen Bruder, als ich ihn bei seiner Vereidigung in der marineblauen Uniform mit den funkelnden Messingknöpfen in gerader Haltung zwischen den neuen Beamten stehen sah.

Maureen hatte inzwischen die Highschool abgeschlossen und schrieb sich an einem New Yorker College ein, aber sie gab sich keine große Mühe und zog schließlich zu Mom und Dad. Hin und wieder jobbte sie als Barkeeperin oder Kellnerin, hielt aber nie lange durch. Seit ihrer Kindheit war sie auf der Suche nach jemandem, der ihr Geborgenheit gab. In Welch hatten die Pfingstler in unserer Nachbarschaft sie unter ihre Fittiche genommen, und jetzt in New York fand sie mit ihren langen blonden Haaren und den großen blauen Augen etliche Männer, die sich gern um sie kümmerten.

Doch ihre Beziehungen hielten auch nicht länger als ihre Jobs. Sie sprach davon, nach dem College vielleicht Jura zu studieren, aber sie kam immer wieder davon ab. Je länger sie bei Mom und Dad wohnte, desto mehr zog sie sich zurück, und nach einer Weile hockte sie fast nur noch zu Hause, rauchte wie ein Schlot, las Romane und malte ab und zu ein Aktbild von sich. Die Zweizimmerwohnung war viel zu eng, und Maureen und Dad bekamen oft heftigen Streit. Maureen beschimpfte Dad dann als nichtsnutzigen Säufer, und Dad nannte Maureen das kränkste und mickrigste Hündchen im ganzen Wurf, das er nach der Geburt gleich hätte ertränken sollen.

Irgendwann hörte Maureen auch mit dem Lesen auf. Sie schlief den ganzen Tag und verließ die Wohnung nur, um Zigaretten zu holen. Ich rief sie an und konnte sie überreden, mich besuchen zu kommen und über ihre Zukunft zu sprechen. Als sie kam, erkannte ich sie kaum wieder. Sie hatte sich die Haare und Augenbrauen platinblond gefärbt und trug dunkles Make-up, das so dick aufgetragen war wie bei einem Kabuki-Tänzer. Sie rauchte eine Zigarette nach der anderen und blickte sich immer wieder im Zimmer um. Als ich ihr ein paar Berufsvorschläge machte, sagte sie, sie wüsste, was sie wollte, nämlich den Kampf gegen die Mormonensekten unterstützen, die in Utah Tausende von Menschen gekidnappt hatten.

»Was für Sekten?«, fragte ich.

»Tu nicht so, als wüsstest du von nichts«, sagte sie. »Das beweist nur, dass du eine von denen bist.«

Anschließend rief ich Brian an. »Meinst du, Maureen nimmt irgendwas?«, fragte ich.

»Wenn nicht, sollte sie damit anfangen«, sagte er. »Sie ist komplett durchgedreht.«

Ich sagte Mom, dass Maureen professionelle Hilfe bräuchte, aber Mom behauptete, Maureen bräuchte nur frische Luft und Sonnenschein, mehr nicht. Ich sprach mit verschiedenen Ärzten, aber sie meinten, dass Maureen, da sie allem Anschein nach nicht bereit war, sich selbst Hilfe zu suchen, nur auf gerichtliche Anordnung hin behandelt werden könne, falls sich herausstellte, dass sie für sich oder für andere eine Gefahr darstellte.

Sechs Monate später ging Maureen mit einem Messer auf Mom los. Mom war zu dem Schluss gekommen, dass Maureen endlich ein bisschen Selbstständigkeit lernen sollte, und hatte ihr nahe gelegt, sich eine eigene Wohnung zu suchen.

Gott hilft denen, die sich selbst helfen, hatte sie zu Maureen gesagt, und es sei besser für sie, das Nest zu verlassen und sich auf eigene Beine zu stellen. Maureen war schockiert, dass ihre eigene Mutter sie vor die Tür setzen wollte, und drehte durch. Mom verwahrte sich energisch dagegen, dass Maureen sie hatte umbringen wollen – sie sei einfach völlig durcheinander und aufgewühlt gewesen, sagte sie –, aber die Wunden mussten genäht werden, und die Polizei nahm Maureen fest.

Zwei Tage später war das Anklage-Eröffnungsverfahren. Mom und Dad und Lori, Brian und ich waren da. Brian war stinksauer. Lori war tieftraurig. Dad war angetrunken und legte sich mehrmals mit den Wachleuten an. Aber Mom wirkte wie immer – unbekümmert in Zeiten der Not. Während wir auf den Bänken im Gerichtssaal warteten, summte sie unmelodisch vor sich hin und zeichnete die anderen Zuschauer.

Maureen kam in orangefarbener Gefängniskluft und mit Handschellen in den Saal geschlurft. Ihr Gesicht war aufgedunsen, und sie wirkte benommen, aber als sie uns sah, lächelte sie und winkte. Ihr Anwalt beantragte Kaution. Ich hatte mir von Eric einige tausend Dollar geliehen und hatte das Geld bar in meiner Handtasche. Doch nachdem die Richterin die staatsanwaltliche Version des Tathergangs gehört hatte, schüttelte sie ernst den Kopf. »Antrag abgelehnt«, erklärte sie.

Draußen auf dem Flur gerieten Lori und Dad in einen lautstarken Streit darüber, wessen Schuld es sei, dass Maureen durchgedreht war. Lori schob sie Dad zu, weil er für die krank machende Umgebung von Maureen verantwortlich gewesen sei, und Dad hielt dagegen, Maureens Gehirn ticke einfach nicht sauber. Mom warf ein, das viele Fast Food, das Maureen gegessen hatte, habe ein chemisches Ungleichgewicht verursacht, und dann schrie Brian alle an, sie sollten verdammt noch mal die Klappe halten, sonst würde er sie festnehmen. Ich stand bloß da, blickte von einem verzerrten Gesicht zum anderen und hörte mir das wütende Gezeter an, in dem die Mitglieder der Familie Walls ihrem in all den Jahren angestauten Schmerz, Zorn und Kummer Luft machten und sich gegenseitig die Schuld dafür gaben, dass die Zarteste von uns zusammengebrochen war.

Die Richterin wies Maureen in eine Klinik ein. Als sie ein Jahr später entlassen wurde, kaufte sie sich als Erstes eine Busfahrkarte nach Kalifornien. Ich sagte zu Brian, wir müssten sie daran hindern. Sie kannte ja keine Menschenseele in Kalifornien. Wie sollte sie das überleben? Aber Brian meinte, es sei das Beste, was sie machen könne. Sie müsse einfach so weit wie möglich von Mom und Dad und wahrscheinlich auch von uns Übrigen weg.

Ich musste Brian Recht geben. Aber ich hoffte auch, dass Maureen deshalb nach Kalifornien wollte, weil sie es als ihre wahre Heimat sah, den Ort, wo sie wirklich hingehörte, wo es immer warm war, wo man im Regen tanzen, die Trauben direkt vom Rebstock pflücken und nachts draußen unter den Sternen schlafen konnte.

Maureen wollte nicht, dass einer von uns sie zum Bus brachte. Am Tag ihrer Abreise stand ich im Morgengrauen auf. Ihr Bus fuhr in aller Herrgottsfrühe, und ich wollte wach sein, damit ich ihr in Gedanken Auf Wiedersehen sagen konnte. Ich stellte mich ans Fenster und blickte hinauf in den kalten, nassen Himmel. Ich fragte mich, ob sie an uns dachte und ob sie uns vermissen würde. Ich hatte damals die Idee, sie nach New York zu holen, mit gemischten Gefühlen betrachtet, aber ich war einverstanden gewesen, und als sie dann da war, hatte ich viel zu viel mit mir selbst zu tun gehabt, um mich um sie zu kümmern. Es tut mir Leid, Maureen, sagte ich, als die Abfahrtszeit kam, es tut mir alles so Leid.

DANACH SAH ICH MOM UND DAD KAUM NOCH. Auch Brian bekam wenig von ihnen mit. Er hatte geheiratet und sich auf Long Island ein baufälliges viktorianisches Haus gekauft, das er renovierte. Er hatte mit seiner Frau eine kleine Tochter, und die beiden waren jetzt seine Familie. Lori lebte noch immer in ihrer alten Wohnung und hatte mehr Kontakt zu Mom und Dad als Brian und ich, aber auch sie ging ihre eigenen Wege. Seit Maureens Gerichtsverhandlung hatten wir uns nicht mehr gesehen. An dem Tag war irgendetwas in uns allen zerbrochen, und danach stand keinem von uns mehr der Sinn nach Familientreffen.

Als Maureen etwa ein Jahr in Kalifornien war, rief Dad mich eines Tages in der Redaktion an. Er sagte, er müsse etwas Dringendes mit mir besprechen und wolle mich sehen.

»Geht das nicht am Telefon?«

»Ich muss dich sehen, Schätzchen.«

Dad bat mich, am Abend zur Lower East Side zu kommen. »Und wenn es nicht allzu große Umstände macht«, fügte er hinzu, »könntest du unterwegs eine Flasche Wodka besorgen?«

»Ach, da liegt der Hund begraben.«

»Nein, nein, Schätzchen. Ich muss wirklich mit dir reden. Aber gegen ein, zwei Gläschen Wodka hätte ich nichts einzuwenden. Nichts Teures, der billigste Fusel reicht. Eine kleine Flasche wäre schön. Eine große toll.«

Ich war ziemlich sauer über Dads listige Bitte um eine Flasche Wodka – am Schluss des Telefonats damit rauszurücken, als wäre es ihm im letzten Moment eingefallen, dabei hatte ich den Verdacht, dass es wahrscheinlich der einzige Sinn und

Zweck unseres Treffens war. Anschließend rief ich Mom an, die noch immer nichts Stärkeres als Tee trank, und fragte sie, ob ich Dad die Bitte erfüllen solle.

»Dein Vater ist der, der er ist«, sagte sie. »Es ist zu spät, ihn jetzt noch umzukrempeln. Hab ein bisschen Nachsicht mit dem Mann.«

Am Abend kaufte ich in einem Getränkeladen eine Zwei-literflasche vom billigsten Fusel, den sie dahatten, ganz nach Dads Wunsch, und fuhr dann mit dem Taxi zur Lower East Side. Ich stieg die dunkle Treppe hinauf und drückte die unverschlossene Tür auf. Mom und Dad lagen unter einem Haufen dünner Decken im Bett. Ich hatte das Gefühl, dass sie schon den ganzen Tag dort lagen. Mom kreischte, als sie mich sah, und Dad entschuldigte sich für die Unord-nung und sagte, wenn er doch bloß mal was von Moms gan-zem Plunder ausräumen dürfte, dann hätten sie endlich mal wieder Platz zum Atmen, woraufhin Mom Dad als Penner bezeichnete.

»Schön, euch mal wieder zu sehen«, sagte ich, als ich ihnen einen Kuss gab. »Ist ja ein Weilchen her.«

Mom und Dad brachten sich in eine sitzende Position. Ich sah, dass Dad auf die Papiertüte in meiner Hand schielte, und ich gab sie ihm.

»Eine Jumboflasche«, sagte Dad mit vor Dankbarkeit erstickter Stimme, als er die große Flasche hervorholte. Er schraubte den Deckel ab und nahm einen langen, tiefen Schluck. »Danke, mein Schatz«, sagte er. »Du bist so gut zu deinem alten Herrn.«

Mom trug einen dicken Pullover mit Zopfmuster. Die Haut an ihren Händen hatte tiefe Risse, und ihr Haar war un-gekämmt, aber ihr Gesicht hatte eine gesunde rosa Farbe, und ihre Augen waren klar und strahlend. Im Vergleich zu ihr sah Dad ausgemergelt aus. Die Haare, die bis auf die leicht ergrauten Schläfen noch immer tiefschwarz waren, hatte er nach hinten gekämmt, aber seine Wangen waren eingefallen, und er hatte einen dünnen Bart. Er war immer glatt rasiert gewesen, sogar als er auf der Straße gelebt hatte.

»Wieso lässt du dir einen Bart wachsen, Dad?«, fragte ich.

»Jeder Mann sollte sich irgendwann einen wachsen lassen.«

»Aber wieso jetzt?«

»Jetzt oder nie«, sagte Dad. »Weil ich nämlich nicht mehr lange habe.«

Ich lachte nervös, blickte dann Mom an, die ohne ein Wort nach ihrem Skizzenblock gegriffen hatte.

Dad beobachtete mich aufmerksam. Er reichte mir die Wodkaflasche. Ich trank zwar so gut wie nie, nahm aber einen kleinen Schluck und spürte ein Brennen, als mir der Alkohol durch die Kehle rann.

»An das Zeug könnte ich mich gewöhnen«, sagte ich.

»Besser so«, sagte Dad.

Dann erzählte er mir, dass er sich bei einer blutigen Schlägerei mit ein paar nigerianischen Drogenhändlern eine seltene Tropenkrankheit eingehandelt hatte. Die Ärzte, sagte er, hatten ihm eröffnet, dass die seltene Krankheit unheilbar sei und er nur noch ein paar Wochen zu leben habe.

Es war eine lächerliche Räuberpistole. Tatsache war dagegen, dass Dad zwar erst neunundfünfzig war, aber seit seinem dreizehnten Lebensjahr vier Schachteln Zigaretten am Tag rauchte und tagtäglich eine ordentliche Menge Hochprozentiges in sich hineinschüttete. Er war, wie er selbst schon oft gesagt hatte, förmlich in Alkohol eingelegt.

Aber obwohl er in unserem Leben so viel Randale gemacht und so viel Zerstörung und Chaos angerichtet hatte, konnte ich mir nicht vorstellen, wie mein Leben – wie die Welt – wäre, wenn er nicht mehr darin vorkam. So fürchterlich er auch sein konnte, ich wusste immer, dass er mich so liebte wie kein anderer. Ich sah zum Fenster hinaus.

»He, ja kein Rotz-und-Wasser-Geheule um den ›armen alten Rex‹«, sagte Dad. »Das will ich nicht, weder jetzt, noch wenn ich tot bin.«

Ich nickte.

»Aber du hast deinen alten Herrn immer geliebt, nicht?«

»Ja, Dad«, sagte ich. »Und du hast mich geliebt.«

»Das ist so wahr wie das Amen in der Kirche.« Dad lachte leise. »Wir haben schon tolle Zeiten erlebt, was?«

»Stimmt.«

»Das Schloss aus Glas haben wir nie gebaut.«

»Nein. Aber es hat Spaß gemacht, es zu planen.«

»Und die Pläne waren verdammt gut.«

Mom hielt sich aus dem Gespräch heraus und zeichnete leise vor sich hin.

»Dad«, sagte ich. »Es tut mir Leid, ich hätte dich wirklich bitten sollen, zu meiner Abschlussfeier zu kommen.«

»Schnee von gestern«, sagte er lachend. »Feierlichkeiten haben mir nie was bedeutet.« Er nahm wieder einen Schluck aus seiner Jumboflasche. »Ich bereue so einiges in meinem Leben«, sagte er. »Aber auf dich bin ich verdammt stolz, Bergziege, auf das, was aus dir geworden ist. Wenn ich an dich denke, dann weiß ich, dass ich doch irgendwas richtig gemacht haben muss.«

»Klar hast du das.«

»Dann ist ja gut.«

Schließlich musste ich gehen. Ich gab beiden einen Kuss und drehte mich an der Tür noch einmal zu Dad um.

»He«, sagte er. Er zwinkerte und zeigte mit einem Finger auf mich. »Hab ich dich je enttäuscht?«

Er lachte in sich hinein, weil er wusste, dass es nur eine mögliche Antwort auf diese Frage gab. Ich lächelte bloß. Und dann schloss ich die Tür.

ZWEI WOCHEN SPÄTER HATTE DAD EINEN HERZINFARKT. Als ich ins Krankenhaus kam, lag er auf der Intensivstation, die Augen geschlossen. Mom und Lori standen neben ihm. »Nur die Maschinen halten ihn noch am Leben«, sagte Mom.

Ich wusste, dass Dad es gehasst hätte, die letzten Augenblicke seines Lebens an Apparate in einem Krankenhaus angeschlossen zu sein. Er hätte sich gewünscht, irgendwo draußen in der freien Natur zu sein. Er hatte immer gesagt, wir sollten ihn, wenn er starb, oben auf einen Berg legen und seinen Leichnam von Bussarden und Kojoten zerreißen lassen. Ich spürte den verrückten Impuls, ihn auf den Arm zu nehmen und mit ihm durch die Tür zu verschwinden – ein letztes Mal nach alter Rex-Walls-Manier zu türmen. Stattdessen nahm ich seine Hand. Sie war warm und schwer. Eine Stunde später stellten sie die Apparate ab.

In den Monaten danach packte mich immer wieder der Wunsch, irgendwo anders zu sein als da, wo ich war. Wenn ich in der Redaktion war, wollte ich zu Hause sein. Wenn ich zu Hause war, trieb es mich nach draußen. Wenn ich in einem Taxi saß, das länger als eine Minute im Stau feststeckte, stieg ich aus und ging zu Fuß. Ich fühlte mich am besten, wenn ich in Bewegung war, wenn ich irgendwohin unterwegs war, mich nirgends aufhielt. Ich fing mit Schlittschuhlaufen an. Ich stand frühmorgens auf und spazierte durch die stillen, vom Dämmerlicht erhellten Straßen zur Eisbahn, wo ich mir die Schlittschuhe so fest zuband, dass mir die Füße pochten. Ich genoss die betäubende Kälte und den Schock, wenn ich auf das harte, nasse Eis stürzte. Die schnellen, immer gleichen

Bewegungsabläufe beruhigten mich, und manchmal ging ich abends noch einmal Schlittschuh laufen und kam erst nach Hause, wenn es schon spät und ich erschöpft war. Ich brauchte eine Weile, um zu erkennen, dass es nicht ausreichte, einfach nur in Bewegung zu sein, dass ich mein ganzes Leben überdenken musste.

Ein Jahr nach Dads Tod trennte ich mich von Eric. Er war ein guter Mann, aber nicht der Richtige für mich. Und auf die Park Avenue gehörte ich auch nicht.

Ich mietete eine kleine Wohnung auf der West Side. Sie hatte keinen Pförtner und auch keinen Kamin, aber große, helle Fenster und einen Parkettboden und eine kleine Diele, wie in der Wohnung, die Lori und ich in der Bronx gehabt hatten. Jetzt stimmte alles.

Ich ging nicht mehr so oft Schlittschuh laufen, und als meine Schlittschuhe gestohlen wurden, kaufte ich mir keine neuen. Mein Zwang, immer in Bewegung zu sein, ließ allmählich nach. Aber ich unternahm spätabends gern lange Spaziergänge, häufig bis an den Fluss. Die Lichter der Stadt verbargen die Sterne, aber in klaren Nächten konnte ich die Venus am Horizont sehen, wo sie hoch über dem dunklen Wasser stetig leuchtete.

V

THANKSGIVING

Iᴄʜ ꜱᴛᴀɴᴅ ᴍɪᴛ ᴍᴇɪɴᴇᴍ ᴢᴡᴇɪᴛᴇɴ Mᴀɴɴ Jᴏʜɴ auf dem Bahnsteig. Ein Pfeifen ertönte in der Ferne, rote Lichter blinkten,
und eine Glocke bimmelte, als die Schranken sich über die
Fahrbahn senkten. Das Pfeifen gellte erneut, und dann kam
der Zug zwischen den Bäumen um die Kurve und rollte auf
den Bahnhof zu, die großen Doppelscheinwerfer matt im hellen Sonnenlicht des Novembernachmittags.

Der Zug kam zum Stehen. Die Elektromotoren summten
und vibrierten, und dann, nach einer langen Pause, öffneten
sich die Türen. Passagiere mit zusammengefalteten Zeitungen und Reisetaschen und knallbunten Mänteln strömten
heraus. Durch die Menge hindurch sah ich, wie Mom und
Lori aus dem hinteren Wagon stiegen, und ich winkte.

Fünf Jahre waren seit Dads Tod vergangen. Ich hatte Mom
seitdem nur sporadisch gesehen, und sie hatte bislang weder
John kennen gelernt noch das alte Farmhaus gesehen, das wir
ein Jahr zuvor gekauft hatten. Es war Johns Idee gewesen, sie
und Lori und Brian zu Thanksgiving einzuladen, das erste
Walls-Familientreffen seit Dads Beerdigung.

Mom strahlte übers ganze Gesicht und kam auf uns zugeeilt.
Statt eines Mantels trug sie an die vier Pullover übereinander,
so sah es jedenfalls aus, dazu ein Schultertuch, eine Kordhose
und alte Turnschuhe. In jeder Hand hatte sie eine voll gestopfte
Einkaufstüte. Lori, direkt hinter ihr, trug ein schwarzes Cape
und einen Filzhut. Die beiden waren ein Bild für die Götter.

Als Mom mich erreichte, umarmte sie mich. Ihr langes
Haar war fast ganz grau, aber ihre Wangen waren rosig und
ihre Augen so leuchtend wie eh und je. Dann umarmte Lori
mich, und ich stellte John vor.

»Entschuldigt meinen Aufzug«, sagte Mom, »aber zum Abendessen ziehe ich meine bequemen Schuhe aus und meine schicken an.« Sie griff in eine von ihren Einkaufstüten und holte ein Paar abgelaufene Halbschuhe hervor.

Die gewundene Straße zurück zum Haus führte unter Steinbrücken hindurch, durch Wälder und kleine Dörfer und an Teichen vorbei, wo Schwäne auf spiegelglattem Wasser schwebten. Die meisten Blätter waren schon abgefallen und wurden von Windböen am Straßenrand entlanggewirbelt. Durch das kahle Geäst der Bäume konnte man Häuser sehen, die im Sommer unsichtbar waren.

Während John fuhr, erzählte er Mom und Lori etwas über die Gegend, über die Entenfarmen und die Blumenfarmen und dass der Name unseres Städtchens indianischen Ursprungs war. Ich saß neben ihm, betrachtete sein Profil und musste unwillkürlich schmunzeln. John schrieb Bücher und Artikel für Zeitschriften. Wie ich war er in seiner Kindheit und Jugend oft umgezogen, aber seine Mutter war wahrhaftig in einem Appalachen-Dorf in Tennessee groß geworden, zirka hundert Meilen südwestlich von Welch. Man konnte also durchaus sagen, dass unsere Familien aus derselben Gegend stammten. Ich war vor ihm noch keinem Mann begegnet, bei dem ich mich so wohl fühlte. Ich liebte ihn aus vielerlei Gründen. Er kochte ohne Rezept. Er vermasselte jedes Mal die Pointe, wenn er einen Witz erzählte. Seine große, warmherzige Familie hatte mich voll und ganz in ihrer Mitte aufgenommen. Und als ich ihm zum ersten Mal meine Narbe zeigte, sagte er, sie sei interessant. Er benutzte das Wort »gemasert«. Er sagte, glatt sei langweilig, aber gemasert sei interessant, und die Narbe bedeutete, dass ich stärker sei als das, was mir hatte Schaden zufügen wollen, was immer es auch war.

Wir bogen in unsere Einfahrt. Jessica, Johns fünfzehnjährige Tochter aus erster Ehe, kam aus dem Haus, zusammen mit Brian und seiner achtjährigen Tochter Veronica sowie seinem

Bullmastiff Charlie. Auch Brian hatte Mom seit Dads Beerdigung nicht oft gesehen. Er umarmte sie und frotzelte gleich über ihre Sperrmüllgeschenke, die sie in den Einkaufstüten mitgebracht hatte: angerostetes Silberzeug, alte Bücher und Zeitschriften, ein paar nur leicht angeschlagene Stücke feinen Porzellans aus den zwanziger Jahren.

Brian war zum Detective Sergeant befördert worden und leitete eine Sonderkommission für organisiertes Verbrechen. Er und seine Frau hatten sich etwa zur selben Zeit getrennt wie Eric und ich, aber er hatte sich zum Trost ein altes Stadthaus in Brooklyn gekauft, das er von Grund auf renovierte, alles in Eigenarbeit. Es war schon die dritte Bruchbude, die er in ein Schmuckkästchen verwandelte. Außerdem waren mindestens zwei Frauen mit ernsten Absichten hinter ihm her. Es ging ihm richtig gut.

Wir zeigten Mom und Lori den Garten, der schon winterfertig war. John und ich hatten alle Arbeiten selbst erledigt: das Laub zusammengeharkt und im Shredder zerkleinert, die mehrjährigen Pflanzen zurückgeschnitten und die Beete gemulcht, den Gemüsegarten mit Kompost gedüngt und umgegraben, die Dahlienzwiebeln aus der Erde geholt und in einem Eimer mit Sand im Keller gelagert. John hatte auch das Holz eines abgestorbenen Ahornbaums, den wir gefällt hatten, klein gehackt und gestapelt und war sogar aufs Dach geklettert, um angemoderte Zedernschindeln zu ersetzen.

Mom nickte, als sie das alles hörte. Sie hatte schon immer ein Faible für Leute gehabt, die sich selbst zu helfen wussten. Sie bestaunte die Glyzinie, die sich am Schuppen hochrankte, die Klettertrompeten am Spalier und den Bambushain hinten im Garten. Als sie den Swimmingpool sah, lief sie spontan auf die grüne Gummiabdeckung, um deren Stabilität zu prüfen, Charlie, der Hund, hinterdrein. Die Abdeckung gab unter ihr nach, und sie fiel kreischend vor Lachen hin. John und Brian mussten sie herunterziehen, ein Schauspiel, das Brians Tochter Veronica, die noch ganz klein gewesen war, als sie Mom zuletzt gesehen hatte, mit großen Augen verfolgte.

»Grandma Walls ist wohl anders als deine andere Grandma«, sagte ich zu ihr.

»Und wie«, sagte Veronica.

Johns Tochter Jessica sagte zu mir: »Aber sie lacht genau wie du.«

Ich führte Mom und Lori durchs Haus. Noch immer fuhr ich einmal die Woche nach New York in die Redaktion, aber hier war der Ort, wo John und ich lebten und arbeiteten, unser Zuhause – das erste Haus, das mir gehörte. Mom und Lori bewunderten die breiten Dielenbretter, den großen offenen Kamin und die Deckenbalken aus Robinienholz mit Kerben von der Axt, die die Bäume gefällt hatte. Moms Blick blieb an einer Ottomane mit geschnitzten Beinen und einer hölzernen Rückenlehne mit eingelegten Perlmuttdreiecken hängen, die wir auf dem Flohmarkt gekauft hatten. Sie nickte beifällig. »In jeden Haushalt«, sagte sie, »gehört ein Möbelstück, das so richtig geschmacklos ist.«

Die Küche duftete nach dem gebratenen Truthahn, den John mit einer Füllung aus Wurst, Pilzen, Walnüssen, Äpfeln und gewürztem Paniermehl zubereitet hatte. Er hatte auch Zwiebeln in Sahnesauce, Wildreis, Preiselbeersauce und Kürbissuppe gemacht, und ich hatte mit Äpfeln aus einem benachbarten Obstgarten drei Kuchen gebacken.

»Schlaraffenland«, rief Brian.

»Mahlzeit!«, sagte ich zu ihm.

Er sah sich die Speisen an. Ich wusste, was er dachte, was er jedes Mal dachte, wenn er ein so fürstliches Mahl sah. Er schüttelte den Kopf und sagte: »Ich mein, so schwer ist es doch wirklich nicht, was zu essen auf den Tisch zu bringen, wenn man es wirklich will.«

»Jetzt keine Vorwürfe«, ermahnte Lori ihn.

Mom teilte uns ihre gute Nachricht mit. Sie war seit fünfzehn Jahren Hausbesetzerin, und endlich hatte die Stadt beschlossen, die Wohnungen an sie und die übrigen Besetzer für einen Dollar das Stück zu verkaufen. Sie könne unsere

Einladung, eine Weile zu bleiben, nicht annehmen, sagte sie, weil sie zu einer Versammlung der Hausbesetzer müsse. Mom erzählte auch, sie habe Kontakt zu Maureen, die noch immer in Kalifornien lebte, und dass meine kleine Schwester, mit der ich seit ihrer Abreise aus New York nicht mehr gesprochen hatte, vielleicht auf Besuch kommen wollte.

Wir kamen auf ein paar von Dads verrückten Einfällen zu sprechen: wie er mich den Geparden streicheln ließ, mit uns auf Dämonenjagd ging, uns zu Weihnachten Sterne schenkte.

»Wir sollten einen Toast auf Rex ausbringen«, sagte John.

Mom starrte zur Decke und tat so, als müsste sie nachdenken. »Ich hab's.« Sie hob ihr Glas. »Das Leben mit eurem Vater war niemals langweilig.«

Wir hoben unsere Gläser. Ich konnte förmlich hören, wie Dad über Moms Trinkspruch leise in sich hineinlachte, wie immer, wenn er sich über etwas köstlich amüsierte. Draußen war es dunkel geworden. Wind war aufgekommen und rüttelte an den Fenstern, und die Kerzenflammen bewegten sich plötzlich, tanzten auf der Grenze zwischen Turbulenz und Ordnung.

DANKSAGUNG

Ich möchte mich bei meinem Bruder Brian bedanken, der zu mir gehalten hat, als wir Kinder waren und während ich dieses Buch geschrieben habe. Meiner Mutter bin ich dankbar für ihren Glauben an die Kunst und an die Wahrheit und dafür, dass sie an dieses Buch geglaubt hat; meiner außergewöhnlichen und talentierten großen Schwester Lori danke ich, weil sie sich diesem Glauben angeschlossen hat; ebenso meiner jüngeren Schwester Maureen, die ich immer lieben werde. Und meinem Vater Rex S. Walls, weil er so große Träume geträumt hat.

Mein ganz besonderer Dank gilt auch meiner Agentin Jennifer Rudolph Walsh für ihr Mitgefühl, ihre Intelligenz, ihre Hartnäckigkeit und ihre begeisterte Unterstützung und meiner Lektorin Nan Graham für ihren klaren Sinn dafür, wie viel genug ist, und ihr großes Engagement. Er gilt ebenso Alexis Gargagliano, die eine achtsame und sensible Leserin ist.

Mein Dank für ihre kontinuierliche Unterstützung geht an Jay und Betsy Taylor, Laurie Peck, Cynthia und David Young, Amy und Jim Scully, Ashley Pearson, Dan Mathews, Susan Watson und Jessica Taylor und Alex Guerrios.

Nicht genug danken kann ich meinem Mann John Taylor, der mich davon überzeugt hat, dass es an der Zeit ist, meine Geschichte zu erzählen, der sie dann aus mir herausgeholt hat und der manche Dinge besser verstanden hat als ich.